SO-CFK-720

WITHDRAWN MR - - '14

I GÓRY ODPOWIEDZIAŁY
ECHEM

Tego autora

TYSIĄC WSPANIAŁYCH SŁOŃC

CHŁOPIEC Z LATAWCEM

I GÓRY ODPOWIEDZIAŁY ECHEM

Fundacja Khaleda Hosseiniego
http://www.khaledhosseinifoundation.org/

PROPERTY OF C L P L

KHALED HOSSEINI

I GÓRY ODPOWIEDZIAŁY ECHEM

Z angielskiego przełożyła
MAGDALENA SŁYSZ

Tytuł oryginału:
AND THE MOUNTAINS ECHOED

Copyright © 2003 by Khaled Hosseini and Roya Hosseini,
as Trustees of The Khaled and Roya Hosseini Family
Charitable Remainder Unitrust No. 2 dated February 29, 2012
All rights reserved
Epigraph © Coleman Barks
Polish edition copyright © Wydawnictwo Albatros A. Kuryłowicz 2013
Polish translation copyright © Magdalena Słysz 2013

Redakcja: Beata Słama
Konsultacja: prof. Jolanta Sierakowska-Dyndo

Zdjęcia na okładce:
Rob Bartee/Alamy/BE & W (tło), iStockphoto (pozostałe elementy)
Projekt graficzny okładki angielskiej: David Mann
Projekt graficzny okładki polskiej: Andrzej Kuryłowicz
Skład: Laguna

ISBN 978-83-7885-721-1
(oprawa twarda)

ISBN 978-83-7885-720-4
(oprawa miękka)

Książka dostępna także jako audiobook i jako e-book
(czyta Maria Seweryn)

Dystrybutor
Firma Księgarska Olesiejuk sp. z o.o. sp. k.-a.
Poznańska 91, 05-850 Ożarów Maz.
t./f. 22.535.0557, 22.721.3011/7007/7009
www.olesiejuk.pl

Sprzedaż wysyłkowa – księgarnie internetowe
www.merlin.pl
www.fabryka.pl
www.empik.com

Wydawca
WYDAWNICTWO ALBATROS A. KURYŁOWICZ
Hlonda 2A/25, 02-972 Warszawa
www.wydawnictwoalbatros.com

2013. Wydanie I/oprawa miękka
Druk: CPI Moravia Books, Czech Republic

Książka jest dedykowana Harisowi i Farah,
noor* *moich oczu, i mojemu ojcu,*
który byłby dumny

---

* *Noor* (farsi) — światło.

Dla Elaine

*Za naszym pojmowaniem
dobra i zła
jest pole.
Tam się spotkamy.*

Dżalal ad-Din ar Rumi, XIII wiek

1

No dobrze. Chcecie usłyszeć jakąś historię, więc ją wam opowiem. Ale tylko jedną. Niech żadne z was nie prosi mnie o więcej. Jest już późno, a ty, Pari, i ja mamy jutro przed sobą długą drogę. Powinnaś się wyspać. Ty też, Abdullahu. Liczę na ciebie, chłopcze. Tak jak twoja matka. Opiekuj się rodziną, gdy siostry i mnie nie będzie. Ale do rzeczy. Więc jedna opowieść na dobranoc. Słuchajcie uważnie oboje. I nie przerywajcie mi.

Dawno, dawno temu, w czasach, kiedy po ziemi chodziły dewy — złe duchy — dżiny i olbrzymy, żył sobie chłop, który nazywał się *baba**** Ajub. Mieszkał z rodziną w ubogiej wiosce o nazwie Majdan Sabz. Ponieważ miał wiele gąb do wyżywienia, przez całe dnie ciężko pracował. Codziennie harował od świtu do zmierzchu: orał poletko, obsiewał je, pielęgnował mizerne pistacje. Można go było zobaczyć na polu o każdej porze, pochylonego, z plecami wygiętymi w łuk jak ostrze

---

* *Baba* (farsi) — ojciec.

kosy, którą przez cały czas machał. Na dłoniach miał odciski, często były pokrwawione, a wieczorem, gdy tylko przyłożył głowę do poduszki, zasypiał jak kamień.

Nie był jednak pod tym względem osamotniony. Wszystkim w Majdan Sabz ciężko się żyło. Na północy leżały inne, zamożniejsze wioski — w dolinach, z drzewami owocowymi, kwiatami i kojącym powietrzem, gdzie potoki toczyły zimne, czyste wody. Majdan Sabz natomiast była położona na odludziu i jej nazwa, Pole Zieleni, w najmniejszym nawet stopniu nie odpowiadała rzeczywistości. Wioska znajdowała się na jałowej równinie otoczonej łańcuchem skalistych gór. Gorący wiatr sypał piaskiem w oczy. Codziennym wyzwaniem było znalezienie wody, ponieważ miejscowe studnie, nawet te głębokie, często wysychały. Owszem, w pobliżu płynęła rzeka, ale żeby do niej dotrzeć, mieszkańcy wioski musieli iść pół dnia, a i tak jej wody przez cały rok były zamulone. Teraz, po dziesięciu latach suszy, stała się wąską strugą. Powiedzmy, że ludzie w Majdan Sabz pracowali dwa razy ciężej niż inni, a mieli o połowę mniej.

Mimo to *baba* Ajub uważał się za szczęśliwego człowieka, bo miał rodzinę, która była mu droższa ponad wszystko. Kochał żonę i nigdy nie podnosił na nią głosu, a już na pewno nie ręki. Cenił jej rady, a jej towarzystwo sprawiało mu prawdziwą przyjemność. Jeśli chodzi o dzieci, Bóg pobłogosławił go tyloma, ile dłoń ma palców — trzema synami i dwiema córkami — wszystkich ich darzył wielką miłością. Dziewczęta były posłuszne, miały dobre charaktery i cieszyły się powszechnym szacunkiem. Chłopców wychował na uczciwych, odważnych, życzliwych i ciężko pracujących ludzi, którzy się nie skarżą. Okazywali mu posłuszeństwo, jak przystało na dobrych synów, i pomagali w pracy na roli.

Chociaż *baba* Ajub kochał wszystkie swoje dzieci, miał szczególną słabość do jednego z nich, najmłodszego trzyletniego Ghaisa. Był to malec o ciemnoniebieskich oczach, a wszystkich, z którymi się stykał, ujmował łobuzerskim śmiechem. Należał do tych chłopców, którzy tryskają energią, czerpiąc ją od innych. Kiedy nauczył się chodzić, tak mu się to spodobało, że wędrował przez całe dnie, gdy tylko nie spał, a potem nawet w nocy, kiedy spał, co było niepokojące. Opuszczał we śnie rodzinną chatę z błota i znikał w ciemnościach rozświetlonych tylko blaskiem księżyca. Oczywiście jego rodzice bardzo się tym martwili. Co by było, gdyby wpadł do studni, zgubił się albo, co gorsza, został napadnięty przez jedno z tych stworzeń, które czają się na równinach? Próbowali różnych sposobów, żeby zatrzymać go w domu, ale żaden nie działał. W końcu *baba* Ajub znalazł rozwiązanie, bardzo proste, jak wszystkie najlepsze rozwiązania: z szyi jednej ze swoich owiec zdjął mały dzwonek i powiesił go na szyi Ghaisa. Dzwonek zawsze kogoś budził, gdy chłopiec wstawał z łóżka w środku nocy. Dzięki temu ustały nocne wędrówki, ale chłopiec tak przyzwyczaił się do dzwonka, że nie chciał się z nim rozstać. Tak więc, choć dzwonek nie był już potrzebny, wisiał na sznurku na jego szyi. Kiedy *baba* Ajub wracał do domu po długim dniu pracy, Ghais wybiegał mu naprzeciw i pierwszy przypadał do jego brzucha, podzwaniając przy każdym kroku. *Baba* Ajub brał go na ręce i zanosił do chaty, a tam Ghais obserwował z uwagą, jak ojciec się myje, a potem zasiadał obok niego do kolacji. Po posiłku *baba* Ajub popijał herbatę, patrzył na rodzinę i wyobrażał sobie dzień, w którym wszystkie jego dzieci się pożenią i wyjdą za mąż, i dadzą mu wnuki, a on stanie się dumnym patriarchą jeszcze większej gromadki.

Niestety, Abdullahu i Pari, szczęśliwe dni w życiu *baby* Ajuba dobiegły końca.

Stało się to pewnego dnia, gdy do Majdan Sabz przybył dew. Kiedy zbliżał się do wioski od strony gór, ziemia trzęsła się przy każdym jego stąpnięciu. Chłopi porzucili łopaty, motyki i siekiery i rozpierzchli się przerażeni. Zamknęli się w domach i przytulili jeden do drugiego. Gdy ogłuszający huk kroków dewa ucichł, niebo nad Majdan Sabz poczerniało od jego cienia. Opowiadano, że na głowie miał zakrzywione rogi, na ramionach szorstką czarną szczecinę, a z tyłu gruby ogon. Jego oczy podobno żarzyły się czerwienią. Nikt nie wie tego na pewno, rozumiecie, a przynajmniej nikt z żyjących: dew zjadał na miejscu tych wszystkich, którzy ośmielili się choć raz na niego spojrzeć. Wiedząc to, mieszkańcy wioski przezornie wbijali wzrok w ziemię.

Wszyscy w wiosce domyślali się, po co przyszedł dew. Słyszeli opowieści o jego odwiedzinach w innych wioskach i mogli się tylko dziwić, że Majdan Sabz tak długo uchodziła jego uwagi. Być może — rozumowali — zawdzięczali to biednemu znojnemu życiu, jakie wiedli, bo ich dzieci nie były dobrze karmione i nie miały przy kościach tyle ciała co inne. Tak czy owak, w końcu opuściło ich szczęście.

Cała Majdan Sabz trzęsła się ze strachu i wstrzymywała oddech. Rodziny modliły się, żeby dew ominął ich dom, bo zdawały sobie sprawę, że jeśli zastuka w ich dach, będą musiały oddać jedno dziecko. Potwór wsadzi je do worka, który zarzuci sobie na ramię, i wróci tam, skąd przyszedł. Nikt nigdy więcej nie zobaczy biednego dziecięcia. A jeśli domownicy sprzeciwią się dewowi, uprowadzi wszystkie dzieci.

Dokąd dew zabierał swoje ofiary? Do fortu, który stał na szczycie stromej góry. Było to bardzo daleko od Majdan Sabz. Żeby tam dotrzeć, należało przebyć doliny, kilka pustyń i dwa łańcuchy górskie. Zresztą kto przy zdrowych zmysłach by się na to odważył, zwłaszcza że na miejscu czekała go tylko śmierć? Mówiono, że w forcie jest pełno lochów, a na ich ścianach wiszą rzeźnickie tasaki. Że u sufitów dyndają haki na mięso. A na posadzce znajdują się paleniska i wielkie rożny. Że jeśli dew złapie śmiałka, który dostał się do fortu, to nawet może przezwycięży niechęć do mięsa dorosłego człowieka.

Chyba się domyślacie, w który dach zastukał budzący grozę dew. Usłyszawszy ten dźwięk, *baba* Ajub krzyknął rozpaczliwie, a jego żona zemdlała i osunęła się na podłogę. Dzieci zaczęły płakać z przerażenia i rozpaczy, bo wiedziały, że jedno z nich zostanie zabrane. Na złożenie ofiary rodzina miała czas do świtu.

Jak mogę opisać cierpienie *baby* Ajuba i jego żony? Żaden rodzic nie powinien być stawiany przed takim wyborem. Gdy dzieci nie słyszały, Ajub i jego małżonka debatowali, co uczynić. Rozmawiali i płakali, rozmawiali i płakali. Przez całą noc rozważali wszystko od nowa i choć do świtu było coraz bliżej, wciąż nie mogli podjąć decyzji — czego być może dew oczekiwał, bo dzięki temu mógłby zabrać całą piątkę dzieci. Wreszcie *baba* Ajub zebrał przed domem pięć kamieni takiej samej wielkości i kształtu. Na każdym napisał imię jednego dziecka, a potem wrzucił wszystkie do worka z grubego płótna. Podał worek żonie, a ta się wzdrygnęła, jakby w środku siedział jadowity wąż.

— Nie mogę się na to zdobyć — powiedziała do męża,

kręcąc głową. — Nie potrafiłabym dokonać wyboru. Nie zniosłabym tego.

— Ja też nie — miał odpowiedzieć *baba* Ajub, kiedy zobaczył przez okno, że słońce zaraz wychynie zza wzgórz na wschodzie. Mieli mało czasu. Spojrzał smutno na pięcioro dzieci. Trzeba uciąć palec, żeby ocalić rękę. Zamknął więc oczy i wyjął z worka jeden z kamieni.

Chyba domyślacie się, który kamień wyciągnął *baba* Ajub. Ujrzawszy napisane na nim imię, krzyknął. Z krwawiącym sercem wziął najmłodszego synka w ramiona, a ten, ślepo ufając ojcu, radośnie zarzucił mu rączki na szyję. Dopiero gdy ojciec wystawił go przed chatę i zatrzasnął drzwi, mały Ghais zrozumiał, co się dzieje. *Baba* Ajub, lejąc łzy, stał, kiedy jego ukochane dziecko łomotało piąstkami w drzwi, z płaczem prosząc, aby *baba* wpuścił je do środka. Mamrotał tylko: „Wybacz mi, wybacz mi". Gdy ziemia zatrzęsła się pod stopami dewa, jego chłopczyk zawył cienkim głosem, po czym ziemia znowu zaczęła się trząść. W końcu zapanował spokój i zapadła martwa cisza, tak że słychać było jedynie zawodzenia *baby* Ajuba i jego gorące prośby, aby Ghais mu wybaczył.

Abdullahu, twoja siostra zasnęła. Nakryj jej stopy kocem. O tak. Dobrze. Może powinienem na tym zakończyć. Nie? Chcesz, żebym opowiadał dalej? Na pewno, chłopcze? Niech ci będzie.

Na czym to ja skończyłem? A tak. Nastąpił czterdziestodniowy okres żałoby. Sąsiedzi codziennie gotowali rodzinie posiłki i przy niej czuwali. Przynosili rozmaite podarki — herbatę, cukierka, chleb, migdały — składali kondolencje i wyrazy współczucia. *Baba* Ajub z trudem wypowiadał słowa podziękowania. Siedział w kącie, a z jego oczu płynęły strumienie łez, jakby chciał zakończyć panującą we wsi suszę. Nie można życzyć takich cierpień nawet najpodlejszemu z ludzi.

Minęło kilka lat. Susza trwała i wioska Majdan Sabz popadła w jeszcze większą nędzę. Kilkoro małych dzieci zmarło z pragnienia w kołyskach. Poziom wody w studniach był coraz niższy, a rzeka wyschła, w przeciwieństwie do zgryzoty *baby* Ajuba, która wzbierała i wzbierała z każdym dniem. Rodzina już nie miała z niego pożytku. Nie pracował, nie modlił się, prawie nic nie jadł. Żona i dzieci błagały go, żeby się tak nie zamartwiał, daremnie. Jego obowiązki przejęli synowie, bo *baba* Ajub nie robił nic, tylko całe dnie siedział samotnie na skraju pola i spoglądał żałośnie w stronę gór. Przestał rozmawiać z mieszkańcami wioski, ponieważ sądził, że obgadują go za plecami i mówią, że jest tchórzem, bo oddał synka bez walki. Że nie nadaje się na ojca. Prawdziwy ojciec stawiłby czoło dewowi. Oddałby życie, broniąc rodziny.

Pewnego wieczoru powiedział o tym żonie.

— Ależ niczego takiego nie mówią — odparła. — Nikt nie uważa cię za tchórza.

— Przecież słyszę — odrzekł.

— Słyszysz własny głos, mężu. — Nie powiedziała mu, że sąsiedzi rzeczywiście obgadują go za jego plecami. Ale szepczą między sobą co innego: że chyba zwariował.

I któregoś dnia potwierdził ich przypuszczenia. Wstał o wschodzie słońca, nie budząc żony ani dzieci, schował do worka kilka kawałków chleba, założył buty, przytroczył do pasa kosę i wyruszył w drogę.

Szedł wiele, wiele dni. Wędrował, aż słońce stawało się

czerwonym światełkiem w oddali. Noce spędzał w jaskiniach, poza którymi gwizdał wiatr. Albo spał nad jakąś rzeką, pod drzewami, wśród skał. Jadł chleb, który wziął z sobą, a potem to, co udało mu się znaleźć — dzikie jagody, grzyby, ryby, które łapał w strumieniach gołymi rękami — a czasem nie jadł w ogóle. Jednak wytrwale podążał przed siebie. Kiedy napotkani ludzie pytali go, dokąd idzie, mówił prawdę, a wtedy jedni się śmiali, inni odchodzili pospiesznie, bojąc się, że jest szaleńcem, a jeszcze inni modlili się za niego, bo także musieli oddać swoje dziecko dewowi. On nie podnosił głowy i szedł dalej. Kiedy rozpadły mu się buty, przywiązał je sznurkiem do stóp, a gdy sznurki puściły, wędrował boso, przemierzając pustynie, doliny i góry.

Wreszcie *baba* Ajub dotarł do szczytu, na którym stał fort dewa. Tak spieszno mu było wypełnić swoje zadanie, że nie odpoczął, tylko natychmiast przystąpił do wspinaczki. Był w łachmanach, stopy mu krwawiły, włosy miał zlepione pyłem, ale się nie wahał. Ostre skały raniły mu stopy, jastrzębie dziobały go po twarzy, gdy mijał ich gniazda. Gwałtowne porywy wiatru o mało nie strąciły go ze zbocza góry. Ale on piął się coraz wyżej, od skały do skały, aż w końcu stanął przed potężną bramą fortu.

— Kto śmie się tu dobijać?! — zagrzmiał głos dewa, gdy *baba* Ajub rzucił kamieniem w bramę.

Ajub odpowiedział, podając swoje imię.

— Przybywam z wioski Majdan Sabz — dodał.

— Życie ci niemiłe? Na pewno tak, skoro niepokoisz mnie w moim domu! Czego chcesz?

— Przyszedłem cię zabić.

Po drugiej stronie zapadła cisza. A potem brama otworzyła

się i stanął w niej dew w całej swojej potwornej okazałości, górując nad *babą* Ajubem.

— Czyżby? — zapytał głosem niskim jak grom.

— A tak — odparł *baba* Ajub. — Tak czy owak, któryś z nas dzisiaj zginie.

Wydawało się przez chwilę, że dew podniesie *babę* Ajuba z ziemi i zabije go jednym kłapnięciem ostrych jak sztylety zębisk, jednak się zawahał i zmrużył ślepia. Może sprawiły to szalone słowa starego człowieka, a może jego wygląd, porwane ubranie, zakrwawiona twarz, pył, którym był pokryty od stóp do głów, otwarte rany na jego ciele. A może to, że w oczach starca nie dostrzegł ani śladu strachu.

— Skąd pochodzisz, jak powiadasz?

— Z Majdan Sabz — odrzekł *baba* Ajub.

— Majdan Sabz musi być daleko, sądząc po tym, jak wyglądasz.

— Nie przyszedłem tu na pogawędkę. Przyszedłem, żeby...

Dew podniósł łapę z pazurami.

— Tak, tak, przyszedłeś tu, żeby mnie zabić. Już słyszałem. Ale może wolno mi powiedzieć przed śmiercią kilka słów?

— Dobrze — zgodził się *baba* Ajub. — Ale tylko kilka.

— Dziękuję ci. — Dew się skrzywił. — Mogę spytać, co takiego ci zrobiłem, że chcesz mojej śmierci?

— Zabrałeś mi najmłodszego syna — wyjaśnił *baba* Ajub. — Był mi najdroższy na świecie.

Dew mruknął i poskubał się po brodzie.

— Zabrałem synów wielu ojcom — odparł.

Baba Ajub gniewnie wyciągnął kosę.

— W takim razie zemszczę się także w ich imieniu.

— Muszę powiedzieć, że twoja odwaga budzi podziw.

— Co mi tam odwaga — prychnął *baba* Ajub. — Żeby być odważnym, trzeba mieć coś do stracenia. A ja nie mam.

— Możesz stracić życie — zauważył dew.

— Już mi je odebrałeś.

Dew mruknął i przyjrzał się uważnie *babie* Ajubowi. Po chwili powiedział:

— Dobrze więc, stanę z tobą do pojedynku. Ale najpierw chciałbym, żebyś poszedł za mną.

— Tylko szybko, bo moja cierpliwość się kończy.

Dew jednak szedł już w głąb wielkiego korytarza i *baba* Ajub nie miał wyboru, musiał pójść za nim. Podążał za potworem labiryntem korytarzy, których sufit, wsparty na wielkich kolumnach, sięgał niemal chmur. Mijali wiele schodów i sal tak wielkich, że zmieściłaby się w nich cała Majdan Sabz. Szli i szli, aż wreszcie dew wprowadził *babę* Ajuba do olbrzymiego pomieszczenia, na którego końcu wisiała zasłona.

— Podejdź bliżej. — Przywołał go gestem.

Baba Ajub stanął obok niego.

Dew odsunął zasłonę. Za nią było okno, a za oknem rozciągał się wielki ogród. Otaczały go szeregi cyprysów, pod którymi rosły kwiaty we wszystkich kolorach tęczy. Były tam też baseny wyłożone niebieskimi kafelkami, marmurowe tarasy i soczyście zielone trawniki. *Baba* Ajub dostrzegł pięknie przycięte żywopłoty i fontanny szemrzące w cieniu granatowców. Gdyby żył trzy razy, nie potrafiłby wyobrazić sobie tak pięknego miejsca.

Ale rzuciło go na kolana co innego: widok dzieci biegających wesoło po ogrodzie. Goniły się po alejkach i między drzewami, bawiły w chowanego za żywopłotami. *Baba* Ajub przyglądał im się uważnie i wreszcie znalazł to, czego wypatrywał. Tak! Jego syn Ghais żył i czuł się nie tylko dobrze, ale wręcz bardzo dobrze. Urósł i miał dłuższe włosy, niż *baba* Ajub pamiętał. Był ubrany w białą koszulę i ładne spodnie. Śmiał się radośnie, goniąc dwóch kolegów.

— Ghais — szepnął *baba* Ajub. Potem zawołał syna po imieniu.

— On cię nie słyszy — powiedział dew. — Ani nie widzi.

Baba Ajub zaczął podskakiwać, machać rękami, walić w szybę, aż w końcu dew zaciągnął zasłonę.

— Nic nie rozumiem — odezwał się *baba* Ajub. — Myślałem, że...

— To twoja nagroda — odparł dew.

— Wyjaśnij mi! — zażądał *baba* Ajub.

— Poddałem cię próbie.

— Próbie?

— A właściwie twoją miłość. To było prawdziwe wyzwanie, zdaję sobie z tego sprawę. Ale zdałeś egzamin. To twoja nagroda. I jego.

— A gdybym podjął inną decyzję?! — krzyknął *baba* Ajub. — Gdybym nie chciał poddać się próbie?

— Wtedy wszystkie twoje dzieci by zginęły, bo i tak byłyby przeklęte, mając za ojca tak słabego człowieka — odparł dew. — Tchórza, który wolałby skazać je na śmierć, niż obciążyć swoje sumienie. Twierdzisz, że nie jesteś odważny, ale ja widzę w tobie odwagę. To, co zrobiłeś, biorąc na swoje ramiona ciężkie brzemię, wymagało ogromnej odwagi. I za to cię szanuję.

Baba Ajub niepewnie wyciągnął kosę, ale wysunęła mu się

z ręki i z głośnym brzękiem upadła na marmurową posadzkę. Ugięły się pod nim nogi i musiał usiąść.

— Syn cię nie pamięta — ciągnął dew. — Takie teraz prowadzi życie i sam widziałeś, że jest szczęśliwy. Dostaje tu najlepsze jedzenie i ubrania, jest otoczony przyjaźnią i serdecznością. Uczy się malować, języków obcych, nauk ścisłych i uczy się pomagać innym. Nic go to nie kosztuje. Pewnego dnia, gdy będzie dorosłym mężczyzną, być może zechce odejść, i to zrobi. Przypuszczam, że wniesie w życie wielu ludzi dobroć, a strapionym da szczęście.

— Chcę go zobaczyć — powiedział *baba* Ajub. — I zabrać do domu.

— Naprawdę?

Baba Ajub uniósł głowę i spojrzał na dewa.

Potwór podszedł do szafy, która stała niedaleko zasłony, i wyjął z jednej z szuflad klepsydrę.

— Czy wiesz, Abdullahu, co to jest klepsydra? Wiesz. To dobrze.

No więc dew wziął ją, odwrócił i postawił u stóp *baby* Ajuba.

— Pozwolę ci zabrać go do domu — rzekł. — Ale jeśli to zrobisz, nigdy już nie będzie mógł tu wrócić. Jeżeli zostawisz go tutaj, ty nigdy tu nie wrócisz. Gdy przesypie się cały piasek, powiesz mi, jaką podjąłeś decyzję.

Po tych słowach dew wyszedł z sali, zostawiając *babę* Ajuba z kolejnym bolesnym wyborem, którego musiał dokonać.

Zabiorę go do domu, pomyślał natychmiast *baba* Ajub. Tego pragnął najbardziej, całym swoim jestestwem. Czy nie wyobrażał sobie tej chwili w setkach snów? Że znowu przytuli małego Ghaisa, pocałuje go w policzek i poczuje miękkie małe rączki w swoich dłoniach? A mimo to... Jeśli zabierze go do domu, jakie życie czeka chłopca w Majdan Sabz? W najlepszym razie ciężki żywot chłopa, taki jak jego, i niewiele więcej. A i to, jeśli nie umarłby na skutek suszy, jak tyle dzieci z wioski. Wybaczyłbyś to sobie, zapytał *baba* Ajub samego siebie, mając świadomość, że dla własnych samolubnych powodów pozbawiłeś go życia w dobrobycie, pełnego możliwości? Ale z drugiej strony, gdyby zostawił Ghaisa, jak mógłby egzystować, wiedząc, że jego syn żyje, wiedząc, gdzie przebywa, ale nie mogąc go zobaczyć? Jak wytrzyma? *Baba* Ajub zapłakał. Był tak zrozpaczony, że wziął klepsydrę i rzucił nią o ścianę, tak że szkło rozprysło się na tysiące kawałków, a drobny piasek rozsypał po całej podłodze.

Dew wrócił i zastał go stojącego z opuszczonymi rękami nad rozbitą klepsydrą.

— Jesteś okrutną bestią — odezwał się *baba* Ajub.

— Gdybyś żył tak długo jak ja, przekonałbyś się, że okrucieństwo i dobroć to odcienie tego samego koloru — odparł dew. — Czy już wybrałeś?

Baba Ajub wytarł oczy, podniósł kosę i przypiął do pasa. Ze zwieszoną głową wolno ruszył do drzwi.

— Dobry z ciebie ojciec — orzekł dew, kiedy *baba* Ajub go mijał.

— Żebyś smażył się w ogniu piekielnym za to, co mi zrobiłeś — jęknął *baba* Ajub.

Wyszedł z sali i oddalał się korytarzem, gdy dew go zawołał.

— Weź to — powiedział i wręczył *babie* Ajubowi małą szklaną flaszkę, w której znajdował się ciemny płyn — i wypij podczas wędrówki do domu. A teraz żegnaj.

Baba Ajub wziął flaszkę i wyszedł bez słowa.

Wiele dni później jego żona siedziała na skraju rodzinnego poletka, wyglądając go tak samo, jak on niegdyś wyglądał Ghaisa. Z każdym mijającym dniem jej nadzieja, że go ujrzy, malała. Ludzie w wiosce mówili już o *babie* Ajubie w czasie przeszłym. Pewnego razu znowu usiadła na ziemi i odmawiała modlitwę, gdy zobaczyła chudą postać zbliżającą się do Majdan Sabz od strony gór. Początkowo sądziła, że ten wychudzony mężczyzna w łachmanach, z podkrążonymi oczami i zapadniętymi policzkami to zagubiony derwisz, ale kiedy się zbliżył, rozpoznała w nim swojego męża. Z radości serce o mało nie wyskoczyło jej z piersi. Poczuła taką ulgę, że aż się rozpłakała.

Gdy już się umył, napił i najadł, *baba* Ajub położył się na łóżku w chacie, a sąsiedzi krążyli wokół niego i zasypywali go pytaniami.

— Dokąd zaszedłeś, *babo* Ajubie?

— Coś widział?

— Co ci się przydarzyło?

Baba Ajub nie mógł odpowiedzieć na te pytania, bo nie miał pojęcia, co się z nim działo. Nie pamiętał nic z podróży: wspinaczki na górę dewa, rozmowy z nim, wielkiego pałacu, sali z zasłoną. Miał wrażenie, jakby obudził się ze snu, który już zapomniał. Nie pamiętał sekretnego ogrodu, dzieci, a przede wszystkim nie pamiętał, że widział swojego syna bawiącego się z kolegami wśród drzew. A nawet, gdy ktoś wypowiadał imię Ghaisa, *baba* Ajub mrugał zdziwiony. „Kto taki?" — pytał. Nie przypomniał sobie, żeby kiedykolwiek miał dziecko imieniem Ghais.

Rozumiesz, Abdullahu, na czym polegał ten akt łaski?

Napój pomógł mu wymazać to wszystko z pamięci. To była dla niego nagroda za to, że przeszedł pomyślnie drugą próbę dewa.

Tamtej wiosny niebo nad Majdan Sabz wreszcie się otworzyło. Spadła nie lekka mżawka, jak w poprzednich latach, ale prawdziwa ulewa. Lał deszcz i wszyscy mieszkańcy wioski wyszli z domów, żeby się nim nacieszyć. Przez cały dzień bębnił o dachy Majdan Sabz, tłumiąc wszelkie inne odgłosy świata. Wielkie ciężkie krople kapały z końców liści. Studnie się napełniły, a rzeki wezbrały. Wzgórza na wschodzie pokryły się zielenią. Kwiaty zakwitły i po raz pierwszy od wielu lat dzieci bawiły się na trawie, a krowy pasły. Wszyscy bardzo się cieszyli.

Kiedy deszcze ustały, mieszkańcy wioski mieli co robić. Kilka ścian z błota się obsunęło, kilka dachów zapadło i całe połacie pól uprawnych zamieniły się w mokradła. Ale po biedzie, w jakiej żyli przez dziesięć ostatnich lat, ludzie z Majdan Sabz nie narzekali. Ściany odbudowano, dachy naprawiono, wykopano kanały odwadniające. Jesienią *baba* Ajub zebrał najpiękniejsze pistacje w życiu, a w kolejnych latach plony były jeszcze lepsze, zarówno pod względem ilości, jak i jakości. W wielkich miastach, w których sprzedawał swoje zbiory, *baba* Ajub siedział dumnie za piramidami pistacji i uśmiechał się promiennie, jakby był najszczęśliwszym człowiekiem chodzącym po ziemi. Majdan Sabz już nigdy więcej nie nawiedziła susza.

Co jeszcze mogę powiedzieć, Abdullahu? Być może zapytasz, czy przystojny młody człowiek podróżujący konno przejechał kiedyś przez wioskę, zmierzając na spotkanie wspaniałych przygód? Czy zatrzymał się tam, aby napić się wody, której w wiosce już nie brakowało, i podzielić się chlebem z mieszkańcami, może nawet z samym *babą* Ajubem? Nie potrafię powiedzieć, chłopcze. Mogę cię natomiast zapewnić, że *baba* Ajub dożył późnej starości. Był świadkiem, jak jego synowie się żenią, a córki wychodzą za mąż, tak jak zawsze tego pragnął, a potem dają mu wnuki, z których każdy był dla niego wielkim szczęściem.

Mogę ci też powiedzieć, że czasami w nocy *baba* Ajub bez szczególnego powodu nie mógł spać. Chociaż był już bardzo starym człowiekiem, nogi miał sprawne i mógł chodzić o lasce, więc w takie bezsenne noce wstawał z łóżka, nie budząc żony, brał laskę i wychodził z chaty. Szedł w ciemnościach, stukając laską, a nocny wiatr wiał mu w twarz. Na skraju jego pola był płaski kamień, siadał więc na nim i często trwał tak przez godzinę albo i dłużej. Patrzył w gwiazdy, na chmury przepływające obok księżyca. Myślał o swoim długim życiu i dziękował za całe to piękno i radość, jakie były mu dane. Wiedział, że chcieć więcej, jeszcze więcej, byłoby małostkowe. Wzdychał z zadowoleniem, słuchał szumu wiatru wiejącego od gór i szczebiotu nocnych ptaków.

Co jakiś czas jednak wydawało mu się, że słyszy coś jeszcze. Zawsze to samo: wysoki dźwięk dzwonka. Nie bardzo wiedział, skąd miałby dochodzić, przecież był sam, a wokół niego tylko śpiące owce i kozy. Czasami wmawiał sobie, że niczego takiego nie słyszy, a czasami był przekonany, że wręcz przeciwnie, i wtedy wołał w mrok: „Jest tam kto?! Kto tam?! Pokaż się!".

Ale nigdy nie usłyszał odpowiedzi. *Baba* Ajub nic z tego nie rozumiał. Tak jak nie rozumiał, dlaczego zawsze, kiedy słyszy to dzwonienie, ogarnia go dziwne uczucie, jak na końcu smutnego snu, i za każdym razem go to zaskakuje, niczym niespodziewany powiew wiatru. Ale potem to mijało, jak wszystko. Przechodziło.

A więc, chłopcze, to już koniec opowieści. Nie mam nic więcej do powiedzenia. Zrobiło się już naprawdę późno, jestem zmęczony, twoja siostra i ja musimy wstać o świcie. Zgaś świecę. Połóż głowę na poduszce i zamknij oczy. Śpij dobrze, chłopcze. Pożegnamy się rano.

2

N igdy wcześniej ojciec nie uderzył Abdullaha. Kiedy więc to zrobił, kiedy przyłożył mu w skroń tuż nad uchem — mocno, znienacka, otwartą dłonią — łzy napłynęły chłopcu do oczu. Szybko zamrugał, żeby je powstrzymać.

— Wracaj do domu — polecił ojciec przez zaciśnięte zęby.

Abdullah usłyszał, że Pari wybuchnęła płaczem.

Wtedy ojciec uderzył go jeszcze raz, mocniej, tym razem w lewy policzek. Głowa odskoczyła Abdullahowi w bok. Twarz go zapiekła i spod powiek popłynęły łzy. W lewym uchu usłyszał dzwonienie. Ojciec się pochylił, zbliżył tak bardzo, że jego ciemna pomarszczona twarz przesłoniła pustynię, góry i całe niebo.

— Powiedziałem ci, chłopcze, żebyś wracał do domu — rzekł, patrząc na niego zbolałym wzrokiem.

Abdullah nie wydał żadnego dźwięku. Przełknął ślinę i spojrzał na ojca, mrugając pod dłonią przyłożoną do oczu dla ochrony przed słońcem.

Siedząca w małym czerwonym wozie Pari wykrzyknęła jego imię cienkim, drżącym ze strachu głosem:

— Abollah!

Ojciec popatrzył na niego ostro i powlókł się do wozu. Pari na wozie wyciągnęła ręce do Abdullaha. Ten odczekał, aż ojciec z siostrą ruszą, potem otarł oczy nasadą dłoni i podążył za nimi.

Po chwili ojciec rzucił w niego kamieniem, tak jak dzieci w Szadbagh rzucały w psa Pari, Szuję — tyle że one zamierzały go trafić, zrobić mu krzywdę. Kamień rzucony przez ojca wylądował kilka metrów od Abdullaha. Chłopiec przystanął, a kiedy ojciec i Pari znowu się oddalili, podjął wędrówkę za nimi.

Wreszcie, gdy słońce było już w zenicie, ojciec zatrzymał wóz. Odwrócił się do Abdullaha, zastanawiał się przez chwilę, po czym przywołał go ruchem ręki.

— Nie poddasz się, co? — powiedział.

Pari szybko wyciągnęła do Abdullaha rękę. Patrzyła na niego oczami pełnymi łez i uśmiechała się, odsłaniając szczerbę w zębach, jakby nie mogło spotkać jej nic złego, dopóki będzie miała brata przy boku. On zacisnął palce na jej dłoni, tak jak to robił każdej nocy, gdy spali w jednym łóżku, dotykając się głowami i splatając nogi.

— Miałeś zostać w domu — rzucił ojciec. — Z matką i Ighbalem. Tak jak ci mówiłem.

Abdullah pomyślał: z twoją żoną. Moją matkę przecież pochowaliśmy. Zdążył jednak ugryźć się w język i nie powiedział tego.

— No dobrze. Możesz iść z nami — zgodził się ojciec. — Ale żadnego płaczu. Słyszysz?

— Tak.

— Uprzedzam cię. Nie zniosę tego.

Pari uśmiechnęła się do Abdullaha, a on spojrzał w jej jasne oczy i na pulchne różowe policzki i odpowiedział uśmiechem.

Od tej chwili szedł obok wozu podskakującego na pustynnych wybojach i trzymał Pari za rękę. Brat i siostra wymieniali ukradkowe uradowane spojrzenia, ale odzywali się rzadko, z obawy, że zdenerwują ojca i wszystko zepsują. Przez długie odcinki drogi wędrowali sami, we troje, na horyzoncie nie było widać żywej duszy, tylko głębokie miedziane wąwozy i wielkie klify z piaskowca. Przed nimi rozciągała się pustynia, wielka i bezkresna, jakby stworzona dla nich i tylko dla nich. Rozpalone powietrze stało nieruchome, a czyste błękitne niebo wznosiło się wysoko. Na popękanej ziemi migotały kamienie. Jedynym dźwiękiem, jaki słyszał Abdullah, był jego własny oddech i rytmiczne skrzypienie kół, gdy ojciec ciągnął wóz na północ.

Po jakimś czasie zatrzymali się w cieniu skały. Ojciec, stękając, puścił dyszel, który opadł na ziemię. Skrzywił się, prostując plecy i wznosząc twarz ku słońcu.

— Kiedy dotrzemy do Kabulu? — zapytał Abdullah.

Ojciec opuścił głowę i spojrzał na dzieci. Nazywał się Sabur, miał ciemną skórę i zaciętą twarz, trójkątną i kościstą, nos zakrzywiony niczym dziób pustynnego jastrzębia i głęboko osadzone oczy. Był chudy jak trzcina, ale od ciężkiej pracy przez całe życie wyrobiły mu się potężne mięśnie, ciasno oplecione żyłami, niczym oparcia wiklinowego krzesła ratanowymi paskami.

— Jutro po południu — odparł i podniósł do ust bukłak

z wołowej skóry. — Jeśli dobrze pójdzie. — Upił duży łyk wody, a jego jabłko Adama poruszyło się w górę i w dół.

— Dlaczego nie zawióżł nas wuj Nabi? — chciał wiedzieć Abdullah. — Przecież ma samochód.

Ojciec, patrząc na niego, przewrócił oczami.

— Wtedy nie musielibyśmy iść taki kawał drogi — dodał chłopak.

Sabur nie odpowiedział. Zdjął brudną od sadzy czapkę i rękawem koszuli otarł pot z czoła.

Nagle Pari wskazała coś palcem.

— Patrz, Abollah! — zawołała podniecona. — Jeszcze jedno.

Abdullah podążył wzrokiem do miejsca w cieniu głazu, gdzie leżało pióro, długie i szare jak spalony węgiel. Abdullah podszedł do niego i wziął je za dudkę. Zdmuchnął pył. Sokół, pomyślał, obracając pióro palcach. A może gołąb albo pustynny skowronek. Tego dnia widział mnóstwo takich piór. Nie, to nie sokół. Dmuchnął w pióro jeszcze raz, a potem podał Pari, która wyrwała mu je z ręki.

W domu, w Szadbagh, trzymała pod poduszką stare blaszane pudełko, które od niego dostała. Miało zardzewiałe zamknięcie, a na pokrywce widniał brodaty Hindus w turbanie i długiej czerwonej tunice, trzymający w dłoniach filiżankę parującej herbaty. Dziewczynka przechowywała w tej puszce wszystkie znalezione pióra. To były jej najcenniejsze skarby. Ciemnozielone i ciemnoczerwone pióro kogucie; białe ogonowe pióro gołębie; brązowe z ciemniejszymi cętkami pióro jaskółki; i to, z którego Pari była najbardziej dumna, opalizujące zielenią pióro pawie, z pięknym wielkim okiem na końcu.

To ostatnie dał jej przed kilkoma miesiącami. Usłyszał o chłopcu z innej wioski, którego rodzina miała pawia. Pewnego dnia, gdy ojciec kopał rowy w miasteczku na południe od Szadbagh, Abdullah poszedł do tamtej wioski, odnalazł chłopca i poprosił go o pióro ptaka. Kiedy wracał do domu z piórem zatkniętym pod koszulą za pasek, miał popękane pięty i idąc, zostawiał na ziemi czerwone smugi. W podeszwy wbijały mu się ciernie i drzazgi. Przy każdym kroku stopy przeszywał ból.

Po powrocie do domu zastał swoją macochę, Parwanę, przed chatą. Pochylona nad tandurem*, piekła nan. Szybko więc schował się za wielkim dębem rosnącym obok domu i czekał, aż skończy. Wyglądając zza pnia, obserwował ją podczas pracy, kobietę o grubych ramionach i długich rękach, z szorstkimi dłońmi i krótkimi palcami; kobietę o okrągłej nabrzmiałej twarzy, niemającej w sobie nic z motyla, od którego została nazwana.

Abdullah żałował, że nie kocha jej tak, jak kochał matkę. Matkę, która wykrwawiła się na śmierć, rodząc Pari, trzy i pół roku wcześniej, gdy Abdullah miał siedem lat. Której twarzy już nie pamiętał. Która ujmowała jego głowę w obie dłonie, przytulała ją do piersi i głaskała go po policzku co wieczór przed snem i śpiewała kołysankę:

Znalazłam smutną małą wróżkę
W cieniu papirusa.
Znam smutną małą wróżkę,
Którą pewnej nocy uniósł wiatr.

---

* Tandur — gliniany piec w kształcie dzbana niegdyś opalany drewnem, węglem drzewnym lub nawozem, a obecnie np. gazem.

Chciałby kochać macochę w taki sam sposób. I może Parwana — myślał — też pragnie go pokochać. Tak jak kochała Ighbala, swojego jedynego syna, którego stale całowała, którego każde kaszlnięcie i kichnięcie budziło jej niepokój. Albo tak jak kochała swoje pierwsze dziecko, Omara. Uwielbiała go. Ale przedostatniej zimy umarł z powodu przeziębienia. Należał do trójki dzieci Szadbagh, które zabrała ostra zima. Abdullah pamiętał, jak zrozpaczona Parwana tuliła owinięte w prześcieradło drobne zwłoki. Pamiętał dzień, w którym pochowali je na wzgórzu, w małej mogile w zamarzniętej ziemi, pod grafitowym niebem. Mułła Szekib odmawiał modlitwy, a wiatr zacinał w oczy śniegiem.

Abdullah przypuszczał, że Parwana wpadnie we wściekłość, gdy się dowie, że oddał za pawie pióro swoje jedyne buty. Ojciec ciężko pracował w upale, żeby za nie zapłacić. Macocha pewnie każe mu je odzyskać. Może nawet go uderzy, myślał. Już kilka razy go zbiła. Miała silne, ciężkie ręce — po tych wszystkich latach noszenia siostry kaleki, sądził Abdullah — i potrafiła zamachnąć się szczotką albo celnie wymierzyć cios.

Trzeba przyznać, że bicie go nie sprawiało jej satysfakcji. I że czasami potrafiła okazywać pasierbom czułość. Kiedyś uszyła Pari srebrnozieloną sukienkę z materiału, który ojciec kupił w Kabulu. Nauczyła Abdullaha, i to wykazując zadziwiającą cierpliwość, jak rozbić dwa jajka jednocześnie, nie naruszając żółtek. I pokazała mu, jak skręcać łuski kukurydzy, żeby zrobić z nich laleczki, tak jak pokazywała to swojej siostrze, gdy były małe. I zademonstrowała, jak ze skrawków materiału uszyć ubranka dla lalek.

Ale to były tylko gesty, przejawy poczucia obowiązku —

Abdullah to wiedział — pochodzące ze znacznie płytszych pokładów uczuć niż te, do których sięgała, gdy chodziło o Ighbala. Gdyby pewnej nocy ich dom stanął w ogniu, Abdullah nie miał wątpliwości, które z dzieci Parwana by ratowała. Nie zastanawiałaby się dwa razy. Ostatecznie sprowadzało się to do jednego: on i Pari nie byli jej dziećmi. Większość ludzi najbardziej kocha własne potomstwo. Nic nie można było na to poradzić, że oboje z siostrą nie pochodzili z jej krwi. Byli bachorami innej kobiety.

Czekał, aż Parwana zabierze chleb do chaty, a potem zobaczył, że wyszła z niej, niosąc na ręku Ighbala, a pod pachą pranie. Patrzył, jak zmierza nad strumień, i dopiero gdy zniknęła, wślizgnął się do chaty, czując bolesne pulsowanie w stopach za każdym razem, kiedy dotykały ziemi. Usiadł na podłodze i założył stare plastikowe sandały, jedyne obuwie, jakie mu zostało. Wiedział, że nie postąpił rozsądnie. Ale gdy ukląkł przy Pari, obudził ją delikatnie z drzemki i jak magik wyjął zza pleców pióro, pomyślał, że było warto, bo na jej twarzy najpierw pojawiło się zaskoczenie, a potem zachwyt. Zaczęła okrywać jego policzki pocałunkami, chichotała, kiedy łaskotał ją po brodzie miękkim końcem piórka — i nagle stopy przestały go boleć.

Ojciec drugi raz otarł twarz rękawem. Napili się po kolei z bukłaka. Potem ojciec stwierdził:

— Jesteś zmęczony, chłopcze.

— Nie — zaprotestował Abdullah, choć naprawdę był zmęczony. A nawet wyczerpany. I bolały go nogi. Niełatwo szło się po pustyni w sandałach.

— Wsiadaj — polecił ojciec.

Abdullah usiadł na wozie obok Pari, opierając się plecami

o drewniane deski i czując guzki kręgosłupa siostry, które wbijały mu się w brzuch i kościstą pierś. Gdy ojciec ich ciągnął, Abdullah spojrzał w niebo, na góry i łagodne wzgórza, które rysowały się miękko w oddali. Popatrzył na plecy ojca, jego nisko opuszczoną głowę, stopy wzbijające obłoczki czerwonobrązowego pyłu. Minęła ich karawana nomadów Kuczi, procesja złożona z podzwaniających dzwonków i parskających wielbłądów. Kobieta z obwiedzionymi na czarno oczami i włosami o barwie pszenicy uśmiechnęła się do niego.

Jej włosy przypomniały mu matkę i znowu boleśnie za nią zatęsknił, za jej dobrocią, radością życia, zdumieniem wobec ludzkiego okrucieństwa. Przypomniał sobie jej urywany śmiech i to, jak nieśmiało przechylała na bok głowę. Jego matka była delikatna, zarówno jeśli chodzi o sylwetkę, jak i charakter; szczupła kobieta o smukłej talii i miękkich włosach, zawsze wysuwających się spod szala. Dziwił się kiedyś, jak tak drobne ciało może pomieścić tyle radości, tyle dobroci. I nie mieściło. Wylewały się z niej, widać je było w oczach. Ojciec był inny. Twardy. Patrzył na ten sam świat co matka i widział tylko obojętność. Niekończący się znój. Świat ojca był bezwzględny. Niczego nie dawano w nim za darmo. Nawet miłości. Za wszystko należało płacić. A jeśli było się biedakiem, walutę stanowiło cierpienie.

Abdullah popatrzył na pokryty strupami przedziałek we włosach siostry, na jej chudy nadgarstek, i czuł, że matka, umierając, przekazała Pari coś z siebie. Coś ze swojej pogodnej gotowości do poświęceń, prostolinijności, niewzruszonej wiary w przyszłość. Pari jako jedyna osoba na świecie nigdy, przenigdy by go nie skrzywdziła. Czasami Abdullahowi wydawało się, że siostra jest jego jedyną rodziną.

Barwy dnia powoli przeszły w szarość i dalekie szczyty gór zaczęły przypominać ciemne sylwetki skulonych gigantów. Od rana minęli kilka wsi, przeważnie samotnych i pokrytych kurzem jak Szadbagh. Małe chaty z wypalanej gliny, na planie kwadratu, czasami wzniesione na stoku góry, a czasami nie, ze smużką dymu unoszącą się z dachu. Sznury do wieszania bielizny, kobiety kucające przy ogniskach i gotujące obiad. Kilka topoli, stadko kurcząt, parę krów i kóz, i zawsze meczet. Ostatnia wioska, którą widzieli, leżała przy polu maków, na którym pracował stary człowiek. Pomachał do nich i zawołał coś, czego Abdullah nie usłyszał. Ojciec też do niego pomachał.

— Abollah? — zwróciła się do niego Pari.

— Tak?

— Myślisz, że Szui jest smutno?

— Na pewno nie.

— Nikt nie zrobi mu krzywdy?

— To duży pies, Pari. Umie się bronić.

Szuja rzeczywiście był dużym psem. Zdaniem ojca chyba kiedyś wystawiano go do walk, bo miał obcięte uszy i ogon. Jednak to, czy potrafił się bronić i czyby to zrobił, było zupełnie inną kwestią. Kiedy przybłąkał się do Szadbagh, dzieci rzucały w niego kamieniami, dźgały patykami albo szprychami od rowerów. On nigdy ich nie atakował. Z czasem dzieciakom znudziło się dręczenie go i dały mu spokój. Szuja jednak pozostał ostrożny, nieufny, jakby nie zapomniał, jakie były dla niego okrutne.

Trzymał się z daleka od wszystkich z wyjątkiem Pari. Przy niej tracił całą rezerwę. Darzył ją wielką, bezwarunkową miłością. Dziewczynka była całym jego światem. Rankiem, gdy widział, że wychodzi z domu, zrywał się na równe nogi i drżał na całym ciele. Machał szaleńczo kikutem ogona i podskakiwał radośnie w miejscu, jakby miał pod łapami gorące węgle. Biegał wesoło wokół niej. Przez cały dzień chodził za dziewczynką jak cień, a w nocy, kiedy się rozstawali, leżał smutny pod drzwiami chaty, czekając, aż nadejdzie świt.

— Abollahu?

— Tak?

— Gdy dorosnę, będę mieszkała z tobą?

Abdullah patrzył, jak pomarańczowe słońce schodzi coraz niżej, dotykając horyzontu.

— Jeśli zechcesz. Ale nie będziesz chciała.

— Będę!

— Będziesz wolała mieć własny dom.

— Ale możemy być sąsiadami.

— Możemy.

— Nie mieszkałbyś daleko.

— A jeśli będziesz miała mnie dość?

Trąciła go łokciem w bok.

— Nie będę!

Abdullah uśmiechnął się do siebie.

— No to w porządku.

— Będziemy zawsze niedaleko siebie.

— Mhm.

— Aż się zestarzejemy.

— Do późnej starości.

— Na zawsze.

— Tak, na zawsze.

Odwróciła się, żeby na niego spojrzeć.

— Obiecujesz, Abollahu?

— Na zawsze, na zawsze.

Później ojciec wziął Pari na barana, a Abdullah pociągnął wóz. Wpadł w trans. Był świadom tylko swoich kolan, które podnosiły się i opadały, strużek potu spływających spod czapki. Stópek Pari uderzających o biodra ojca. Cienia ich obojga, wydłużającego się na szarej pustynnej ziemi i oddalającego od niego, gdy zwalniał kroku.

To wuj Nabi znalazł ojcu ostatnią pracę. Nabi był starszym bratem Parwany, więc tak naprawdę nie był dla Abdullaha wujem. Pracował w Kabulu jako kucharz i szofer. Raz na miesiąc przyjeżdżał do Szadbagh w odwiedziny, a jego przybycie zapowiadało trąbienie i wrzask hordy wioskowych dzieciaków, które biegły za niebieskim samochodem z jasnobrązowym dachem i błyszczącymi listwami. Waliły w zderzak i szyby, aż wuj Nabi gasił silnik i wysiadał z auta, uśmiechając się szeroko — przystojny mężczyzna z długimi bokobrodami i kędzierzawymi czarnymi włosami zaczesanymi do tyłu, w za dużym oliwkowym garniturze, białej koszuli i brązowych mokasynach. Wszyscy wychodzili z domów, żeby go zobaczyć, bo jeździł samochodem — choć należącym do pracodawcy — nosił garnitur i pracował w wielkim mieście, w Kabulu.

I właśnie podczas ostatniej wizyty wuj Nabi powiedział ojcu o tej pracy. Bogaci ludzie, u których był zatrudniony, budowali domek dla gości, taki z łazienką, na podwórku naprzeciwko swojego domu, i poradził im, żeby wynajęli ojca, który znał się na murarce. Wuj Nabi twierdził, że praca jest dobrze płatna i zajmie mniej więcej miesiąc.

Ojciec rzeczywiście znał się na murarce. Pracował już na niejednej budowie. Jak daleko Abdullah sięgał pamięcią, ojciec wyruszał na poszukiwanie pracy, chodził od drzwi do drzwi, żeby znaleźć zajęcie. Kiedyś podsłuchał go, jak mówił do starszego z wioski, mułły Szekiba: „Gdybym urodził się zwierzęciem, mułło *sahibie**, przysięgam, że byłbym mułem". Czasami zabierał do pracy Abdullaha. Któregoś razu zbierali jabłka w miasteczku oddalonym od Szadbagh o cały dzień drogi. Abdullah pamiętał, że ojciec stał na drabinie aż do zachodu słońca, zgarbiony, ze zgiętym karkiem wystawionym na palące słońce i spieczoną skórą na przedramionach, przekręcając, a potem zrywając owoce grubymi palcami. W innym miasteczku robili cegły do budowy meczetu. Ojciec pokazał Abdullahowi, jak zbierać dobrą ziemię, jaśniejszą, z głębszych pokładów. Razem ją przesiewali, dodawali słomę, a potem ojciec cierpliwie uczył syna, jak dolewać wody, żeby mieszanka nie była zbyt płynna. W ostatnim roku nosił kamienie. Przerzucał łopatą ziemię, orał pola. Pracował przy budowie drogi, kładąc asfalt.

Abdullah wiedział, że ojciec obwinia się o śmierć Omara. Gdyby miał więcej pracy — albo lepszą — mógłby kupić dziecku cieplejsze ubranie na zimę, grubsze koce, może nawet prawdziwy piecyk, żeby ogrzać dom. Tak myślał ojciec. Od pogrzebu ani słowem nie wspomniał przy Abdullahu o Omarze, ale on wiedział swoje.

Pamiętał, że kilka dni po śmierci Omara widział ojca stojącego samotnie pod wielkim dębem. Drzewo górowało nad całym Szadbagh i było w wiosce najstarsze ze wszyst-

---

* *Sahib* (farsi) — pan, gospodarz.

kiego, co żyło. Ojciec mówił, że nie byłby zdziwiony, gdyby widziało przemarsz armii szacha Barbura w kierunku Kabulu. Twierdził, że spędził połowę dzieciństwa w cieniu jego potężnej korony albo wspinając się na rozłożyste gałęzie. Jego ojciec, dziadek Abdullaha, przywiązał długie sznury do jednego z grubszych konarów i zawiesił na nich huśtawkę, która przetrwała niezliczone surowe pory roku i samego starca. Ojciec opowiadał, że na zmianę huśtali się na niej z Parwaną i jej siostrą Masumą, gdy wszyscy byli dziećmi.

Ale w ostatnich czasach, kiedy Pari pociągała go za rękaw i prosiła, żeby ją pohuśtał, był na to zbyt zmęczony po całym dniu pracy.

— Może jutro, Pari.

— Tylko przez chwilę, *baba*. Proszę, wstań.

— Nie dziś. Innym razem.

Dziewczynka w końcu się poddawała, puszczała jego rękaw i odchodziła zrezygnowana. Wąska twarz ojca kurczyła się, kiedy patrzył, jak córka się oddala. Przewracał się na bok w łóżku, naciągał na głowę koc i zamykał zmęczone oczy.

Abdullah nie mógł sobie wyobrazić, że ojciec bujał się kiedyś na huśtawce. W ogóle nie wyobrażał go sobie jako chłopca, takiego jak on. Beztroskiego, chodzącego lekkim krokiem. Biegnącego w pole z kolegami. Ojca z bliznami na rękach, pobrużdżoną ze zmęczenia twarzą. Ojca, który równie dobrze mógłby urodzić się z łopatą w dłoniach i brudem za paznokciami.

 Tamtej nocy musieli spać na pustyni. Zjedli chleb i ostatniego gotowanego ziemniaka, które spakowała im Parwana. Ojciec rozpalił ogień i zagotował w czajniku wodę na herbatę.

Abdullah leżał przy ognisku, skulony pod wełnianym kocem za Pari, i czuł jej zimne stopy.

Ojciec pochylił się nad płomieniami i zapalił papierosa.

Abdullah przewrócił się na plecy i Pari przylgnęła do niego, przytulając policzek do znajomego zagłębienia pod jego obojczykiem. Wciągnął miedzianą woń pustynnego pyłu i spojrzał na niebo usiane gwiazdami, które przypominały kryształy lodu, migotliwe i lśniące. Delikatny sierp księżyca kołysał ciemny niesamowity zarys samego siebie w pełni.

Abdullah wrócił pamięcią do przedostatniej zimy, kiedy wszystko było pogrążone w ciemności, wiatr wciskał się przez drzwi, gwiżdżąc głośno, nisko, przeciągle, i wdzierał we wszystkie szpary w suficie. Wioska zniknęła pod śniegiem. Długie bezgwiezdne noce, krótki ciemny dzień, bo słońce wychodziło rzadko, a i wtedy pojawiało się tylko na chwilę i znowu znikało. Przypomniał sobie zduszony płacz Omara, a potem jego milczenie i ojca wycinającego deskę sierpem takim jak ten, który wisiał teraz nad nimi, a następnie wciskającego ją w twardą ziemię, skutą lodem, u szczytu małego grobu.

I znowu zbliżał się koniec jesieni. Zima była tuż-tuż, choć ani ojciec, ani Parwana o tym nie mówili, jakby mogło to przyspieszyć nadejście mrozów.

— Ojcze? — zagadnął.

Ten w odpowiedzi mruknął cicho po drugiej stronie ogniska.

— Pozwolisz mi sobie pomóc? Przy budowie tego domku dla gości...

Dym z papierosa unosił się spiralą w jego stronę. Ojciec patrzył w ciemność.

— Ojcze?

Ten zmienił pozycję na kamieniu, na którym siedział.

— Chyba mógłbyś mieszać zaprawę murarską — rzekł w końcu.

— Nie wiem, jak to się robi.

— Pokażę ci. Nauczysz się.

— A ja? — odezwała się Pari.

— Ty? — zapytał ojciec powoli. Zaciągnął się dymem i podsycił patykiem ogień. W powietrze wzbiły się tańczące iskierki. — Będziesz odpowiedzialna za wodę. Za to, żebyśmy nigdy nie byli spragnieni. Bo człowiek nie może pracować, gdy chce mu się pić.

Pari milczała.

— Ojciec ma rację — włączył się Abdullah. Wyczuwał, że Pari chciałaby zająć się czymś poważniejszym, ubrudzić sobie ręce, że jest rozczarowana zadaniem, które przydzielił jej ojciec. On jednak zapewnił:

— Bez ciebie i twojej wody nie zbudujemy domku dla gości.

Wsunął patyk pod rączkę czajnika i zdjął naczynie z ognia. Odstawił je na bok, żeby trochę przestygło.

— Coś ci powiem. Pokażesz, że umiesz przynosić wodę, a wtedy znajdę ci jakieś inne zajęcie.

Pari podniosła głowę i spojrzała na Abdullaha z rozjaśnioną szczerbatym uśmiechem buzią.

Przypomniał sobie, że gdy była malutka, spała na jego piersi, i kiedy czasami w środku nocy otwierał oczy, widział ją uśmiechającą się do niego z taką samą minką.

To on ją wychowywał. Naprawdę. Mimo że sam był jeszcze dzieckiem — miał dziesięć lat. W niemowlęctwie to jego budziła w nocy płaczem i popiskiwaniem, to on podchodził do niej, brał ją na ręce i kołysał w ciemnościach. Zmieniał jej pieluchy. Kąpał. Ojciec się takimi rzeczami nie zajmował — był mężczyzną, a poza tym wracał z pracy zbyt zmęczony. A Parwanie, już noszącej w łonie Omara, nie chciało się zrywać, żeby zaspokajać potrzeby Pari. Nie miała do tego cierpliwości ani siły, dlatego opieka nad dziewczynką spadła na Abdullaha. On jednak nie miał nic przeciwko temu. Podobało mu się, że to on pomagał jej stawiać pierwsze kroki, słyszał pierwsze słowo, jakie wypowiedziała. Po to był, dlatego właśnie Bóg powołał go do życia — żeby opiekował się Pari, gdy On zabrał ich matkę.

— *Baba* — odezwała się znowu Pari — opowiedz jakąś historię.

— Już późno — odparł ojciec.

— Proszę.

Ojciec był z natury zamknięty w sobie. Rzadko wypowiadał dwa zdania z rzędu. Ale zdarzało się, z nieznanych Abdullahowi powodów, że coś się w nim otwierało i nagle zaczynał opowiadać. Od czasu do czasu, gdy Parwana stukała garnkami w kuchni, sadzał przed sobą Abdullaha i Pari i opowiadał im historie, które, gdy był chłopcem, przekazała mu babka. Przenosili się wtedy w krainy zamieszkane przez sułtanów, dżiny, złe duchy i mądrych derwiszów. Czasem sam wymyślał opowieści. Na poczekaniu, wykazując się wyobraźnią i fantazją, które zawsze Abdullaha zadziwiały. Ojciec nigdy nie wydawał mu się bardziej obecny, pełen życia, autentyczny, otwarty niż wtedy, gdy snuł opowieści, jakby były tunelem prowadzącym do jego mrocznego, nieprzeniknionego świata.

Jednak po minie ojca widział, że tego wieczoru opowieści nie będzie.

— Jest późno — powtórzył ojciec. Wziął czajnik za rączkę przez szal, który miał na ramionach, i nalał do kubka parującej herbaty. Podmuchał na nią i upił łyk. W blasku ognia jego twarz wydawała się pomarańczowa.

Abdullah naciągnął koc na głowę siostry i swoją i zaśpiewał Pari do ucha:

Znalazłam smutną małą wróżkę
W cieniu papirusa...

A ona, już prawie śpiąc, dokończyła:

Znam smutną małą wróżkę,
Którą pewnej nocy uniósł wiatr.

I zaczęła pochrapywać.

Abdullah się obudził i zobaczył, że ojca nie ma. Usiadł przestraszony. Ognisko zgasło, żarzyło się tylko kilka szkarłatnych węgielków. Spojrzał w lewo, a potem w prawo, ale nie mógł przeniknąć wzrokiem ciemności, nieograniczonej i jednocześnie przytłaczającej. Poczuł, że blednie. Serce zaczęło mu bić jak szalone. Nastawił ucha i wstrzymał oddech.

— Ojcze? — wyszeptał.

Cisza.

Wezbrała w nim panika. Siedział nieruchomo, wyprostowany i napięty, nasłuchując przez dłuższą chwilę. Byli sami, on i Pari, w nieprzeniknionych ciemnościach. Zostali porzuceni. Ojciec ich zostawił. Abdullah po raz pierwszy w życiu odczuł bezkres pustyni — i całego świata. Jak łatwo można się w nim zagubić. Nie mając nikogo, kto by pomógł, kto wskazałby drogę. Ojciec zginął. Ktoś poderżnął mu gardło. Bandyci. Zabili go i teraz zasadzają się na niego i Pari, nie spiesząc się, czerpiąc z tego przyjemność, urządzając sobie polowanie.

— Ojcze! — zawołał głośniej, piskliwie.

Nie usłyszał odpowiedzi.

— Ojcze?

Wołał go raz po raz, przez coraz bardziej zaciśnięte gardło. Stracił poczucie czasu, nie wiedział, jak długo wzywa ojca, jednak z ciemności nie dochodziła żadna odpowiedź. Wyobraził sobie twarze ukryte w górach, wyłaniające się z ziemi, które patrzą i uśmiechają się złowróżbnie na widok jego i Pari. Znowu ogarnęła go panika, od której skręciły mu się wnętrzności. Trząsł się i cicho popłakiwał. Czuł, że zaraz zacznie krzyczeć.

A potem — kroki. Z mroku wyłoniła się jakaś postać.

— Myślałem, że sobie poszedłeś — powiedział Abdullah drżącym głosem.

Ojciec usiadł przy wygasłym ognisku.

— Gdzie byłeś?

— Śpij, chłopcze.

— Nie zostawiłbyś nas. Nie zrobiłbyś tego, ojcze.

Ojciec spojrzał na niego, ale w ciemnościach Abdullah nie mógł dojrzeć wyrazu jego twarzy.

— Obudzisz siostrę.

— Nie zostawiaj nas.

— Dość tego.

Abdullah ze ściśniętym gardłem położył się obok siostry, która przytuliła się do niego mocno.

Abdullah nigdy nie był w Kabulu. Wszystko, co o nim wiedział, słyszał od wuja Nabiego. Bywał w różnych miasteczkach, tych, w których pracował ojciec, ale nigdy nie był w prawdziwym wielkim mieście, i nawet to, co opowiadał wuj Nabi, nie przygotowało go na zgiełk i zamęt największego i najludniejszego z nich. Wszędzie sygnalizatory świetlne, herbaciarnie i restauracje, sklepy ze szklanymi frontami i jaskrawymi kolorowymi szyldami. Samochody przejeżdżające z hałasem zatłoczonymi ulicami, trąbiące, mknące tuż obok autobusów, piesi, rowerzyści. Zaprzężone w konie gari z żelaznymi obręczami na kołach, podzwaniające dzwonkami na bulwarach i podskakujące na drodze. Na chodnikach, którymi szedł z Pari i ojcem, stali sprzedawcy papierosów i gumy do żucia, gazeciarze, kowale wykuwający podkowy. Na skrzyżowaniach policjanci w źle leżących mundurach dmuchali w gwizdki i wykonywali autorytatywne gesty, na które nikt nie zwracał uwagi.

Abdullah, z Pari na kolanach, siedział na ławce niedaleko rzeźnika i trzymał blaszany talerz z fasolą w sosie pomidorowym i chutneyem z kolendrą, które ojciec kupił im u ulicznego sprzedawcy.

— Popatrz, Abollah. — Pari wskazała sklep po drugiej stronie ulicy. W jego oknie stała młoda kobieta ubrana w pięknie haftowaną zieloną tunikę z małymi lusterkami i koralikami. Miała też długi, pasujący do stroju szal, srebrną biżuterię i ciemnoczerwone spodnie. Stała zupełnie nieruchomo i patrzyła obojętnie na przechodniów, nawet nie mrugając okiem. Nie drgnęła przez cały czas, gdy Abdullah i Pari jedli fasolę, i później też się nie poruszyła. Dalej Abdullah zauważył wielki plakat, który wisiał na fasadzie wysokiego budynku. Przedstawiał młodą ładną Hinduskę, stojącą w ulewnym deszczu na polu tulipanów i chowającą się żartobliwie za jakimś bungalowem. Uśmiechała się nieśmiało, a mokre sari podkreślało jej krągłości. Abdullah zastanawiał się, czy to właśnie to miejsce, które wuj Nabi nazywał kinem; ludzie chodzą tam oglądać filmy. Miał nadzieję, że w ciągu tego miesiąca wuj zabierze jego i Pari na film. Uśmiechnął się na samą myśl o tym.

Z meczetu obłożonego niebieskimi kafelkami dobiegło głośne wezwanie na modlitwę i zaraz potem Abdullah zobaczył wuja Nabiego, który podjechał samochodem do krawężnika i wysiadł po stronie kierowcy. Był w oliwkowym garniturze i o mało nie uderzył drzwiami młodego rowerzysty w czapanie*, ale ten zdążył go ominąć.

Wuj Nabi obszedł szybko wóz i objął ojca. Na widok Abdullaha i Pari uśmiechnął się szeroko. Pochylił się, żeby spojrzeć im w oczy.

— Jak wam się podoba Kabul, dzieciaki?

— Bardzo tu głośno — odpowiedziała Pari i wuj Nabi się zaśmiał.

— Rzeczywiście. No już, wsiadajcie. Z samochodu zobaczycie o wiele więcej. Wytrzyjcie nogi, zanim wsiądziecie. Saburze, ty siadaj z przodu.

---

* Czapan — długi płaszcz noszony przez mężczyzn w Afganistanie.

47

Tylne siedzenie było chłodne, twarde i jasnoniebieskie, tak jak całe wnętrze auta. Abdullah przysunął się do okna za fotelem kierowcy i wziął Pari na kolana. Zauważył, z jaką zazdrością stojący obok ludzie patrzą na samochód. Pari odwróciła głowę i uśmiechnęli się do siebie.

Podczas jazdy przyglądali się życiu miasta. Wuj Nabi powiedział, że pojedzie okrężną drogą, żeby mogli lepiej poznać Kabul. Wskazał wzgórze o nazwie Tapa Marandżan i stojące na nim mauzoleum z kopułą, górujące nad miastem. Powiedział, że spoczywa tam szach Nader, ojciec szacha Zahera. Pokazał im też fort Bala Hissar na szczycie góry Koh-e-Szirdwaza, zajmowany przez Brytyjczyków podczas ich drugiej wojny z Afganistanem.

— A co to jest, wuju Nabi? — Abdullah postukał w okno, wskazując duży, żółty budynek w kształcie prostopadłościanu.

— Silo. Nowa fabryka chleba. — Nabi, który prowadził jedną ręką, odwrócił głowę i puścił do niego oko. — Pozdrowienia od naszych przyjaciół Rosjan.

Fabryka, w której produkuje się chleb. Abdullah nie mógł się nadziwić, bo przypomniał sobie Parwanę w Szadbagh, przyklejającą placki ciasta do ścianek tandura.

Wuj Nabi skręcił w czystą szeroką ulicę wysadzaną rosnącymi w regularnych odstępach cyprysami. Stojące przy niej domy, białe, żółte, jasnoniebieskie, były eleganckie i większe niż te, które Abdullah do tej pory widywał. Miały kilka pięter i stały za murami z podwójną bramą z żelaza. Abdullah zauważył kilka samochodów, takich jak wuja Nabiego, zaparkowanych przy krawężniku.

Wuj Nabi zatrzymał się na podjeździe osłoniętym starannie

przystrzyżonymi krzewami. Za nimi wznosił się wielki, biały piętrowy budynek.

— Ale duży ten twój dom — sapnęła Pari, otwierając ze zdumienia oczy.

Wuj Nabi zaśmiał się, odrzucając do tyłu głowę.

— Byłoby dobrze. Ale nie, to dom moich pracodawców. Poznacie ich. Tylko zachowujcie się jak należy.

Dom w środku robił jeszcze większe wrażenie. Gdy weszli za wujem Nabim, Abdullah pomyślał, że zmieściłaby się tam połowa Szadbagh. Czuł się, jakby wkroczył do pałacu dewa. Ogród na tyłach wyglądał pięknie, z rzędami kwiatów we wszystkich kolorach, starannie przyciętymi krzewami, które sięgały na wysokość kolan, z drzewkami owocowymi — Abdullah rozpoznał wiśnię, jabłoń, morelę i granatowiec. Z ogrodu do domu wchodziło się przez zadaszony ganek — wuj Nabi powiedział, że to się nazywa weranda — który otaczała barierka opleciona pajęczynami zielonej winorośli. Idąc do pokoju, w którym czekali na nich państwo Wahdati, Abdullah zauważył łazienkę z porcelitową toaletą, o której opowiadał wuj Nabi, i lśniącą umywalkę z brązowymi kurkami. On, który przez kilka godzin w tygodniu taszczył do domu wiadra wody z publicznej studni w Szadbagh, nie mógł się nadziwić, że można mieć wodę tak blisko.

Usiedli na wielkiej kanapie ze złotymi frędzlami — Abdullah, Pari i ojciec. Miękkie poduszki były ozdobione ośmiobocznymi lusterkami. Naprzeciwko kanapy wisiał obraz, który zajmował prawie całą ścianę. Ukazywał starego kamieniarza obrabiającego dłutem kamień na stole. W oknach, wychodzących na balkon z żelazną balustradą, wisiały kotary w kolorze burgunda. Wszystko w pokoju lśniło, wypolerowane na wysoki połysk, nie było widać ani odrobiny kurzu.

Abdullah nigdy w życiu nie czuł się brudniejszy.

Pracodawca wuja Nabiego, pan Wahdati, siedział w skórzanym fotelu ze skrzyżowanymi na piersi rękami. Patrzył na nich z dziwną miną, nie to, że nieprzyjazną, ale raczej nieprzeniknioną, nieobecną. Był wyższy od ojca, Abdullah zauważył to od razu, gdy mężczyzna wstał na powitanie. Miał wąskie ramiona, cienkie wargi i wysokie lśniące czoło. Nosił biały dopasowany garnitur i zieloną koszulę z rozchylonym kołnierzykiem oraz mankietami spiętymi owalnymi lazurytami. Podczas całej wizyty nie wypowiedział więcej niż kilkanaście słów.

Pari patrzyła na talerz z ciastkami, który stał przed nimi na szklanym blacie stolika. Abdullah nie sądził, że istnieje taka ich różnorodność: czekoladowe ciasteczka w kształcie palców, z kremowym zawijasem, małe okrągłe z pomarańczowym nadzieniem, zielone w kształcie liści i wiele innych.

— Masz na któreś ochotę? — zapytała pani Wahdati. To ona prowadziła rozmowę. — Poczęstuj się. Oboje się poczęstujcie. Postawiłam je tu dla was.

Abdullah zwrócił się do ojca o pozwolenie i Pari poszła za jego przykładem. To najwyraźniej spodobało się pani Wahdati, ponieważ uniosła brwi, przechyliła głowę na bok i uśmiechnęła się lekko.

Ojciec nieznacznie skinął głową.

— Ale po jednym — zastrzegł cicho.

— Och, nie ma mowy — odparła na to pan Wahdati. — Specjalnie wysłałam po nie Nabiego na drugi koniec Kabulu.

Abdullah wziął dwa ciastka i podał jedno Pari.

— Weźcie więcej. Przecież nie chcemy, żeby trud Nabiego poszedł na marne — rzuciła żartobliwie pani Wahdati.

Uśmiechnęła się przy tym do wuja, który odparł, rumieniąc się:

— To nie był żaden trud.

Stał przy wejściu, obok wysokiej drewnianej szafki z grubymi szklanymi drzwiami. Na półkach w środku Abdullah zobaczył zdjęcia państwa Wahdati w srebrnych ramkach. Ubrani w grube szaliki i ciężkie płaszcze, stali z inną parą na tle spienionej rzeki. Na innej fotografii pani Wahdati śmiała się, trzymając w ręku kieliszek i nagim ramieniem obejmując w pasie mężczyznę, którym nie był pan Wahdati — dla Abdullaha rzecz nie do pomyślenia. Dostrzegł też zdjęcie ślubne państwa Wahdati: on był w czarnym garniturze, ona w powiewnej białej sukni, i oboje uśmiechali się z zamkniętymi ustami.

Abdullah spojrzał na nią ukradkiem, na jej wąską talię, małe ładne usta i łukowate brwi, różowe paznokcie u stóp i szminkę w takim samym kolorze. Przypomniał ją sobie sprzed paru lat; Pari miała wtedy prawie dwa lata. Wuj Nabi przywiózł panią Wahdati do Szadbagh, bo podobno chciała poznać jego rodzinę. Wtedy miała na sobie brzoskwiniową sukienkę bez rękawów — pamiętał zdumienie malujące się na twarzy ojca — i ciemne okulary przeciwsłoneczne w grubych białych oprawkach. Przez cały czas się uśmiechała, pytała o ich wioskę, o to, jak im się żyje, chciała znać wiek i imiona dzieci. Zachowywała się tak, jakby czuła się u siebie w niskiej chacie z błota, siedząc oparta o czarną od sadzy ścianę, przy upstrzonym przez muchy oknie i brudnej plastikowej zasłonie, odgradzającej główną izbę od kuchni, gdzie spali Abdullah i Pari. Zrobiła z tej wizyty przedstawienie;

uparła się, że zdejmie buty na wysokich obcasach, i wolała usiąść na podłodze, mimo że ojciec podsunął jej krzesło. Jakby była jedną z nich. Abdullah miał zaledwie dziewięć lat, ale przejrzał ją na wylot.

Z całej tej wizyty najlepiej zapamiętał jednak zachowanie Parwany, która była wtedy w ciąży z Ighalem. Siedziała skulona w kącie i milczała skrępowana. Ramiona miała opuszczone, stopy podciągnięte pod wydatny brzuch, jakby próbowała wbić się w ścianę. Twarz zasłoniła brudnym welonem, który trzymała zwinięty pod brodą. Abdullah niemal czuł jej zawstydzenie, skrępowanie, wiedział, jak się czuje, i nawet jej współczuł.

Pani Wahdati wzięła leżące obok ciastek pudełko, wyjęła z niego papierosa i zapaliła.

— Pojechaliśmy naokoło, bo chciałem pokazać im trochę miasto — odezwał się wuj Nabi.

— Dobrze! Bardzo dobrze — odrzekła pani Wahdati. — Byłeś już kiedyś w Kabulu, Saburze?

— Raz czy dwa, *bibi sahib** — odrzekł ojciec.

— Jakie są twoje wrażenia, jeśli mogę zapytać?

Ojciec wzruszył ramionami.

— Straszny tłok.

— Owszem.

Pan Wahdati strzepnął pyłek z rękawa marynarki i wbił wzrok w dywan.

— Owszem, to zatłoczone miasto i czasami bardzo męczące — przyznała jego żona.

Ojciec pokiwał głową, jakby dobrze to rozumiał.

---

* *Bibi* (farsi) — babcia, również zwrot grzecznościowy.

— To tak naprawdę wyspa. Jedni mówią, że postępowa, i być może mają rację. To chyba prawda. Ale jednocześnie miasto nie ma wiele wspólnego z resztą kraju — stwierdziła pani Wahdati.

Ojciec spojrzał na czapkę, którą trzymał w rękach, i zamrugał.

— Nie zrozum mnie źle — dodała. — Całym sercem wsparłabym wszelkie postępowe działania podejmowane przez stolicę. Bóg wie, że ten kraj ich potrzebuje. Ale czasami, jak na mój gust, jest zbyt zadowolona z siebie. Ta jej pompatyczność, no naprawdę. — Westchnęła. — To bywa męczące. Ja zawsze podziwiałam wieś. Mam dla niej wiele sympatii. Dla odległych prowincji i małych wsi. To jest prawdziwy Afganistan.

Ojciec pokiwał niepewnie głową.

— Może nie aprobuję wszystkich czy nawet większości plemiennych tradycji, ale mam wrażenie, że ludzie żyją tam prawdziwiej. Mają w sobie siłę. Odświeżającą pokorę. Są gościnni. Odporni. I dumni. Czy to właściwe słowo, Solejmanie? Dumni?

— Przestań, Nilu — powiedział cicho jej mąż.

Zapadła krępująca cisza. Pan Wahdati zabębnił palcami o oparcie fotela, a jego żona, uśmiechając się sztucznie, siedziała z nogami skrzyżowanymi w kostkach i łokciem opartym o poręcz fotela. Na ustniku papierosa był ślad jej szminki.

— Nie, to chyba nie jest właściwe słowo — odezwała się, przerywając ciszę. — Może raczej godność. — Uśmiechnęła się, odsłaniając białe, proste zęby. Abdullah jeszcze nigdy takich nie widział. — Właśnie. To o wiele lepsze określenie.

Ludzie na wsi mają poczucie godności. Obnoszą się z nim, nieprawdaż? Jak z odznaką. Mówię poważnie. Widzę to w tobie, Saburze.

— Dziękuję, *bibi sahib* — mruknął ojciec i poprawił się na kanapie, wciąż patrząc w dół.

Pani Wahdati pokiwała głową i przeniosła spojrzenie na Pari.

— A ty, jeśli mogę zauważyć, jesteś śliczna. — Dziewczynka przysunęła się bliżej do Abdullaha.

Pani Wahdati wyrecytowała powoli:

— *Dziś widziałem wdzięk, piękno, niezgłębiony urok twarzy, których szukałem.* — Uśmiechnęła się. — To Rumi. Słyszałaś o nim? Można by pomyśleć, że napisał te wersy z myślą o tobie, kochanie.

— Pani Wahdati jest uznaną poetką — wtrącił się wuj Nabi.

Pan Wahdati sięgnął po ciastko, przełamał je na pół i ugryzł mały kawałek.

— Nabi chce być miły — stwierdziła pani Wahdati, rzucając mu ciepłe spojrzenie. Abdullah zauważył, że wuj się rumieni.

Pani Wahdati zgasiła papierosa, stukając nim o popielniczkę.

— Może zabiorę dokądś dzieci? — zaproponowała.

Pan Wahdati głośno wypuścił powietrze, położył ręce na poręczach fotela i zrobił taki gest, jakby chciał wstać.

— Zabiorę je na bazar — postanowiła pani Wahdati. — Jeśli nie masz nic przeciwko temu, Saburze. Nabi nas zawiezie. Solejman w tym czasie pokaże ci miejsce budowy.

Ojciec skinął głową.

Pan Wahdati powoli zamknął oczy.

Wszyscy wstali.

Nagle Abdullah zapragnął, żeby ojciec podziękował tym ludziom za ciastka i herbatę, wziął za rękę jego i Pari i zabrał ich z tego domu pełnego obrazów i zasłon, z całym tym luksusem i komfortem. Napełniliby bukłak wodą, kupili chleb i kilka jajek na twardo i wrócili tam, skąd przyszli. Przez pustynię, wśród skał i wzgórz. Ojciec opowiadałby im historie na dobranoc. Na zmianę ciągnęliby Pari na wozie. A za dwa, trzy dni, choć z pyłem w płucach i zmęczeniem w kościach, byliby z powrotem w Szadbagh. Szuja zobaczyłby ich z daleka i przybiegł, tańcząc radośnie wokół Pari. Znaleźliby się w domu.

— Idźcie, dzieci — powiedział ojciec.

Abdullah zrobił krok do przodu i chciał coś powiedzieć, ale wuj Nabi położył mu ciężką dłoń na ramieniu i skierował go do drzwi. Prowadząc Abdullaha i Pari korytarzem, rzucił:

— Poczekajcie, aż zobaczycie tutejszy bazar. Jeszcze czegoś takiego nie widzieliście.

Pani Wahdati jechała razem z nimi na tylnym siedzeniu. W powietrzu unosił się ciężki zapach jej perfum i jeszcze czegoś słodkiego i trochę ostrego, czego Abdullah nie mógł rozpoznać. Podczas jazdy, gdy wuj Nadi prowadził wóz, zasypała ich pytaniami. Jakich mają przyjaciół? Czy chodzą do szkoły? Pytała o ich obowiązki, sąsiadów, zabawy. Na prawą część jej twarzy padało słońce. Abdullah widział jasny puszek na jej policzku i niewyraźną linię pod brodą, gdzie kończył się podkład.

— Mam psa — wyznała Pari.

— Naprawdę?

— To dopiero okaz — wtrącił wuj Nabi z przedniego siedzenia.

— Wabi się Szuja. Wie, kiedy jest mi smutno.

— Takie właśnie są psy — zauważyła pani Wahdati. — Czasami wyczuwają to lepiej niż pewni ludzie, których miałam okazję poznać.

Minęli trzy uczennice idące chodnikiem. Miały na sobie czarne szkolne fartuszki i zawiązane pod brodą białe chustki.

— Pamiętam, co mówiłam wcześniej, ale Kabul nie jest taki straszny. — Pani Wahdati mechanicznie bawiła się naszyjnikiem i z powagą popatrzyła przez okno. — Najbardziej lubię go pod koniec wiosny, po deszczach. Powietrze jest wtedy takie czyste. Pierwsze powiewy lata. Słońce ładnie oświetla góry. — Uśmiechnęła się blado. — Miło by było mieć w domu dziecko. Trochę ruchu, dla odmiany. Trochę życia.

Abdullah popatrzył na nią i wyczuł w tej kobiecie, pod makijażem, perfumami, próbami pozyskania ich sympatii, coś niepokojącego, jakieś głębokie rozszczepienie. Mimowolnie pomyślał o zapachu przyrządzanych przez Parwanę potraw, kuchennej półce pełnej słoików, pojedynczych talerzy i osmalonych garnków. Zatęsknił za materacem, który dzielił z Pari, nawet brudnym, z wiecznie wychodzącymi sprężynami. Zatęsknił za tym wszystkim. Do tej pory nigdy tak boleśnie nie brakowało mu domu.

Pani Wahdati z westchnieniem opadła na oparcie, przyciskając do siebie torebkę, jak ciężarna kobieta obejmująca swój brzuch.

Wuj Nabi zatrzymał się przy zatłoczonym chodniku. Po drugiej stronie ulicy, obok meczetu ze strzelistymi minaretami, znajdował się bazar, tłoczny labirynt zadaszonych i niezadaszonych alejek. Weszli między tworzące korytarze stragany, na których sprzedawano skórzane płaszcze, pierścionki z kolorowymi kamieniami, wszelkiego rodzaju przyprawy — wuj Nabi szedł z tyłu, pani Wahdati i ich dwoje na przedzie. Teraz, gdy byli na dworze, pani Wahdati miała na nosie ciemne okulary, które nadawały jej twarzy dziwnie koci wygląd.

Zewsząd dobiegały głosy targujących się ludzi. Dosłownie na każdym stoisku grzmiała muzyka. Mijali otwarte sklepiki, w których sprzedawano książki, radia, lampy i kolorowe błyszczące garnki. Abdullah zauważył dwóch żołnierzy w zakurzonych wysokich butach i ciemnobrązowych szynelach, którzy palili na spółkę papierosa, patrząc na wszystkich z obojętnością i znużeniem.

Zatrzymali się przy straganie z obuwiem. Pani Wahdati zaczęła grzebać wśród butów stojących na pudełkach. Nabi, ze splecionymi na plecach rękami, podszedł do sąsiedniego straganu i spojrzał z wyższością na wystawione tam stare monety.

— Co powiesz na te? — Pani Wahdati zwróciła się do Pari. Trzymała w ręku nowe żółte tenisówki.

— Są bardzo ładne — odparła dziewczynka, patrząc z niedowierzaniem na buty.

— Przymierzmy je.

Pani Wahdati pomogła Pari założyć tenisówki i je zasznurowała. Zerknęła na Abdullaha znad okularów.

— Tobie też przydałyby się porządne buty. Nie mogę uwierzyć, że pokonałeś całą drogę ze swojej wsi w tych sandałach.

Abdullah pokręcił głową i odwrócił wzrok. W głębi alejki stary człowiek z potarganą brodą i szpotawymi stopami błagał przechodniów o jałmużnę.

— Popatrz, Abollahu! — Pari podniosła najpierw jedną, potem drugą stopę. Stanęła w tenisówkach na ziemi i podskoczyła. Pani Wahdati przywołała wuja Nabiego i kazała mu przejść się z dziewczynką do końca alejki, żeby sprawdzić, czy buty są wygodne. Wuj Nabi wziął Pari za rękę i ruszyli przed siebie.

Pani Wahdati spojrzała na Abdullaha.

— Uważasz mnie za złą kobietę — odezwała się. — Nie podobało ci się to, co mówiłam.

Abdullah patrzył na Pari i Nabiego, którzy przechodzili obok żebraka ze zniekształconymi stopami. Starzec powiedział coś do Pari, ona odwróciła buzię w stronę wuja Nabiego i coś zaszczebiotała, a wtedy on rzucił żebrakowi monetę.

Abdullah zaczął bezgłośnie płakać.

— Och, kochany chłopcze — powiedziała przestraszona pani Wahdati. — Biedny dzieciaku. — Wyjęła z torebki chusteczkę i mu podała.

Abdullah ją odtrącił.

— Proszę tego nie robić — rzekł łamiącym się głosem.

Kobieta przykucnęła obok niego i zsunęła okulary na czoło. Też miała w oczach łzy i kiedy otarła je chusteczką, na materiale zostały czarne smugi.

— Nie mam ci za złe, że mnie nienawidzisz. Masz prawo. Ale... choć nie oczekuję, że to zrozumiesz, jeszcze nie teraz... tak będzie najlepiej. Naprawdę, Abdullahu. Najlepiej. Pewnego dnia się o tym przekonasz.

Abdullah zwrócił twarz ku niebu i płakał, gdy Pari wracała do niego w podskokach. Jej oczy były przepełnione wdzięcznością, a buzia promieniała szczęściem.

Pewnego zimowego ranka ojciec wziął siekierę i ściął wielki dąb. Poprosił o pomoc syna mułły Szekiba, Bajtullaha, i kilku innych mężczyzn. Nikt nie próbował interweniować. Abdullah stał obok z kilkoma chłopcami i patrzył. Ojciec przede wszystkim zdjął huśtawkę. Wspiął się na drzewo i przeciął nożem sznury. Potem z pozostałymi mężczyznami rąbał gruby pień aż do wieczora, kiedy stare drzewo padło wreszcie z potężnym jękiem. Ojciec powiedział Abdullahowi, że będą potrzebowali drewna na zimę. Ale walił siekierą z zacięciem, z zaciśniętymi mocno szczękami i nachmurzoną twarzą, jakby nie mógł już dłużej na nie patrzeć.

Potem, pod niebem barwy kamienia, mężczyźni zaczęli rąbać pień. Nosy i policzki mieli zaczerwienione od zimna, a uderzenia ostrzy spadających na drewno niosły się echem. Dalej, przy koronie drzewa, Abdullah odrywał cieńsze gałęzie od grubszych. Dwa dni wcześniej zaczął prószyć pierwszy tej zimy śnieg. Niezbyt dużo, jeszcze nie, to była dopiero zapowiedź tego, co nadejdzie. Niebawem na Szadbagh miała spaść zima, z lodem, trwającymi tydzień śnieżycami, od których w ciągu minuty pękała skóra na dłoniach. Na razie warstwa bieli na ziemi była cienka, usiana aż do stromych stoków wzgórz jasnobrązowymi plamami ziemi.

Abdullah wziął naręcze cienkich gałęzi i zaniósł na coraz większy stos wspólnego drewna. Miał na sobie nowe śniegowce, rękawice i zimowy płaszcz, używany, z drugiej ręki, ale oprócz tego, że zepsuł się w nim suwak, który ojciec naprawił, wyglądał jak nowy — watowany, granatowy, z pomarańczowym futrzanym podbiciem. Miał cztery głębokie, zapinane na zatrzask kieszenie i pikowany kaptur, który można było ściągnąć wokół twarzy. Abdullah zsunął go teraz z głowy i wydmuchnął obłok powietrza.

Słońce opadało w stronę horyzontu. Abdullah wciąż jeszcze widział stary wiatrak, szarą sylwetkę wznoszącą się nad glinianymi murami wioski. Jego skrzydła skrzypiały za każdym razem, gdy od wzgórz dolatywały porywy zimnego wiatru. Latem w wiatraku gniazdowały czaple, ale teraz, w zimie, odleciały i na ich miejsce wprowadziły się wrony. Abdullaha co rano budziło ich szorstkie krakanie i skrzeki.

Coś przykuło jego uwagę po prawej stronie, na ziemi. Podszedł tam i przyklęknął.

Pióro. Małe. Żółte.

Zdjął rękawicę i je podniósł.

Wieczorem szli na przyjęcie — ojciec, on i jego przyrodni braciszek Ighbal. Bajtullahowi urodził się syn. Motreb miał śpiewać, a ktoś inny przygrywać na tamburynie. Będzie herbata i ciepły, świeżo upieczony chleb, no i szorwa* z ziemniakami. Później mułła Szekib zanurzy palec w misce słodzonej wody i da go dziecku possać. Wyjmie czarny błyszczący kamyk i obustronną brzytwę, a potem odkryje brzuszek chłopca. Zwykły obrzęd. Życie w Szadbagh toczy się dalej.

Abdullah obrócił piórko w ręku.

„Tylko nie chcę słyszeć płaczu. Żadnego płaczu", powiedział ojciec.

---

* Szorwa — tradycyjna afgańska zupa jarzynowa.

I płaczu nie było. Nikt w wiosce nie pytał o Pari. Nikt nie wymawiał jej imienia. Abdullah był zdumiony, jak szybko zniknęła z ich życia.

Tylko w Szui Abdullah widział odbicie swego cierpienia. Pies codziennie zjawiał się pod drzwiami. Parwana rzucała w niego kamieniami, a ojciec odganiał go kijem. Szuja jednak wracał. Co noc słychać było jego żałosne wycie i co rano znajdowali go za progiem. Leżał z pyskiem na przednich łapach i patrzył melancholijnie na swoich prześladowców, bez pretensji. Trwało to tygodniami, aż pewnego ranka Abdullah zobaczył psa kuśtykającego z opuszczonym łbem w stronę wzgórz. Od tamtej pory nikt w Szadbagh go nie widział.

Abdullah schował pióro do kieszeni i ruszył do wiatraka.

Czasami, w chwili nieuwagi, ojciec pochmurniał, jego twarz ściągała się pod wpływem sprzecznych emocji. Wydawał się mniejszy, skurczony, jakby pozbawiony czegoś ważnego. Szwendał się po domu albo siadał w cieple nowego żelaznego piecyka, trzymając na kolanach małego Ighbala, i patrzył niewidzącym wzrokiem w ogień. Mówił rozwlekle, jak nigdy wcześniej, jakby ważył każde słowo. Długo milczał i zamykał się w sobie. Już nie snuł opowieści. Odkąd wrócili z Abdullahem z Kabulu, nie opowiedział ani jednej. Może sprzedał państwu Wahdati swoją muzę? — zastanawiał się Abdullah.

Odeszła.

Zniknęła.

Nic po niej nie zostało.

Nie padły żadne słowa.

Oprócz tych, które wypowiedziała Parwana: „To musiała być ona. Przykro mi, Abdullahu. To musiała być ona".

Ucięto palec, żeby ratować rękę.

Uklęknął na ziemi przy wiatraku, u podstawy walącej się kamiennej wieży. Zdjął rękawice i zaczął kopać. Pomyślał o grubych brwiach Pari, jej szerokim okrągłym czole, szczerbatym uśmiechu. Usłyszał w głowie jej dźwięczny śmiech niosący się po chacie. Przypomniał sobie scenę, która rozegrała się po powrocie z bazaru. Pari wpadła w panikę. Zaczęła krzyczeć, wuj Nabi szybko ją zabrał. Abdullah odegnał to wspomnienie. Kopał w ziemi, aż jego palce natrafiły na metal. Wsunął je głębiej i wyjął blaszane pudełko po herbacie. Wytarł pokrywkę.

Ostatnio często myślał o historii, którą ojciec opowiedział im wieczorem przed wyprawą do Kabulu, o starym chłopie, *babie* Ajubie, i dewie. Stawał w miejscach, gdzie kiedyś stała Pari. Jej nieobecność była jak woń wydobywająca się z ziemi pod jego stopami. Wtedy uginały się pod nim nogi, serce zamierało w piersi i marzył o łyku magicznego napoju ofiarowanego *babie* Ajubowi przez dewa, bo sam pragnął zapomnieć.

Ale nie mógł. Pari wciąż znajdowała się na skraju jego pola widzenia, wszędzie, dokąd szedł. Była jak pył, który przywierał do koszuli. Zawierała się w ciszy tak często zapadającej w domu, ciszy, która wzbierała między słowami, czasami zimnej i płytkiej, a czasami brzemiennej od tego, co niewypowiedziane, jak chmura nabrzmiała deszczem, który nie spadł. W niektóre noce śniło mu się, że znowu jest na pustyni, sam, otoczony górami, i widzi w oddali migocące pojedyncze, maleńkie światełko, zapalające się i gasnące, jakby przekazywało jakąś wiadomość.

Otworzył pudełko. Były tam wszystkie pióra Pari: kogucie,

kacze, gołębie, a także pawie. Wrzucił do środka i to żółte.

Pewnego dnia, pomyślał.

Miał nadzieję.

Jego dni w Szadbagh były policzone, tak jak Szui. Już to wiedział. Nie miał po co tu zostawać. Zamierzał poczekać, aż minie zima i nadejdzie wiosna; wtedy wstanie któregoś ranka przed świtem i wyjdzie za drzwi. Wybierze kierunek i ruszy w drogę. Odejdzie tak daleko od wioski, jak tylko zaniosą go nogi. I jeśli po jakimś czasie podczas wędrówki po bezdrożach ogarnie go rozpacz, zatrzyma się, zamknie oczy i pomyśli o piórze sokoła, które Pari znalazła na pustyni. Wyobrazi sobie, jak to pióro wypada ptakowi tam, wysoko w chmurach, kilometr nad ziemią, unosi się i wiruje w prądach powietrznych, w porywach wiatru przemierza całe kilometry pustyni i gór, by wreszcie wylądować — ze wszystkich miejsc i wbrew wszelkim przeciwnościom — właśnie pod tym jedynym głazem, żeby mogła je znaleźć jego siostra. Ogarnie go zdumienie, a potem także nadzieja, że takie rzeczy się zdarzają. I choć będzie wiedział swoje, nabierze odwagi, otworzy oczy i pójdzie dalej.

3

Wiosna 1949

P arwana czuje smród, jeszcze zanim odrzuci koc i zobaczy, co się stało. Wszystko jest pobrudzone: cała pupa Masumy, jej uda, prześcieradło, materac, koc też. Masuma spogląda na nią przez ramię błagalnym wzrokiem, zawstydzona — wciąż zawstydzona po tym całym czasie, tych wszystkich latach.

— Przepraszam — szepcze.

Parwanie chce się wyć, ale uśmiecha się z przymusem. Czasami, tak jak teraz, dużo wysiłku kosztuje ją przypomnienie sobie niepodważalnej prawdy: ta katastrofa to jej wina. Nie może o tym zapomnieć. Nic, co jej się przydarza, nie jest niesprawiedliwe ani niezasłużone. Zasłużyła na to. Wzdycha więc i ogląda zabrudzoną pościel, myśląc z obrzydzeniem o tym, co musi zrobić.

— Umyję cię — mówi.

Masuma zaczyna bezgłośnie płakać, nie zmieniając nawet wyrazu twarzy. Tylko po policzkach spływają łzy.

Parwana na dworze w przenikliwym zimnie wczesnego poranka rozpala ogień w dole na palenisko. Kiedy podpałka się zajmuje, Parwana napełnia wiadro wodą z komunalnej studni w Szadbagh i stawia je na ogniu. Zbliża dłonie do płomieni. Widzi z tego miejsca wiatrak i wioskowy meczet, w którym mułła Szekib uczył ją i Masumę czytać, gdy były małe, a także jego dom u stóp łagodnego wzniesienia. Później, kiedy słońce powędruje wyżej, dach przybierze na tle szarego pyłu kształt jaskrawoczerwonego kwadratu, a to za sprawą pomidorów, które wyłożyła żona mułły, żeby się suszyły. Parwana unosi głowę i spogląda na gwiazdy, które nikną o poranku, blade i mrugające do niej obojętnie. Bierze się w garść.

Wraca do chaty i przewraca Masumę na brzuch. Moczy w wodzie szmatkę i wyciera pośladki siostry, a potem także plecy i zwiotczałe nogi.

— Po co ta ciepła woda? — pyta Masuma z twarzą w poduszce. — Po co tyle kłopotu? Nie musisz tego robić. I tak nie czuję różnicy.

— Być może. Ale ja czuję — odpowiada Parwana i krzywi się od smrodu. — A teraz bądź cicho i pozwól mi dokończyć.

Od tej chwili dzień Parwany toczy się tak samo jak zawsze od czterech lat, czyli od śmierci rodziców. Najpierw dziewczyna karmi kurczęta. Rąbie drewno i chodzi z wiadrem po wodę do studni. Zagniata ciasto i piecze chleb w tandurze przed chatą z błota. Zamiata klepisko. Po południu, razem z innymi kobietami, kuca nad strumieniem i robi pranie na kamieniach. Potem, ponieważ jest piątek, odwiedza grób rodziców na cmentarzu i odmawia za każde z nich krótką modlitwę. I przez cały dzień pomiędzy kolejnymi obowiązkami przewraca Masumę z boku na bok, podkłada jej poduszkę pod jeden pośladek, potem pod drugi.

Tego dnia dwa razy widzi Sabura.

Raz, kiedy z synem Abdullahem kuca przed swoją chatą z błota i mrużąc oczy od dymu, macha rękami nad ogniskiem. Drugi raz, gdy rozmawia z innymi mężczyznami, którzy tak jak on mają już rodziny, ale z którymi kiedyś się kłócił, puszczał latawce, gonił psy, bawił się w chowanego. Teraz Sabur niesie na ramionach ciężar, brzemię tragedii, bo jego żona zmarła, osierocając dwoje dzieci, w tym niemowlę. Mówi zmęczonym, ledwie słyszalnym głosem. Gdy chodzi po wiosce, jest jak cień samego siebie.

Parwana przygląda mu się z tęsknotą, która niemal ją paraliżuje. Gdy go mija, stara się spuszczać wzrok. Ale kiedy przez przypadek ich spojrzenia się spotykają, on kiwa jej głową, a wtedy ona oblewa się rumieńcem.

Tego wieczoru, kładąc się spać, prawie nie może podnieść rąk. Ze zmęczenia kręci jej się w głowie. Leży więc na łóżku i czeka, aż nadejdzie sen.

Potem słyszy w ciemności:

— Parwano?

— Tak?

— Pamiętasz tamte czasy, gdy jeździłyśmy razem na rowerze?

— Mhm.

— Ale się rozpędzałyśmy! Zjeżdżałyśmy ze wzgórza. I goniły nas psy.

— Pamiętam.

— Obie aż krzyczałyśmy. A gdy uderzyłyśmy w ten kamień... — Parwana niemal widzi, jak siostra uśmiecha się w mroku. — Matka była na nas taka zła. I Nabi też. Rozwaliłyśmy mu rower.

Parwana zamyka oczy.

— Parwano?

— Tak.

— Możesz dziś w nocy spać ze mną?

Parwana kopnięciem odrzuca koc, idzie na drugą stronę chaty i kładzie się obok siostry. Masuma opiera policzek na jej ramieniu i obejmuje ją jedną ręką.

— Zasługujesz na coś lepszego niż zajmowanie się mną — szepcze.

— Nie zaczynaj znowu — odpowiada równie cicho Parwana. Gładzi Masumę po włosach długimi powolnymi ruchami, tak jak siostra lubi.

Przez chwilę gawędzą przyciszonymi głosami o drobnych sprawach, a ich twarze owiewają ciepłe oddechy. To najszczęśliwsze chwile w życiu Parwany. Siostry przypominają sobie czasy, gdy były małymi dziewczynkami, kuliły się nos przy nosie pod kocem, zdradzały sobie szeptem sekrety, bez ustanku chichotały. Wkrótce Masuma zasypia i mamrocze coś przez sen, a Parwana spogląda na czarne niebo za oknem. Snuje różne urywane myśli i w końcu przed oczami staje jej obrazek ze starego czasopisma: para smutnych braci syjamskich o jednym torsie. Dwie ludzkie istoty złączone ze sobą na zawsze, dosłowna wspólnota krwi, nierozerwalny związek. Parwana czuje duszącą rozpacz, jakby w jej piersi zaciskała się jakaś ręka. Nabiera powietrza. Próbuje znowu myśleć o Saburze, ale zamiast do niego wraca myślami do plotki, która krąży po wiosce: że Sabur rozgląda się za nową żoną. Chce wyrzucić jego obraz z głowy. Odpędza od siebie głupi pomysł.

Parwana była niespodzianką.

Masuma już pojawiła się na świecie i wiła się w ramionach położnej, gdy matka znowu krzyknęła i z jej wnętrza wyłoniła się druga główka. Narodziny Masumy przebiegły spokojnie. „Sama wyszła, aniołek", mówiła później położna. Narodziny Parwany trwały długo, były bolesne dla matki i niebezpieczne dla dziecka. Akuszerka musiała uwolnić je od pępowiny, która owinęła się wokół szyi, jakby w morderczym napadzie strachu przed rozłączeniem. W najgorszych chwilach, nie mogąc pozbyć się odrazy do siebie, Parwana myśli, że być może pępowina wiedziała. Wiedziała, która z nich dwóch jest lepsza.

Masuma jadła, kiedy trzeba, spała, kiedy trzeba. Płakała tylko wtedy, gdy była głodna albo domagała się mycia. Kiedy nie spała, była pogodna, wesoła, wszystko jej się podobało — ot, chichoczący i popiskujący z radości tłumoczek. Lubiła ssać grzechotki.

„Co za dobre dziecko", mówili ludzie.

Parwana natomiast była tyranem. Narzucała matce swoją wolę. Ich ojciec, przerażony przedstawieniami, jakie urządzało niemowlę, zabierał starszego brata bliźniaczek, Nabiego, i szedł spać do domu swojego brata. Noce były prawdziwą męką dla matki dziewczynek, bo chwile, gdy mogła się przespać, były nieliczne i krótkie. Podrzucała Parwanę i nosiła ją na rękach co noc. Kołysała ją i jej śpiewała. Krzywiła się z bólu, gdy dziewczynka przysysała się do jej obolałej nabrzmiałej piersi i gryzła sutek dziąsłami, jakby chciała wyssać mleko z samych kości. Ale karmienie nie pomagało, bo nawet z pełnym brzuchem Parwana machała rączkami i wrzeszczała, niewzruszona prośbami matki.

Masuma bezradnie przyglądała się temu z kąta izby, jakby współczuła matce.

— Nabi taki nie był — powiedziała pewnego dnia matka do ich ojca.

— Każde dziecko jest inne.

— Ale to mnie wykończy.

— Wszystko przejdzie — odparł ojciec. — Tak jak przechodzi brzydka pogoda.

I rzeczywiście przeszło. Kolka czy jakaś inna nieszkodliwa dolegliwość. Ale było za późno. Wszyscy wiedzieli, jaka jest Parwana.

Pewnego popołudnia pod koniec lata, kiedy bliźniaczki miały dziesięć miesięcy, mieszkańcy Szadbagh zebrali się na weselu. Kobiety pracowały w gorączkowym skupieniu, żeby nałożyć na półmiski piramidy białego ryżu z nitkami szafranu. Kroiły chleb, zdrapywały przypalony ryż z dna garnków, podawały smażone bakłażany z jogurtem i suszoną miętą. Nabi bawił się z kilkoma chłopcami. Matka siedziała z sąsiadkami na dywaniku pod wielkim dębem i co jakiś czas spoglądała na córeczki, które spały obok siebie w cieniu.

Po posiłku, gdy podano herbatę, dzieci obudziły się z drzemki i ktoś wyjął Masumę z łóżeczka, przekazywano ją sobie z rąk do rąk, od kuzynki do ciotki i stryja. Podrzucana na tym podołku, huśtana na tamtym kolanie. Kolejne dłonie łaskotały ją po miękkim brzuszku. Kolejne nosy ocierały się o jej nosek. Ludzie trzęśli się ze śmiechu, gdy złapała mułłę Szekiba za brodę. Zdumiewali się jej pogodnym, towarzyskim usposobieniem. Podnosili ją i podziwiali różowe rumieńce na jej policzkach, szafirowoniebieskie oczy, wdzięczny łuk czoła, zapowiedzi wielkiej urody, która miała się u niej objawić za kilka lat.

Parwana natomiast została w objęciach matki. Obserwowała występ Masuny jakby lekko zdziwiona — jedyny członek zachwyconej publiczności, który nie rozumiał, o co takie zamieszanie. Matka spoglądała na nią od czasu do czasu i delikatnie ściskała jej miękką stópkę niemal przepraszającym gestem. Gdy ktoś spostrzegł, że Masumie wyrzynają się dwa nowe ząbki, odparła, że Parwana ma już trzy. Ale nikt nie zwrócił na to uwagi.

Kiedy bliźniaczki miały dziewięć lat, rodzina zebrała się w domu Sabura na wczesnowieczorny iftar*. Dorośli siedzieli na poduszkach wokół izby i rozmawiali głośno. Przekazywali sobie herbatę, życzenia pomyślności i plotki — w równych proporcjach. Starsi mężczyźni przesuwali w palcach paciorki modlitewne. Parwana siedziała cicho, szczęśliwa, że może oddychać tym samym powietrzem co Sabur, być w zasięgu spojrzenia jego ciemnych sowich oczu. Tego wieczoru zerkała ukradkiem w jego stronę. Patrzyła, jak rozgryza kostkę cukru, pociera gładkie czoło, śmieje się z czegoś, co powiedział starszy wuj. A gdy podchwytywał jej spojrzenie, co zdarzyło mu się raz czy dwa razy, szybko spuszczała wzrok,

---

* Iftar — posiłek spożywany podczas ramadanu po modlitwie o zachodzie słońca.

sztywniejąc ze wstydu. Zaczynały jej drżeć kolana i tak zasychało w ustach, że nie mogła mówić.

Myślała wówczas o notatniku ukrytym pod stosem bielizny w domu. Sabur zawsze opowiadał jakieś historie, bajki, w których występowały dżiny, duszki, demony i dewy. Często gromadziły się wokół niego dzieciaki z wioski i w ciszy słuchały opowieści, które dla nich wymyślał. Przed sześcioma miesiącami podsłuchała, jak mówił Nabiemu, że któregoś dnia chciałby spisać te swoje historie. Niedługo potem Parwana znalazła się z matką na bazarze w miasteczku i tam, na straganie z używanymi książkami, zauważyła piękny notatnik ze starannie poliniowanymi kartkami, oprawiony w grubą ciemnobrązową skórę wytłaczaną na brzegach. Trzymając go w ręku, wiedziała, że matki nie stać na jego kupno, więc w chwili, gdy sprzedawca nie patrzył, szybko schowała notes pod sweter.

Od tamtego czasu minęło już jednak pół roku i wciąż nie miała odwagi dać Saburowi notatnika. Bała się, że mógłby ją wyśmiać albo domyślić się, dlaczego mu go dała, i go zwrócić. Więc co wieczór, leżąc w łóżku przed snem, trzymała notatnik pod kocem i przesuwała palcami po wytłoczeniach na skórze. Jutro, obiecywała sobie codziennie. Jutro pójdę do niego i mu to dam.

Tamtego wieczoru po iftarze wszystkie dzieci wybiegły na dwór, żeby się pobawić. Parwana, Masuma i Sabur na zmianę bujali się na huśtawce, którą ojciec Sabura zawiesił na konarze wielkiego dębu. Kiedy przyszła kolej na Parwanę, Sabur co chwila przestawał ją huśtać, bo był zajęty opowiadaniem kolejnej historii, tym razem właśnie o wielkim dębie obdarzonym magiczną mocą. Jeśli miało się jakieś życzenie, mówił, należało uklęknąć pod drzewem i wypowiedzieć je szeptem. Jeżeli na głowę spadało dziesięć liści, był to znak, że drzewo godziło się życzenie spełnić.

Gdy huśtawka prawie się zatrzymała, Parwana już miała powiedzieć Saburowi, żeby znowu ją rozbujał, ale słowa uwięzły jej w gardle. Zobaczyła bowiem, że Sabur i Masuma uśmiechają się do siebie, a on trzyma w ręku notatnik. Jej notatnik.

— Znalazłam go w domu — tłumaczyła później siostra. — Był twój? Oddam ci za niego pieniądze, obiecuję. Nie gniewasz się na mnie, prawda? Po prostu pomyślałam, że to dla niego idealny prezent. Żeby mógł spisywać swoje opowieści. Widziałaś jego minę? Widziałaś, Parwano?

Parwana odpowiedziała, że się nie gniewa, wcale nie, ale była zdruzgotana. Wciąż miała przed oczami siostrę i Sabura uśmiechających się do siebie, wymieniających spojrzenia. Parwana mogłaby rozpłynąć się w powietrzu jak dżin, bo zupełnie zapomnieli o jej obecności. To dotknęło ją do żywego. Tamtego wieczoru długo płakała w poduszkę.

Gdy miały jedenaście lat, Parwana zaczęła rozumieć, dlaczego chłopcy dziwnie się zachowują wobec dziewczynek, które lubią. Obserwowała to szczególnie często, kiedy po szkole wracała z Masumą do domu. Szkołę stanowiła sala na tyłach wioskowego meczetu, gdzie mułła Szekib uczył wszystkie dzieci recytować nie tylko Koran, ale i wiersze, a także czytać i pisać. Mieszkańcy Szadbagh mieli szczęście, że mieszkał wśród nich taki mądry człowiek, mówił dziewczynkom ojciec. W drodze do domu z lekcji bliźniaczki często natykały się na grupę chłopców, którzy siedzieli na murku. Gdy przechodziły obok nich, ci czasami je zaczepiali, a czasami rzucali w nie kamykami. Parwana zawsze się odszczekiwała i też sięgała po kamyk, podczas gdy Masuma ciągnęła ją za łokieć i mówiła jej po cichu, żeby szła szybciej i nie złościła na nich. Nic nie rozumiała. Parwana złościła się nie dlatego, że rzucali kamykami, ale dlatego, że rzucali nimi w Masumę. Wiedziała dobrze, o co chodzi. Chłopcy się popisywali tym bardziej, im bardziej dziewczynka im się podobała. Zauważyła, że nie patrzą na nią, tylko na Masumę, i to z tak bezradnym zachwytem, że nie mogą oderwać od niej wzroku. Miała świadomość, że za ich prostackimi żartami i lubieżnymi uśmiechami kryje się lęk przed Masumą.

Pewnego dnia jeden z nich rzucił już nie kamykiem, ale kamieniem, który upadł pod nogami Masumy. Kiedy go podniosła, chłopcy zaczęli rechotać i trącać się łokciami. Wokół kamienia była owinięta i przewiązana gumką kartka. Kiedy znalazły się w bezpiecznej odległości, Masuma ją odwinęła. Obie przeczytały napisane na niej słowa:

Przysięgam, od czasu gdym ujrzał Twoją twarz,
cały świat to tylko ułuda i fantazja,
Ogród nie wie, co to liść czy kwiat,
Oszołomione ptaki nie potrafią odróżnić ziaren od sideł.

Był to wiersz Rumiego, jeden z tych, które poznały na lekcjach mułły Szekiba.

— Rozwijają się — zauważyła Masuma, chichocząc.

Pod wierszem chłopiec dopisał: *Chciałbym się z tobą ożenić.*

A jeszcze niżej nagryzmolił: *Mam kuzyna dla Twojej siostry. To doskonała partia. Mogliby się razem paść na polu mojego stryja.*

Masuma podarła kartkę.

— Nie miej im tego za złe, Parwano — powiedziała. — To idioci.

— Kretyni — zgodziła się z nią Parwana.

Z trudem przywołała na twarz wymuszony uśmiech. List sprawił jej przykrość, a jeszcze bardziej dotknęła ją reakcja Masumy. Chłopiec nie zaadresował wiadomości do żadnej z nich, a jednak Masuma uznała, że wiersz odnosi się do niej, a dopisek do Parwany. Po raz pierwszy Parwana spojrzała na siebie oczami siostry. Zobaczyła, jak ta ją widzi: tak samo jak cała reszta. Słowa Masumy głęboko ją zraniły. Wręcz zdruzgotały.

— Poza tym — dodała Masuma, wzruszając ramionami i uśmiechając się szeroko — jestem już zajęta.

Nabi przyjechał z comiesięczną wizytą. Jest dumą rodziny, a może i całej wioski, bo pracuje w Kabulu i przyjeżdża do Szadbagh wielkim, błyszczącym, niebieskim samochodem swojego pracodawcy, z głową orła na masce. Wszyscy zbierają się, żeby zobaczyć jego przyjazd, a wioskowe dzieci krzyczą i biegną obok samochodu.

— Co słychać? — pyta.

Siedzą we troje w chacie, piją herbatę i jedzą migdały. Nabi jest bardzo przystojny — myśli Parwana — z tymi rzeźbionymi kośćmi policzkowymi, orzechowymi oczami, bokobrodami i gęstymi czarnymi włosami zaczesanymi nad czołem. Ma na sobie jak zwykle oliwkowy garnitur jakby o rozmiar za duży. Ale jest dumny z tego stroju — Parwana to wie — bo zawsze obciąga rękawy i klapy, wygładza zagniecenia na spodniach, choć nigdy nie udało mu się pozbyć zapachu smażonej cebuli, którym przesycony jest materiał.

— Hm, wczoraj była u nas na herbacie z ciasteczkami królowa Homajra — odpowiada Masuma. — Pochwaliła piękny wystrój naszego domu. — Uśmiecha się czule do brata, odsłaniając żółte zęby, a Nabi się śmieje, patrząc w głąb kubka. Zanim znalazł pracę w Kabulu, pomagał Parwanie opiekować się siostrą. Czy też próbował przez jakiś czas. Ale nie dał rady. To było dla niego za trudne. Uciekł więc do Kabulu. Parwana zazdrości bratu, ale nie ma do niego żalu — wie, że pieniądze, które co miesiąc jej przywozi, są czymś więcej niż pokutą.

Masuma przeczesała włosy i pomalowała oczy czarną kredką, jak zawsze, gdy przejeżdża Nabi. Parwana zdaje sobie sprawę, że siostra robi to nie tylko ze względu na niego — bardziej dlatego, że jest on jej łącznikiem z Kabulem. Z miastem samochodów, świateł, drogich restauracji i królewskich pałaców, z luksusem i prestiżem, niezależnie od tego, jak jest daleko. Parwana pamięta, że kiedyś, przed laty, Masuma mawiała, iż jest miejską dziewczyną uwięzioną na wsi.

— A co u ciebie? Znalazłeś już sobie żonę? — pyta przekornie Masuma.

Nabi macha ręką i śmieje się tak samo jak wtedy, gdy ich rodzice zadawali mu to pytanie.

— To kiedy znowu obwieziesz mnie po Kabulu, bracie? — dopytuje się.

Nabi zabrał je raz do stolicy, przed rokiem. Przyjechał po nie do wsi, a potem obwiózł ulicami miasta. Pokazał im wszystkie meczety, dzielnice ze sklepami, kina, restauracje. Wskazał Masumie pałac Bagh-e-Bala na wzgórzu. W ogrodach Babura wziął ją na ręce i zaniósł do grobowca cesarza Mughala. Pomodlili się tam we troje, w meczecie szacha Jahana, a potem, nad basenem z błękitnymi kafelkami, zjedli to, co przygotował Nabi. Tamten dzień należał chyba do najszczęśliwszych w życiu Masumy od czasu wypadku i Parwana była za to bratu bardzo wdzięczna.

— Niedługo, *inszallah** — odpowiada Nabi, stukając palcem w kubek.

— Mógłbyś poprawić poduszkę pod moim kolanem, Nabi? Ach, teraz znacznie lepiej. Dziękuję ci. — Masuma wzdycha. — Bardzo podobał mi się Kabul. Gdybym tylko mogła, już jutro rano wyruszyłabym tam na piechotę.

— Może którego dnia... — mówi Nabi.

— Co takiego? Że niby mogłabym chodzić?

— Nie. — Nabi się jąka. — Chciałem powiedzieć... — I uśmiecha się, gdy Masuma parska śmiechem.

Na dworze Nabi daje Parwanie pieniądze. Opiera się ramieniem o ścianę chaty i zapala papierosa. Masuma została w środku, ucina sobie popołudniową drzemkę.

— Widziałem się z Saburem — odzywa się Nabi, skubiąc palec. — Okropna historia. Mówił mi, jak dziecko ma na imię, ale zapomniałem.

— Pari — mówi Parwana.

Nabi kiwa głową.

— Nie pytałem o to, ale powiedział, że chciałby ponownie się ożenić.

Parwana odwraca wzrok, udaje, że nie jest tym zainteresowana, ale krew pulsuje jej w skroniach. Czuje, że oblewa ją pot.

---

* *Inszallah* — w imię Allaha, z boską pomocą.

— Jak mówiłem, sam nie pytałem. To on podjął temat. Odciągnął mnie na bok i zagadnął.

Parwana domyśla się, że Nabi wie o jej wieloletnim uczuciu do Sabura. Masuma jest jej siostrą bliźniaczką, ale to brat zawsze rozumiał ją lepiej. Nie ma jednak pojęcia, dlaczego teraz jej o tym wszystkim mówi. Po co? Sabur potrzebuje kobiety bez zobowiązań, która mogłaby poświęcić się jemu, jego synowi i dopiero co urodzonej córeczce. Parwana jest potrzebna gdzie indziej. Całe jej życie jest potrzebne.

— Na pewno znajdzie sobie kogoś — odpowiada.

Nabi kiwa głową.

— Przyjadę za miesiąc. — Przydeptuje niedopałek i odchodzi.

Gdy Parwana wraca do chaty, stwierdza zdziwiona, że Masuma nie śpi.

— Myślałam, że drzemiesz — mówi do niej.

Siostra spogląda w okno i mruga powoli, ze znużeniem.

Kiedy bliźniaczki miały trzynaście lat, czasami jeździły z matką na tłoczne bazary do pobliskich miasteczek. Z niebrukowanych ulic unosił się zapach świeżo wylanej wody. Wędrowały alejkami, mijając stragany, na których sprzedawano fajki wodne, jedwabne szale, miedziane garnki, stare zegarki. Zarżnięte kurczęta wisiały za nogi, kołysząc się nad połciami jagnięciny i wołowiny.

Parwana w każdej uliczce widziała, jak na widok Masumy mężczyźni wręcz stają na baczność. Zauważyła ich wysiłki, żeby zachowywać się jak gdyby nigdy nic, wysiłki daremne, bo nie mogli oderwać od niej baraniego wzroku. Jeśli Masuma spojrzała w ich stronę, wyglądali na idiotycznie uszczęśliwionych. Wyobrażali sobie wtedy, że coś ich z nią łączy, choćby przez jedną chwilę. Masuma była sprawczynią nagłych przerw w rozmowach, w zaciąganiu się papierosowym dymem. Nagłych drżeń kolan czy rąk podczas nalewania herbaty.

W niektóre dni Masuma nie mogła tego znieść, była jakby zawstydzona, mówiła Parwanie, że wolałaby siedzieć przez cały dzień w zamknięciu, żeby nikt na nią nie patrzył. W jeden z takich dni Parwana pomyślała, że siostra w głębi duszy zdaje sobie sprawę, iż uroda to broń. Załadowany pistolet z lufą wycelowaną w jej własną głowę. Przeważnie jednak zainteresowanie mężczyzn sprawiało jej przyjemność. Cieszyła się swoją władzą, tym, że jednym przelotnym spojrzeniem potrafi spowodować zamęt w męskiej głowie, poplątać język.

Taka uroda jak jej potrafiła porazić oczy.

A obok niej szła Parwana z płaską piersią i ziemistą cerą. Kręconymi włosami, z grubo ciosaną ponurą twarzą, grubymi nadgarstkami i męskimi ramionami. Żałosny cień, rozdarta między zazdrością i ekscytacją, że pokazuje się w towarzystwie Masumy, ciesząc się taką samą uwagą jak chwast, który pije wodę przeznaczoną dla lilii.

Przez całe życie Parwana starała się nie stawać przed lustrem razem z siostrą. Gdy widziała swoją twarz obok jej twarzy, traciła całą nadzieję, nie mogła bowiem nie dostrzec tego, czego jej nie dano. Ale w miejscach publicznych każda para oczu była jak lustro. Nie mogła przed nimi uciec.

 Wynosi Masumę na dwór. Siadają na ławie, którą wystawiła Parwana. Rozłożyła na niej poduszki, żeby siostra mogła wygodnie oprzeć się o ścianę chaty. Wieczór jest spokojny, słychać tylko cykady, i ciemny, bo rozświetlają go jedynie nieliczne lampy w oknach i papierowobiały blask księżyca w trzeciej kwadrze.

Parwana nalewa wody do fajki. Odmierza dwie maleńkie porcje opium, wielkości łebka zapałki, dodaje szczyptę tytoniu i wsypuje tę mieszankę do cybucha. Zapala węgiel na metalowej kratce i podaje fajkę siostrze. Masuma wciąga dym z wężyka, opada na poduszki i pyta, czy może położyć nogi na kolanach Parwany. Parwana pochyla się i podnosi bezwładne stopy siostry, a następnie kładzie je sobie na udach.

Masuma się rozluźnia, opadają jej powieki, głowa chwiejnie przechyla się na bok, a głos staje się senny, jakby nieobecny. W kącikach jej ust pojawia się cień uśmiechu, wyraża raczej zadowolenie niż radość. Gdy Masuma wpada w taki stan, niewiele rozmawiają. Parwana słucha wiatru, bulgotania wody w fajce. Patrzy na gwiazdy i smużki dymu, które się nad nią unoszą. Cisza jest przyjemna, więc żadna z nich nie czuje potrzeby, żeby zapełnić ją słowami.

Aż odzywa się Masuma:

— Zrobisz coś dla mnie?

Parwana patrzy na nią pytająco.

— Chcę, żebyś zabrała mnie do Kabulu — mówi powoli Masuma, wydychając dym, który wiruje, zmieniając kształty, gdy tylko zmruży oczy.

— Mówisz poważnie?

— Chciałabym zobaczyć pałac Darulamana. Ostatnim razem go nie widziałyśmy. Albo może znowu odwiedzić grobowiec Babura.

Parwana pochyla się, żeby widzieć wyraz jej twarzy. Myśli,

że Masuma żartuje, ale w świetle księżyca dostrzega poważny błysk w oczach siostry.

— To co najmniej dwudniowa wyprawa. A może i trzydniowa.

— Wyobraź sobie minę Nabiego, kiedy zobaczy nas w drzwiach.

— Nie wiemy nawet, gdzie mieszka.

Masuma macha ze zniecierpliwieniem ręką.

— Wiemy, w której dzielnicy. Zapukamy do sąsiadów i popytamy. To nie takie trudne.

— Jak miałybyśmy tam dotrzeć, Masumo, w twoim stanie?

Masuma odsuwa ustnik fajki od ust.

— Kiedy pracowałaś, obok chaty przechodził mułła Szekib. Długo z nim rozmawiałam. Powiedziałam mu, że wybieramy się na kilka dni do Kabulu. Tylko ty i ja. Dał mi swoje błogosławieństwo. I muła. Więc widzisz, wszystko załatwione.

— Oszalałaś — stwierdza Parwana.

— Hm, chcę tego. Takie mam życzenie.

Parwana opiera się o ścianę i kręci głową. Podnosi wzrok i spogląda w zachmurzoną ciemność.

— Umieram z nudów, Parwano.

Parwana wzdycha i patrzy na siostrę.

Masuma podnosi ustnik.

— Proszę, nie odmawiaj mi.

Pewnego ranka bliźniaczki, już siedemnastoletnie, siedziały wysoko na gałęzi dębu, machając nogami.

— Sabur mi się oświadczy! — wyznała Masuma piskliwym szeptem.

— Oświadczy ci się? — powtórzyła Parwana, bo nie zrozumiała, przynajmniej nie od razu.

— No, oczywiście, nie on sam. — Siostra zaśmiała się, zasłaniając usta dłonią. — Jasne, że nie. Zrobi to jego ojciec. Do Parwany wreszcie dotarło. Jej serce stanęło.

— Skąd o tym wiesz? — wykrztusiła przez zaciśnięte gardło.

Masuma zaczęła mówić, słowa wydobywały się z jej ust w szalonym tempie, ale Parwana ledwie ją słyszała. Wyobraziła sobie ślub siostry z Saburem. Dzieci w nowych ubraniach, niosące ozdobione kwiatami koszyki z henną, a za nimi muzykantów grających na szahnai i dohol. Sabura, jak rozwiera rękę Masumy i wkłada w nią hennę, a następnie obwiązuje białą wstążką. Potem wspólną modlitwę, błogosławieństwo związku. Wręczanie prezentów. Ich oboje, patrzących na siebie pod welonem haftowanym złotą nicią, podających sobie łyżkę słodkiego szerbetu i malidy*.

A ona, Parwana, będzie wśród gości przyglądała się całej ceremonii. Będzie musiała się uśmiechać, klaskać i cieszyć, mając złamane serce.

Powiał wiatr, kołysząc gałęziami drzewa i poruszając liśćmi. Parwana nakazała sobie spokój.

Masuma zamilkła. Uśmiechała się, przygryzając wargę.

— Pytasz, skąd wiem o oświadczynach. Powiem ci. A właściwie pokażę.

Odwróciła się i włożyła rękę do kieszeni.

I wtedy nastąpiło coś, o czym Masuma nigdy się nie do-

---

* Malida — słodka kulka z mąki, masła i mleka z dodatkiem orzechów lub migdałów.

wiedziała. Gdy siostra patrzyła w drugą stronę, Parwana oparła dłonie na gałęzi, uniosła się na niej i znowu usiadła. Gałąź się zatrzęsła. Masuma wciągnęła powietrze i straciła równowagę. Gwałtownie zamachała rękami i poleciała do przodu. Parwana spojrzała na swoje dłonie. Nie było to pchnięcie, po prostu opuszkami palców dotknęła pleców Masumy. Trwało to chwilę, bo zaraz potem wyciągnęła ręce, żeby złapać siostrę, chwycić rąbek jej koszuli, i w panice każda z nich wykrzyknęła imię drugiej. Parwana złapała Masumę za koszulę i przez sekundę wydawało się, że uratuje ją przed upadkiem. Ale materiał się rozerwał i kawałek został jej w ręku.

Masuma spadła z drzewa. Leciała i leciała, trwało to wieczność. Po drodze uderzała piersią w konary, płosząc ptaki i zrywając liście, przekręcała się i odbijała od gałęzi, łamiąc mniejsze z nich, aż wreszcie uderzyła plecami w niski gruby konar, ten, na którym wisiała huśtawka, i rozległ się okropny, głośny trzask. Masuma wygięła się do tyłu, prawie jakby złożyła się na pół.

Kilka minut później wokół niej zebrał się tłumek. Nabi i ojciec stali nad nią i z płaczem próbowali ją ocucić. Głowy się pochylały. Ktoś wziął ją za rękę, wciąż zaciśniętą w pięść. Kiedy rozwarli palce, znaleźli w jej dłoni dziesięć zgniecionych liści.

— Musisz to zrobić od razu — mówi Masuma drżącym głosem. — Jeśli zaczekasz do rana, stracisz odwagę.

Wszędzie wokół nich, poza kręgiem pełgającego ognia, który Parwana rozpaliła z gałązek, rozciąga się bezkresna połać piasku i zasnute ciemnością góry. Od prawie dwóch dni wędrowały przez porośnięty karłowatymi krzewami pustynny teren, zmierzając do Kabulu. Parwana szła obok muła, trzymając za rękę Masumę, przywiązaną pasem do siodła. Podążały stromymi ścieżkami wijącymi się raz w górę, raz w dół, wokół skalistych szczytów, po ziemi upstrzonej chwastami w barwach ochry oraz rdzy i pooranej długimi pajęczymi pęknięciami rozchodzącymi się na wszystkie strony.

Parwana staje przy ogniu i patrzy na Masumę, która jest teraz podłużnym nakrytym kocem kształtem po drugiej stronie ogniska.

— A Kabul? — pyta.

— Och, podobno to ty jesteś ta bystrzejsza.

— Nie możesz mnie o to prosić — odpowiada Parwana.

— Jestem zmęczona, Parwano. To nie jest życie. Moje istnienie to kara dla nas obu.

— Wróćmy do domu — prosi Parwana. Coraz bardziej ściska ją w gardle. — Nie mogę tego zrobić. Nie pozwolę ci odejść.

— To nie ty mi pozwalasz odejść, tylko ja tobie. — Masuma płacze. — Zwracam ci wolność.

Parwana przypomina sobie wieczór przed wieloma laty, gdy bujała Masumę na huśtawce. Patrzyła, jak siostra prostuje nogi i pochyla głowę po każdym wychyleniu huśtawki, a jej długie włosy powiewają niczym rozwieszona na sznurze bielizna. Pamięta wszystkie lalki, które robiły razem z łupin kukurydzy i ubierały w suknie ślubne ze skrawków materiału.

— Powiedz mi coś, siostro — odzywa się Masuma.

Parwana mruga, żeby powstrzymać łzy, które napływają jej do oczu i mącą wzrok, a potem wierzchem dłoni wyciera nos.

— Ten chłopiec, Abdullah, i ta nowo narodzona dziewczynka. Mogłabyś pokochać je jak własne dzieci?

— Masumo...

— Mogłabyś?

— Mogłabym spróbować — odpowiada Parwana.

— To dobrze. Więc wyjdź za Sabura. Zaopiekuj się jego dziećmi. Miej własne.

— On kocha ciebie, nie mnie.

— Z czasem cię pokocha.

— To wszystko przeze mnie — mówi Parwana. — To moja wina. Od początku do końca.

— Nie wiem, co to ma znaczyć, i nie chcę wiedzieć. W tej chwili to jedyne, czego pragnę. Ludzie zrozumieją, Parwano. Mułła Szekib im powie. Powie, że dał mi swoje błogosławieństwo.

Parwana unosi twarz ku ciemnemu niebu.

— Bądź szczęśliwa, Parwano, proszę, bądź szczęśliwa. Zrób to dla mnie.

Parwana czuje, że zaraz wyzna Masumie wszystko, powie jej, jak bardzo się myli, jak słabo zna siostrę, z którą przebywała w łonie matki i której życie stało się jednymi wielkimi niewypowiedzianymi przeprosinami. Tylko po co miałaby to robić? Żeby kosztem Masumy odczuć ulgę? Gryzie się więc w język. Przysporzyła już siostrze wystarczająco dużo cierpień.

— Chciałabym teraz zapalić — oznajmia Masuma.

Parwana zaczyna protestować, ale siostra jej przerywa.

— Już czas — mówi stanowczo.

Parwana wyjmuje fajkę wodną z sakwy zarzuconej na łęk siodła. Drżącymi rękami zaczyna przygotowywać tę samą mieszankę co zwykle.

— Więcej — rzuca Masuma. — Wsyp więcej.

Pociągając nosem, ze łzami na policzkach, Parwana dodaje jeszcze jedną szczyptę, potem drugą i trzecią. Zapala węgielek i stawia fajkę obok siostry.

— A teraz — mówi Masuma z pomarańczowymi od blasku płomieni policzkami i pomarańczowym błyskiem w oczach — jeśli kiedykolwiek mnie kochałaś, Parwano, jeśli byłaś mi prawdziwą siostrą, odejdź. Bez uścisków. Bez pożegnań. Nie każ mi cię błagać.

Parwana chce coś powiedzieć, ale Masuma szlocha i odwraca głowę.

Parwana powoli wstaje. Podchodzi do muła i zaciąga popręg. Bierze w ręce wodze. Nagle uświadamia sobie, że być może nie będzie umiała żyć bez Masumy. Nie wie, jak zniesie dni, gdy nieobecność siostry stanie się jeszcze większym brzemieniem, niż kiedykolwiek była jej obecność. Czy będzie potrafiła zszyć brzegi wielkiej ziejącej dziury w miejscu, które kiedyś zajmowała Masuma?

„Miej serce", niemal słyszy słowa siostry.

Pociąga wodze, zawraca muła i rusza w drogę powrotną.

Idzie, przecinając ciemność, a nocny wiatr marszczy jej twarz. Nie podnosi głowy. Odwraca się tylko raz, później. Widziane przez łzy ognisko jest odległym, przymglonym, żółtym punkcikiem. Parwana wyobraża sobie siostrę leżącą przy ogniu, samą w mroku. Wkrótce ogień zgaśnie i Masuma zmarznie. Instynkt nakazuje Parwanie zawrócić, przykryć siostrę kocem i wsunąć się pod niego obok niej.

Ale odwraca się i podąża przed siebie.

I wtedy coś słyszy. Daleki, stłumiony dźwięk, jak zawodzenie. Przystaje, podnosi głowę i nasłuchuje. Serce zaczyna jej walić. Zastanawia się ze zgrozą, czy to Masuma ją woła, zmieniwszy zdanie. A może to tylko szakal albo pustynny lis wyje gdzieś w ciemnościach. Albo wiatr. Ale nie wie tego na pewno.

„Nie zostawiaj mnie, siostro. Wróć".

Żeby się przekonać, musiałaby zawrócić, innego sposobu nie ma, więc to robi; odwraca się i idzie kilka kroków w stronę Masumy. A potem się zatrzymuje. Masuma miała rację. Jeśli teraz wróci, rankiem nie będzie miała odwagi, aby to zakończyć. Zdjęta strachem, zostanie. Już na zawsze. To jej jedyna szansa.

Parwana zamyka oczy. Wiatr zwiewa jej szal na twarz.

Nikt nie musi wiedzieć. Nikt się nie dowie. To będzie jej tajemnica, tylko jej i gór. Pytanie tylko, czy będzie mogła z tą tajemnicą żyć, ale Parwana sądzi, że zna odpowiedź. Od urodzenia żyje z tajemnicami.

Znowu słyszy w oddali zawodzenie.

Wszyscy kochali ciebie, Masumo.

Mnie nikt.

Dlaczego, siostro? Co ja takiego zrobiłam?

Parwana przez długi czas stoi bez ruchu w ciemności.

W końcu dokonuje wyboru. Zawraca, opuszcza głowę i rusza w stronę horyzontu, którego nie widzi. Później już nie ogląda się za siebie. Wie, że jeśli to zrobi, straci siły. Straci determinację, bo zobaczy stary rower, który pędzi w dół po stoku wzgórza, podskakuje na kamieniach i żwirze, wstrząsając tyłki ich obu i wzbijając obłoki pyłu przy każdym nagłym skręcie. Siedzi na ramie, a Masuma na siodełku, to ona wykonuje te gwałtowne skręty w pełnym pędzie, mijając przeszkody o włos, tak że rower przechyla się na boki. Ale

Parwana się nie boi. Wie, że siostra nie pośle jej w powietrze, by poszybowała nad kierownicą, że nie zrobi jej krzywdy. Świat zamienia się w jedną długą smugę podniecenia, wiatr szumi w uszach i Parwana spogląda przez ramię na siostrę, a ta odpowiada spojrzeniem i śmieją się razem, gdy psy w końcu rezygnują z pościgu.

Parwana maszeruje ku nowemu życiu. Idzie i idzie, ciemność wokół niej jest jak łono matki, a kiedy się rozprasza, Parwana podnosi głowę i widząc na wschodzie w porannej mgle jasne światło padające na kamień, czuje się jak nowo narodzona.

4

W imię Allaha Najłaskawszego, Najmiłosierniejszego, wiem, że już mnie nie będzie, gdy zacznie Pan czytać ten list, Panie Markosie, bo dając go Panu, poprosiłem, żeby otworzył go Pan dopiero po mojej śmierci. Na początek pozwolę sobie powiedzieć, jak wielką przyjemnością była dla mnie przez te ostatnie siedem lat znajomość z Panem. Pisząc te słowa, myślę z sentymentem o naszym corocznym rytuale, jakim było wspólne sadzenie pomidorów w ogrodzie, o Pańskich porannych wizytach w moich skromnych progach, gdy piliśmy herbatę i gawędziliśmy, naszych improwizowanych, udzielanych sobie wzajemnie lekcjach farsi i angielskiego. Dziękuję Panu za Pańską przyjaźń, życzliwość i pracę, jaką podjął Pan w tym kraju, i mam nadzieję, że przekaże Pan moje wyrazy wdzięczności swoim miłym kolegom, zwłaszcza mojej przyjaciółce, pani Amrze Ademovic, tak współczującej, i jej dzielnej, uroczej córce Roszi.

Powinienem powiedzieć, że ten list jest adresowany nie tylko do Pana, Panie Markosie, ale także do innej osoby, której, mam nadzieję, go Pan przekaże, co wyjaśnię później. Proszę mi wybaczyć, jeśli powtórzę kilka faktów, które już Pan zna. Przytaczam je z konieczności, ze względu na nią. Jak Pan widzi, Panie Markosie, ten list to pewnego rodzaju wyznanie, ale do napisania go skłoniły mnie także względy praktyczne. Obawiam się, że z uwagi na nie będę musiał prosić Pana o pomoc, mój Przyjacielu.

Długo się zastanawiałem, od czego zacząć tę opowieść. To niełatwe zadanie dla człowieka, który jest chyba dobrze po osiemdziesiątce. Jak wielu Afgańczyków z mojego pokolenia, nie znam dokładnie swojego wieku, ale wiem mniej więcej, ile mam lat, bo przypominam sobie dobrze pierwszą bójkę z moim przyjacielem, a potem szwagrem, Saburem, w dniu, w którym dowiedzieliśmy się, że zastrzelono szacha Nadera i że na tron wstąpił po nim jego syn, młody Zaher. Było to w 1933 roku. Chyba mógłbym od tego zacząć. Albo od czegoś innego. Opowieść jest jak jadący pociąg: niezależnie od tego, kiedy do niego wskoczysz, prędzej czy później dotrzesz do celu. Wydaje mi się jednak, że powinienem zacząć tę historię od tego, na czym się kończy. Tak, sądzę, że to rozsądne, aby jej ramy stanowiła Nila Wahdati.

Poznałem ją w 1949 roku, tym samym, w którym wyszła za mąż za pana Wahdatiego. Pracowałem już u niego dwa lata. Przeprowadziłem się do Kabulu z Szadbagh, mojej rodzinnej wioski, jeszcze w 1946 roku — przez rok byłem zatrudniony w innym domu w sąsiedztwie. Nie jestem dumny z powodów, dla których opuściłem Szadbagh, panie Markosie. Proszę więc uznać, że to pierwsze z moich wyznań, jeśli powiem, iż czułem się przytłoczony życiem w wiosce, z siostrami, z których jedna była kaleką. To mnie nie tłumaczy, ale byłem młodym człowiekiem, panie Markosie, rwącym się w świat, mającym marzenia, skromnym i niepewnym siebie, jak wszyscy inni, i bałem się, że moja młodość mija, a perspektywy stają się coraz bardziej ograniczone. Więc wyjechałem. Żeby pomóc siostrom w utrzymaniu, owszem, tak. Ale także, żeby uciec.

Ponieważ pracowałem u pana Wahdatiego na cały etat, również na cały etat mieszkałem w jego domu. Wtedy ten dom nie był jeszcze w tak opłakanym stanie, w jakim zastał go Pan po przyjeździe do Kabulu w 2002 roku. Prezentował się pięknie i okazale. W tamtym czasie wręcz lśnił bielą, jakby był wysadzany brylantami. Przed wejściem znajdował się szeroki asfaltowy podjazd. Wchodziło się z niego do wysoko sklepionego holu, ozdobionego smukłymi ceramicznymi wazami i owalnym lustrem w ramie z rzeźbionego drewna orzechowego, wiszącym dokładnie w tym samym miejscu, w którym zawiesił Pan na krótki czas stare, zrobione domowym aparatem zdjęcie Pańskiej przyjaciółki z dzieciństwa. Marmurowa podłoga w salonie błyszczała i była częściowo przykryta ciemnoczerwonym tureckim dywanem. Dywanu już nie ma, podobnie jak skórzanych kanap, ręcznie rzeźbionego stolika do kawy, szachów z lapis lazuli czy wysokiej szafy z mahoniu. Niewiele z tych pięknych mebli przetrwało, a jeśli nawet, to obawiam się, że nie są w takim stanie jak kiedyś.

Gdy pierwszy raz wszedłem do kuchni, aż otworzyłem usta ze zdumienia. Pomyślałem wtedy, że można by w niej nakarmić całą moją rodzinną wioskę. Była tam kuchenka z sześcioma palnikami, lodówka, toster i mnóstwo garnków, patelni, noży i innych narzędzi, z których mogłem korzystać. Łazienki, wszystkie cztery, były wyłożone misternie rzeźbionymi marmurowymi kafelkami i miały porcelanowe zlewy. Pamięta Pan tamte kwadratowe dziury na blacie w Pańskiej łazience na górze, panie Markosie? Kiedyś wypełniał je lazuryt.

Potem było podwórko. Musi Pan któregoś dnia usiąść w swoim gabinecie na górze, panie Markosie, spojrzeć na ogród i spróbować sobie wyobrazić, jak wyglądało kiedyś. Wychodziło się na nie przez półksiężycowatą werandę otoczoną barierką, którą porastały pędy winorośli. Trawnik był wtedy zielony i bujny, z rabatami kwiatów — jaśminu, róż, pelargonii, tulipanów — i ogrodzony dwoma rzędami drzewek owocowych. Można było położyć się pod jedną z wiśni, panie Markosie, zamknąć oczy i słuchać szumu wiatru wśród liści. Miało się wtedy wrażenie, że nie ma na ziemi lepszego miejsca do życia.

Ja mieszkałem w chacie na tyłach podwórka. Miała okno, ściany pomalowane białą farbą i dość przestrzeni, jak na skromne potrzeby młodego kawalera. Było w niej łóżko, biurko z krzesłem i wystarczająco dużo miejsca, żebym mógł pięć razy dziennie rozwijać dywanik modlitewny. Odpowiadała mi wtedy i odpowiada dzisiaj.

Gotowałem dla pana Wahdatiego. Nauczyłem się tego, obserwując najpierw moją nieżyjącą matkę, a później starszego kucharza, Uzbeka, pracującego w tym samym kabulskim domu, w którym służyłem przez rok jako jego pomocnik. Pełniłem też, z dużym zadowoleniem, funkcję szofera pana Wahdatiego. Miał chevroleta, model z lat czterdziestych, takiego niebieskiego z jasnobrązowym dachem, winylowymi siedzeniami, również niebieskimi, i chromowanymi kołami. Było to piękne auto, które wszędzie przyciągało spojrzenia. Pan Wahdati pozwalał mi nim jeździć, bo przekonał się, że jestem dobrym i rozważnym kierowcą, a także dlatego, że należał do tych nielicznych mężczyzn, którzy nie lubią prowadzić wozu.

Niech Pan nie sądzi, Panie Markosie, że się chwalę, mówiąc, że byłem dobrym służącym. Dzięki uważnej obserwacji poznałem upodobania pana Wahdatiego, jego dziwactwa i słabości, a także zwyczaje i rytuały. Na przykład każdego ranka po śniadaniu szedł na spacer. Nie lubił jednak chodzić sam, dlatego chciał, żebym mu towarzyszył. Oczywiście chętnie spełniałem jego życzenie, choć nie bardzo wiedziałem, po co mu moja obecność. Podczas tych spacerów prawie się do mnie nie odzywał, zawsze wydawał się pogrążony w myślach. Szedł szybko, z rękami splecionymi na plecach, pozdrawiając skinieniem głowy przechodniów i stukając obcasami wypolerowanych skórzanych mokasynów. A ponieważ robił duże kroki, nie mogłem za nim nadążyć i zawsze zostawałem z tyłu. Resztę dnia spędzał przeważnie w swoim gabinecie na piętrze, gdzie albo czytał, albo grał sam ze sobą w szachy. Uwielbiał rysować — choć nie potrafiłem ocenić jego umiejętności, przynajmniej wtedy, bo nigdy nie pokazywał mi swoich szkiców — i często zastawałem go w gabinecie, przy oknie albo na werandzie, ze ściągniętymi brwiami, wodzącego ołówkiem po kartce ze szkicownika.

Co kilka dni woziłem go do miasta. Raz w tygodniu odwiedzał matkę, bywał też na uroczystościach rodzinnych. I chociaż przeważnie ich unikał, od czasu od czasu woziłem go na nie: na pogrzeby, przyjęcia urodzinowe, śluby i wesela. Jeździłem z nim także do sklepu dla plastyków, gdzie zaopatrywał się w ołówki, węgiel do rysowania, gumki, temperówki i szkicowniki. Czasami lubił usiąść na tylnym siedzeniu i po prostu się przejechać. Gdy pytałem: „Dokąd, *sahib*?" — wzruszał ramionami, a wtedy odpowiadałem: „Doskonale, *sahib*", zapalałem silnik i ruszaliśmy w drogę. Godzinami jeździłem po mieście bez celu, od jednej dzielnicy do drugiej, wzdłuż rzeki Kabul, do Bala Hissar, a czasami jeszcze do pałacu Darulamana. W niektóre dni wyjeżdżaliśmy z Kabulu nad jezioro Ghargha. Zatrzymywałem auto nad wodą, wyłączałem silnik, a pan Wahdati siedział za mną bez ruchu, nie odzywając się, i najwyraźniej zadowolony, patrzył nad odsuniętą szybą na ptaki przelatujące z drzewa na drzewo, promienie słońca padające na powierzchnię wody i tworzące na niej maleńkie świetliste punkty. Spoglądałem wtedy na niego we wstecznym lusterku i miałem wrażenie, że jest najbardziej samotnym człowiekiem na świecie.

Raz w miesiącu pan Wahdati wspaniałomyślnie pożyczał mi samochód i jechałem do Szadbagh w odwiedziny do siostry Parwany i jej męża Sabura. Gdy tylko wjeżdżałem do wioski, witały mnie gromadki dzieci, które biegły za samochodem, klepały go po zderzaku, stukały w okna. Niektóre z tych łobuziaków próbowały nawet wspiąć się na dach i musiałem je odganiać, ponieważ bałem się, że porysują lakier albo wgniotą zderzak.

— Spójrz na siebie, Nabi — mawiał Sabur. — Jesteś tu znakomitością.

Ponieważ jego dzieci, Abdullah i Pari, straciły matkę (Parwana była ich macochą), zawsze starałem się poświęcać im

93

uwagę, szczególnie chłopcu, który chyba tego potrzebował. Proponowałem, że zabiorę go na przejażdżkę samochodem, choć zawsze nalegał, żebyśmy zabrali też jego młodszą siostrę, i trzymał ją mocno na kolanach, gdy krążyliśmy po drogach wokół wioski. Pozwalałem mu uruchamiać wycieraczki i naciskać klakson. Pokazywałem, jak włącza się światła, od słabych po najmocniejsze.

Kiedy kończyło się zamieszanie wokół samochodu, piłem z siostrą i Saburem herbatę i opowiadałem im o moim życiu w Kabulu. Starałem się nie mówić zbyt dużo o panu Wahdatim. Bardzo go lubiłem, bo dobrze mnie traktował, i mówienie o nim za jego plecami wydawało mi się nielojalne. Gdybym nie był takim dyskretnym pracownikiem, powiedziałbym im, że Solejman Wahdati jest dla mnie zagadką, kimś, kto chyba byłby zadowolony, gdyby mógł do końca swoich dni żyć z odziedziczonych pieniędzy, człowiekiem bez zawodu, żadnych pasji ani potrzeby, żeby zostawić coś po sobie na tym świecie. Powiedziałbym im, że żyje życiem pozbawionym celu i kierunku. Jak te przejażdżki, na które go zabierałem. Życiem na tylnym siedzeniu. Życiem obojętnym.

To bym im powiedział, ale nigdy tego nie zrobiłem. I dobrze. Bo to nie byłaby prawda.

Pewnego dnia pan Wahdati wyszedł na podwórko ubrany w szykowny garnitur w prążki, którego nigdy wcześniej nie widziałem, i poprosił, żebym zawiózł go do zamożnej dzielnicy Kabulu. Kiedy przyjechaliśmy na miejsce, kazał mi zaparkować przed pięknym domem otoczonym wysokim murem, a potem nacisnął dzwonek przy bramie i kiedy służący mu otworzył, wszedł do środka. Dom był duży, większy od domu pana Wahdatiego, i bardziej okazały. Na podjeździe rosły wysokie smukłe cyprysy i gęste kwitnące krzewy, których nie znałem. Podwórko było dwa razy większe niż u nas, a ogrodzenie tak wysokie, że gdyby człowiek stanął na ramionach drugiego, z trudem by za nie zajrzał. Zorientowałem się, że mam do czynienia z jeszcze większym bogactwem.

Był słoneczny dzień początku lata, z bezchmurnym niebem. Przez otwarte okna do samochodu wpadało ciepłe powietrze. Choć praca szofera polega na prowadzeniu auta, większość czasu zajmuje mu czekanie. Czekanie z włączonym silnikiem, przed sklepem, przed salą, w której odbywa się ślub, przy stłumionych dźwiękach muzyki. Tamtego dnia, żeby zabić czas, grałem w karty. Kiedy mi się to znudziło, wysiadłem z samochodu i przeszedłem kilka kroków ulicą, najpierw w jedną stronę, a potem w drugą. W końcu wsiadłem do auta, myśląc, że może uda mi się zdrzemnąć przed powrotem pana Wahdatiego.

Wtedy brama się otworzyła i na ulicę wyszła czarnowłosa młoda kobieta. Była w okularach przeciwsłonecznych i sukience koloru mandarynki, z krótkimi rękawami, która sięgała jej do kolan. Miała gołe nogi, łącznie ze stopami. Nie wiedziałem, czy zauważyła mnie w samochodzie, a jeśli tak, nic na to nie wskazywało. Odwrócona plecami do muru, oparła o niego stopę, a wtedy rąbek jej sukienki się uniósł, odsłaniając udo. Poczułem, że oblewa mnie fala gorąca od policzków aż po szyję.

Pozwoli pan, panie Markosie, że poczynię tu kolejne wyznanie, dość żenujące i dlatego niezbyt eleganckie. Musiałem wtedy zbliżać się do trzydziestki. Byłem więc młodym mężczyzną, spragnionym kobiecego towarzystwa. W przeciwieństwie do moich rówieśników ze wsi, młodzieńców, którzy nigdy nie widzieli nagiego uda dorosłej kobiety i żenili się między innymi po to, żeby móc oglądać taki widok, miałem już pewne doświadczenie. Odkryłem bowiem w Kabulu — i od czasu do czasu odwiedzałem — przybytki, w których mężczyźni mogli zaspokajać swoje potrzeby dyskretnie i wygodnie. Wspominam o tym tylko po to, aby powiedzieć, iż żadna prostytutka, z którą kiedykolwiek spałem, nie mogła się równać z tą piękną, zgrabną istotą stojącą przed wielkim domem.

Oparta o mur, zapaliła papierosa i zaciągała się nim bez pośpiechu, z wielką gracją, trzymając go w dwóch palcach i stulając dłoń za każdym razem, gdy podnosiła ją do ust. Patrzyłem na nią w nabożnym skupieniu. Sposób, w jaki zginała rękę w nadgarstku, przypomniał mi ilustrację, którą widziałem kiedyś w błyszczącym tomiku wierszy: przedstawiała kobietę o długich rzęsach, z rozpuszczonymi ciemnymi włosami, leżącą w ogrodzie, trzymającą w białych smukłych palcach puchar wina i podającą go kochankowi. W pewnej chwili uwagę kobiety zwróciło coś po przeciwnej stronie ulicy i kiedy tam spojrzała, skorzystałem z okazji, żeby przeczesać palcami włosy, które oklapły w upale. Gdy odwróciła głowę, ja znowu zamarłem. Zaciągnęła się dymem jeszcze kilka razy, zgasiła niedopałek o ścianę i wróciła za bramę.

Wreszcie mogłem odetchnąć.

Wieczorem pan Wahdati wezwał mnie do salonu.

— Mam nowiny, Nabi — powiedział. — Zamierzam się ożenić.

Pomyślałem, że jednak przeceniłem jego upodobanie do samotności.

Wiadomość o zaręczynach szybko się rozeszła. Podobnie jak plotki. Usłyszałem je od innych pracowników, którzy przewijali się przez dom pana Wahdatiego. Najbardziej gadatliwy był Zahid, ogrodnik przychodzący trzy razy w tygodniu, żeby dbać o trawnik i przycinać drzewa oraz krzewy. Był niemiłym człowiekiem o odrażającym zwyczaju cmokania językiem, który rozpuszczał plotki tak samo niefrasobliwie, jak rozrzucał nawóz. Należał do grupy wiecznych wyrobników, którzy jak ja pracowali w okolicy jako kucharze, ogrodnicy i ludzie na posyłki. Raz albo dwa razy w tygodniu, wieczorem, po pracy, wpraszali się do mojej chaty na poobiednią herbatę. Nie wiem, kiedy stało się to zwyczajem, ale potem już nie mogłem tego zmienić, bo nie chciałem wyjść na nieuprzejmego czy niegościnnego, albo, jeszcze gorzej, na zarozumialca wynoszącego się ponad ludzi swojego stanu.

Któregoś wieczoru przy herbacie Zahid powiedział, że rodzina pana Wahdatiego nie pochwala jego małżeństwa, bo narzeczona nie cieszy się dobrą opinią. Podobno w całym Kabulu znana jest z tego, że nie ma *nang* ani *namoos*, wstydu ani godności, i choć skończyła dopiero dwadzieścia lat, „zjeździła już całe miasto", jak samochód pana Wahdatiego. A najgorsze ze wszystkiego jest to, twierdził Zahid, że nie tylko nie próbuje odpierać tych zarzutów, ale jeszcze napisała na ich temat wiersz. Gdy to mówił, po izbie rozszedł się pomruk dezaprobaty. Jeden z mężczyzn zauważył, że w jego wiosce poderżnęliby takiej gardło.

Wtedy wstałem i powiedziałem, że dość już tego gadania. Zgromiłem ich za to, że plotkują jak stare baby przy szyciu,

i przypomniałem, że gdyby nie ludzie pokroju pana Wahdatiego, tacy jak my zbieraliby krowie łajno w rodzinnych
wioskach.

— Gdzie wasza lojalność, poważanie dla pracodawcy? —
zapytałem.

Na chwilę zapadła cisza i już myślałem, że przemówiłem
do tych cymbałów, ale oni wybuchnęli śmiechem. Zahid
zarzucił mi, że jestem lizusem i że niebawem moja przyszła
pani napisze wiersz pod tytułem *Oda do Nabiego liżącego
tyłki*. Wśród głośnego rechotu uniosłem się godnością i wyszedłem z chaty.

Nie uszedłem jednak daleko. Rozgłaszane przez nich plotki oburzały mnie, ale i fascynowały. I mimo że dopiero co
wybuchnąłem słusznym gniewem, gadając o przyzwoitości
i dyskrecji, nie chciałem stracić ani jednego gorszącego
szczegółu.

Okres zaręczyn trwał tylko kilka dni i zakończył się huczną
uroczystością z udziałem śpiewaków i tancerzy, wśród po-
wszechnej wesołości i zabawy, z wyjątkiem krótkiej wizyty
mułły i świadka, kiedy to państwo młodzi złożyli na doku-
mencie ślubnym swoje podpisy. A później, niespełna dwa
tygodnie po tym, jak ujrzałem ją po raz pierwszy, pani Wahdati wprowadziła się do domu.

Pozwoli Pan, Panie Markosie, że przerwę na chwilę
opowieść, bo chcę powiedzieć, że od tej chwili będę
nazywał panią Wahdati Nilą. Nie muszę dodawać, że wtedy
nie pozwalałem sobie na taką poufałość i nie pozwoliłbym
sobie na nią, nawet gdybym wyczuł, że mogę. Zawsze zwra-

całem się do pani Wahdati *bibi sahib*, z należnym szacunkiem. Ale dla celów tego listu zrezygnuję z obowiązujących form i będę o niej mówił tak samo, jak myślałem.

Od początku wiedziałem, że to nie jest szczęśliwe małżeństwo. Rzadko widywałem, jak moi państwo wymieniają czułe spojrzenia albo zwracają się do siebie pieszczotliwie. Mieszkali w jednym domu, ale ich ścieżki rzadko się przecinały.

Rankiem podawałem panu Wahdatiemu śniadanie: opieczony w tosterze nan, pół filiżanki orzechów włoskich i zieloną herbatę ze szczyptą kardamonu, bez cukru. I jajko na miękko. Lubił, żeby żółtko wylewało się przy nakłuciu skorupki, i porażki, jakie początkowo ponosiłem, próbując uzyskać odpowiednią konsystencję, bardzo mnie martwiły. Gdy towarzyszyłem panu Wahdatiemu podczas porannych spacerów, Nila jeszcze spała i często budziła się w południe albo i później. Kiedy wstawała, byłem już gotowy z lunchem dla pana Wahdatiego.

Przez cały ranek, wypełniając swoje obowiązki, czekałem z utęsknieniem na chwilę, gdy Nila pchnie drzwi prowadzące z salonu na werandę. Zakładałem się sam ze sobą, jak tego dnia będzie wyglądała. Czy upnie włosy wysoko — zastanawiałem się — czy w kok na karku, a może rozpuści, tak, żeby opadały na ramiona? Czy założy ciemne okulary? Wybierze sandały? Włoży niebieską jedwabną sukienkę z paskiem czy tę w kolorze fuksji, z dużymi okrągłymi guzikami?

Kiedy w końcu się pojawiała, krzątałem się po podwórku, udając, że poleruję maskę samochodu albo podlewam krzak róż, ale przez cały czas na nią zerkałem. Przyglądałem się jej, gdy zsuwała na czoło okulary, żeby przetrzeć oczy, albo zdejmowała gumkę z włosów i odrzucała do tyłu głowę, by rozpuścić ciemne błyszczące loki, siadała, podciągając kolana pod brodę, patrząc w głąb podwórka i paląc leniwie papierosa, albo zakładała nogę na nogę i poruszała stopą, gestem, który mógł świadczyć o znudzeniu albo zniecierpliwieniu, a może z trudem powściąganym rozbawieniu.

Czasami towarzyszył jej pan Wahdati, ale rzadko. Większość dni spędzał tak jak dawniej: czytał w gabinecie na górze albo rysował. Małżeństwo nie wpłynęło na zmianę jego trybu życia. Nila przeważnie pisała, albo w salonie, albo na werandzie. Zapełniała całe kartki, które spływały z jej kolan, i paliła papierosa za papierosem. Kiedy wieczorami podawałem im kolację, milczeli ze wzrokiem utkwionym w półmisku ryżu, tak że ciszę przerywało jedynie mamrotane „dziękuję" oraz brzęk łyżki albo widelca uderzających o porcelanę.

Raz albo dwa razy w tygodniu woziłem Nilę do sklepu po papierosy albo nowy komplet ołówków, notes czy kosmetyki. Gdy wiedziałem zawczasu, że będzie mnie potrzebowała, zawsze starannie się czesałem i myłem zęby. Przemywałem twarz, przecierałem plasterkiem cytryny palce, żeby pozbyć się zapachu cebuli, trzepałem ubranie i glansowałem buty. Garnitur — oliwkowego koloru — dostałem po panu Wahdatim, ale miałem nadzieję, że Nila tego nie wie, choć być może pan Wahdati jej o tym wspomniał. Nie ze złej woli, ale dlatego, że ludzie z jego pozycją nie zdają sobie sprawy, jak takie drobiazgi mogą być zawstydzające dla ludzi mojego pokroju. Czasami nawet zakładałem czapkę z jagnięcej skóry po zmarłym dziadku. Stawałem przed lustrem i nasuwałem ją na czoło na różne sposoby, tak skupiony na tym, żeby jak najlepiej zaprezentować się przed Nilą, że nie zauważyłbym, gdyby na nosie usiadła mi osa, dopóki by mnie nie użądliła.

Kiedy ruszaliśmy w drogę, wybierałem krótkie objazdy, żeby przedłużyć przejażdżkę, a tym samym pobyt z nią, choćby o minutę — może dwie, ale nie więcej, bo inaczej by się domyśliła. Prowadziłem, zaciskając ręce na kierownicy i patrząc przed siebie, na drogę. Narzucałem sobie dyscyplinę i nie zerkałem na nią we wstecznym lusterku, chyba że coś do mnie mówiła. Zadowalała mnie już sama jej obecność na tylnym siedzeniu, możliwość wdychania jej zapachu: mieszaniny drogiego mydła, lotionu, perfum, gumy do żucia i dymu papierosowego. To przeważnie wystarczało, żebym dostawał skrzydeł.

To właśnie w samochodzie odbyliśmy naszą pierwszą rozmowę. Prawdziwą rozmowę, bo nie liczę tych setek razy, gdy prosiła mnie, żebym coś przyniósł, odniósł albo załatwił. Wiozłem ją do apteki po lekarstwo, kiedy zapytała:

— Jaka jest twoja wioska, Nabi? Przypomnij mi, jak się nazywa.

— Szadbagh, *bibi sahib*.

— A tak, Szadbagh. Jak w niej jest? Opowiedz mi.

— Nie ma o czym, *bibi sahib*. Wioska jak każda inna.

— Och, na pewno czymś różni się od reszty.

Pozornie nad sobą panowałem, ale w środku aż wrzałem, desperacko próbując przypomnieć sobie jakąś ciekawostkę, która mogłaby ją zainteresować, rozbawić. Daremnie. Co taki wieśniak jak ja, prosty człowiek wiodący proste życie, mógł powiedzieć, żeby zainteresować taką kobietę jak ona?

— Są tam wspaniałe winogrona — odparłem, ale gdy tylko wypowiedziałem te słowa, miałem ochotę dać samemu sobie w twarz. Winogrona?

— Doprawdy? — zapytała obojętnie.

— Naprawdę bardzo słodkie.

— Aha.

Konałem, przeżywając katusze. Czułem, że strasznie pocę się pod pachami.

— To taki szczególny ich rodzaj — dodałem, choć zaschło mi w ustach. — Mówią, że rosną tylko w Szadbagh. Są bardzo delikatne, kruche. Gdyby posadzić je w innym miejscu, nawet w sąsiedniej wiosce, zmarniałyby i uschły. Umierają ze smutku, jak mówią ludzie w mojej wsi, ale to oczywiście nieprawda. To kwestia gleby i wody. Ale tak mówią, *bibi sahib*. Smutek, oto, co je zabija.

— To naprawdę urocze, Nabi.

Zaryzykowałem szybkie spojrzenie we wsteczne lusterko i zobaczyłem, że Nila patrzy przez okno, ale zauważyłem też, ku swojej wielkiej uldze, że kąciki jej ust lekko się uniosły, jakby w uśmiechu. Zachęcony tym widokiem, usłyszałem, jak mówię:

— Mogę pani opowiedzieć inną historię, *bibi sahib*?

— Oczywiście. — Pstryknęła zapalniczka i owionął mnie dym z papierosa.

— Więc mamy we wsi mułłę. Naturalnie we wszystkich wioskach jest mułła. Nasz nazywa się Szekib i zna mnóstwo przypowieści. Ile, nie potrafię powiedzieć. Ale zawsze powtarza nam jedną: jeśli spojrzycie na dłonie muzułmanów, gdziekolwiek na świecie, zobaczycie coś zadziwiającego. Mają takie same linie. Co to znaczy? To znaczy, że linie na lewej dłoni muzułmanina tworzą arabską liczbę osiemdziesiąt jeden, a na prawej... osiemnaście. Jeśli odejmie się osiemnaście od osiemdziesięciu jeden, co się otrzyma? Sześćdziesiąt trzy. Czyli wiek Proroka w chwili śmierci, pokój z nim.

Usłyszałem z tyłu ciche parsknięcie śmiechu.

— Pewnego dnia przez Szadbagh przejeżdżał podróżny i oczywiście tego wieczoru, zgodnie ze zwyczajem, zasiadł z mułłą Szekibem do posiłku. Usłyszał od niego tę przypowieść, zastanowił się i odparł: „Ależ, mułło Szekibie, z całym szacunkiem, kiedyś poznałem żyda i przysięgam, że linie na jego dłoniach były takie same jak na naszych. Jak to wyjaśnisz?". A mułła odpowiedział: „W takim razie ten żyd musiał być w głębi duszy muzułmaninem".

Jej nagły wybuch śmiechu był dla mnie źródłem radości przez cały dzień. Jakby — Boże, wybacz mi bluźnierstwo — pochodził z samego nieba, ogrodu sprawiedliwych, jak mówi Księga, gdzie płyną rzeki, a drzewa wiecznie owocują i rzucają cień.

Proszę zrozumieć, Panie Markosie, że to nie jej uroda tak mnie urzekła, choć i ona by wystarczyła. Nigdy w życiu nie spotkałem młodej kobiety, która byłaby jak Nila. Wszystko, co robiła — jak mówiła, chodziła, ubierała się, uśmiechała — było dla mnie nowe. Nila zmieniła moje dotychczasowe wyobrażenia, jak może się zachowywać kobieta, chociaż jej postępowanie spotykało się ze stanowczą dezaprobatą Zahida i jemu podobnych, oraz z pewnością Sabura i wszystkich innych z mojej wioski, zarówno mężczyzn, jak i kobiet. Według mnie jednak to tylko przydawało jej powabu i tajemniczości.

Jej śmiech wciąż dźwięczał mi w uszach, gdy tamtego dnia wypełniałem swoje obowiązki. A później, kiedy przyszli na herbatę pozostali pracownicy, zamiast ich rechotu słyszałem tamten słodki dźwięk i byłem dumny, że moja zabawna historyjka pozwoliła Nili zapomnieć na chwilę o nieudanym małżeństwie. Była to niezwykła kobieta i kładąc się do łóżka tamtego wieczoru, sam poczułem się kimś nadzwyczajnym. Taki miała na mnie wpływ.

Niebawem zaczęliśmy rozmawiać codziennie, Nila i ja, zazwyczaj późnym rankiem, gdy piła kawę na werandzie. Zbliżałem się pod takim czy innym pretekstem i oparty o szpadel albo zajęty nalewaniem zielonej herbaty, zaczynałem pogawędkę. Czułem się uprzywilejowany, że Nila dopuszcza do takiej poufałości. Przecież nie byłem jedynym służącym w domu. Wspomniałem już o tym pozbawionym skrupułów gadzie Zahidzie, ale była też Hazara, kobieta o obwisłej twarzy, przychodząca dwa razy w tygodniu, żeby robić pranie. Nila jednak wybrała mnie. Sądzę, że tylko w mojej obecności czuła się mniej samotna, nie wyłączając męża. Przeważnie to ona mówiła, co mi odpowiadało, bo chętnie jej słuchałem. Opowiedziała mi na przykład o wyprawie łowieckiej do Dżalalabadu, na którą zabrał ją ojciec i po której tygodniami prześladowały ją koszmary o zabitych jeleniach ze szklistymi oczami. Mówiła, że gdy była dzieckiem, przed drugą wojną światową, pojechała z matką do Francji. Podróżowały pociągiem i statkiem. Opowiadała, jak czuła w żebrach stukot kół pociągu na torach. Pamiętała też zasłony na haczykach oddzielające przedziały, miarowe posapywanie i syk silnika parowego. Wspominała sześć tygodni, które spędziła z ojcem rok wcześniej w Indiach, kiedy poważnie zachorowała.

Co jakiś czas, gdy odwracała głowę, żeby strzepnąć popiół na spodek, obejmowałem spojrzeniem jej czerwone paznokcie u stóp, ogolone złote łydki, wysoki łuk stopy i pełne, kształtne piersi — na nie zerkałem zawsze. Byli mężczyźni na tej ziemi, którzy dotykali tych piersi i je całowali, kochając się z nią. Co potem jeszcze mogli w życiu zrobić? Dokąd później miał udać się ktoś, kto stanął już na wierzchołku świata? Tylko wielkim wysiłkiem woli spuszczałem wzrok i patrzyłem w jakiś inny punkt, kiedy znowu zwracała ku mnie twarz.

Gdy poczuła się swobodniej, zaczęła podczas tych przed-południowych pogawędek skarżyć się na pana Wahdatiego. Pewnego dnia powiedziała, że jest mrukiem i często aro-gantem.

— Dla mnie jest bardzo łaskawy — odrzekłem.

Machnęła lekceważąco ręką.

— Proszę, Nabi, nie musisz tego robić.

Posłusznie spojrzałem pod nogi. To, co mówiła, nie było niezgodne z prawdą. Pan Wahdati na przykład miał zwyczaj poprawiać mnie, gdy coś mówiłem, i robił to z wyższością, którą można by uznać, być może słusznie, za arogancję. Czasami wchodziłem do pokoju, stawiałem przed nim pół-misek ze słodyczami, dolewałem mu herbaty, ścierałem ze stołu okruchy, a on poświęcał mi nie więcej uwagi niż musze idącej po siatkowych drzwiach, nawet nie podnosił wzroku, tak mało ważny dla niego byłem. To jednak drobne uchy-bienia, szczególnie że, jak wiedziałem, niektórzy państwo z sąsiedztwa — ci, u których pracowałem — bili służących laskami i pasami.

— Nic go nie bawi ani nie ekscytuje — mówiła Nila, nerwowo mieszając kawę. — Solejman to ponury starzec uwięziony w ciele młodszego mężczyzny.

Byłem nieco zdeprymowany jej bezpośredniością.

— To prawda, że pan Wahdati wyjątkowo dobrze czuje się w samotności — odpowiadałem dyplomatycznie.

— Może powinien mieszkać z matką, jak myślisz, Nabi? Byłaby z nich dobrana para, mówię ci.

Matka pana Wahdatiego była potężną, napuszoną kobietą. Mieszkała w innej części miasta, z nieodzownym zastępem służących i dwoma ukochanymi psami. Rozpieszczała te zwierzęta i traktowała je lepiej nich służbę, znacznie lepiej. Były to małe łyse szpetne stworzenia, wiecznie przestraszone i niepewne, szczekające piskliwie przy byle okazji. Nie znosiłem ich, a one, gdy tylko wchodziłem do domu, skakały mi na nogi i głupio próbowały się po nich wspiąć.

Nie miałem wątpliwości, że za każdym razem, gdy wiozłem Nilę i pana Wahdatiego w odwiedziny do starszej pani, na tylnym siedzeniu panowało wyczuwalne napięcie, a ściągnięte brwi Nili świadczyły o niedawnej kłótni. Pamiętam, że gdy między moimi rodzicami wybuchała awantura, kończyła się wyraźnym zwycięstwem jednego z nich. To był ich sposób na zakończenie konfliktu, zamykali go werdyktem, żeby nie kładł się cieniem na następnych dniach, i wszystko mogło wrócić do normalności. Ale w przypadku państwa Wahdati było inaczej. Ich kłótnie nie tyle się kończyły, ile rozpraszały, jak kropla atramentu w wodzie, która stawała się coraz bardziej mętna.

Nie trzeba było wielkich akrobacji umysłowych, aby się domyślić, że starsza pani nie aprobuje tego związku, i Nila o tym wiedziała.

Gdy prowadziliśmy te rozmowy, Nila i ja, stale powracało do mnie jedno pytanie: dlaczego w ogóle poślubiła pana

Wahdatiego? Nie miałem śmiałości jej o to spytać. To byłoby naruszenie zasad, a coś takiego nie leżało w mojej naturze. Mogłem tylko przypuszczać, że dla niektórych ludzi, zwłaszcza kobiet, małżeństwo — nawet tak nieudane jak to — stanowi ucieczkę od większego nieszczęścia.

Pewnego dnia, jesienią 1950 roku, Nila mnie wezwała.

— Chciałabym, żebyś zawiózł mnie do Szadbagh — oznajmiła.

Powiedziała, że pragnie poznać moją rodzinę, zobaczyć, skąd pochodzę. Że od kilku lat podaję jej posiłki i wożę po Kabulu, a ona tak mało o mnie wie. Jej żądanie wprawiło mnie co najmniej w zakłopotanie, bo nie było przyjęte, żeby ktoś z pozycją Nili jechał taki kawał drogi tylko po to, aby poznać krewnych służącego. Pochlebiało mi, że Nila tak się mną interesuje, ale jednocześnie budziło niepokój, ponieważ wiedziałem, że będzie mi przykro i wstyd, gdy zobaczy, w jakiej biedzie się wychowałem.

Wyruszyliśmy w drogę któregoś pochmurnego ranka. Nila włożyła sukienkę bez rękawów i pantofle na wysokich obcasach, ale uznałem, że nie do mnie należy odradzanie jej tego. Po drodze wypytywała mnie o wioskę, znajomych, siostrę, Sabura i ich dzieci.

— Powiedz mi, jak się nazywają.

— Hm, chłopiec nazywa się Abdullah i ma prawie dziewięć lat. Jego matka zmarła dwa lata temu, gdy rodziła jego siostrę Pari, więc Parwana jest dla niego macochą. Zimą urodziła chłopca... dali mu na imię Omar, ale zmarł, gdy miał dwa tygodnie.

— Co się stało?

— Zima, *bibi sahib*. Spada na te wioski i co roku zabiera

jedno czy dwoje dzieci. Człowiek może mieć tylko nadzieję, że jego dom ominie.

— O Boże — jęknęła.

— Ale na szczęście moja siostra spodziewa się następnego dziecka — dodałem.

Po przyjeździe do wioski zostaliśmy przywitani przez niezwykle liczną gromadę bosych dzieciaków, które z wrzaskiem otoczyły samochód, ale gdy tylko Nila z niego wysiadła, wszystkie ucichły i natychmiast się cofnęły, być może ze strachu, że je skrzyczy. Nila jednak była bardzo wyrozumiała i życzliwa. Przyklękła z uśmiechem i zaczęła rozmawiać z każdym z nich, brała je za ręce i głaskała po brudnych policzkach, mierzwiła im przetłuszczone włosy. Ku mojemu zakłopotaniu, wzbudziło to powszechne zainteresowanie. Między innymi Bajtullaha, mojego kolegi z dzieciństwa, który wyglądał zza krawędzi dachu, gdzie on i jego bracia przycupnęli jak stado wron, żując naswar*. A także jego ojca, samego mułły Szekiba, i trzech mężczyzn o siwych brodach, którzy siedzieli w cieniu pod ścianą, bezgłośnie przesuwając w palcach paciorki modlitewne i krytycznie patrząc pozbawionymi wieku oczami na Nilę i jej nagie ramiona.

Przedstawiłem Nili Sabura i skierowaliśmy się do małej chaty, w której mieszkali on i Parwana, a za nami podążył tłumek gapiów. W progu Nila zdjęła buty, chociaż Sabur powiedział jej, że nie musi. Gdy wszedłem, zobaczyłem Parwanę siedzącą cicho w kącie, skuloną i niepewną. Przywitała się z Nilą prawie szeptem.

---

* Naswar — tytoń do żucia.

Sabur spojrzał spod uniesionych brwi na Abdullaha.

— Przynieś herbaty, chłopcze.

— Och nie, proszę — odezwała się Nila, siadając na klepisku obok Parwany. — Nie trzeba.

Ale Abdullah zniknął już w sąsiedniej izbie służącej za kuchnię, gdzie spał razem z Pari. Od izby, w której siedzieliśmy, oddzielała ją płachta brudnego plastiku przybita do framugi. Siedząc, bawiłem się kluczykami od samochodu i żałowałem, że nie miałem sposobności uprzedzić siostry o tej wizycie, żeby trochę posprzątała. Popękane ściany z błota były czarne od sadzy, porwany materac, na którym siedziała Nila, zakurzony, a jedyne okno w izbie upstrzone przez muchy.

— Co za śliczny dywan — zauważyła Nila pogodnie i przesunęła po nim palcem. Był jaskrawoczerwony we wzór w odciski słoniowych nóg. Stanowił jedyną wartościową rzecz, jaką mieli Sabur i Parwana, i jak się potem okazało, następnej zimy został sprzedany.

— Należał do mojego ojca — odparł Sabur.

— Jest turkmeński?

— Tak.

— Bardzo mi się podoba owcze runo, którego używają do produkcji takich dywanów. Wspaniała robota.

Sabur skinął głową. Rozmawiając z nią, ani razu nie spojrzał w jej stronę.

Załopotała plastikowa zasłona: Abdullah wrócił z kubkami na tacy, którą postawił na ziemi przed Nilą. Nalał jej herbaty i usiadł naprzeciwko. Nila próbowała wciągnąć go do rozmowy, zadając mu kilka prostych pytań, ale on tylko kiwał ogoloną głową, mamrotał w odpowiedzi słowo czy dwa i patrzył na nią nieufanie. Postanowiłem porozmawiać z nim i zbesztać go za złe maniery. Oczywiście zamierzałem zrobić to delikatnie, bo lubiłem Abdullaha, był poważnym i bystrym chłopcem.

— Kiedy spodziewasz się dziecka? — zapytała Nila moją siostrę.

Parwana odpowiedziała ze spuszczoną głową, że ma urodzić w zimie.

— Jesteś błogosławiona, bo będziesz miała dziecko i masz takiego grzecznego pasierba. — Nila uśmiechnęła się do Abdullaha, którego twarz pozostała bez wyrazu.

Parwana wydusiła z siebie coś, co zabrzmiało jak „dziękuję".

— Jest jeszcze dziewczynka, jeśli dobrze pamiętam? — zagadnęła Nila. — Pari?

— Ona śpi — krótko odpowiedział Abdullah.

— Aha. Słyszałam, że jest śliczna.

— Idź po siostrę — polecił Sabur.

Abdullah się zawahał. Spojrzał na ojca i na Nilę, po czym wstał z wyraźną niechęcią, żeby przyprowadzić Pari.

Gdybym chciał przytoczyć coś na swoją obronę, choćby w tak późnej godzinie, powiedziałbym, że Abdullaha i jego młodszą siostrę łączyła normalna więź. Ale tak nie było. Tylko Bóg wie, dlaczego ci dwoje byli do siebie tak bardzo przywiązani. To stanowiło zagadkę. Nigdy nie widziałem, żeby dwoje ludzi było sobie tak bliskich. Prawdę mówiąc, Abdullah był dla Pari bardziej jak ojciec niż brat. Gdy jako niemowlę płakała w nocy, to on zrywał się z łóżka, żeby ją ponosić. To on zmieniał jej pieluchy, brał na ręce, kołysał do snu. Miał do niej niewyczerpaną cierpliwość. Nosił ją po wiosce i chwalił się nią jak najbardziej upragnionym trofeum.

Kiedy przyniósł zaspaną Pari, Nila zapytała, czy może ją potrzymać. Abdullah podał jej siostrę z podejrzliwą miną, jakby coś go wystraszyło.

— Och, jaka ona kochana! — wykrzyknęła Nila. Jej niewprawne ruchy, gdy podrzucała Pari, świadczyły o tym, że nie miała doświadczenia z małymi dziećmi. Pari popatrzyła na nią zmieszana, potem spojrzała na Abdullaha i zaczęła płakać, a on szybko wziął ją z rąk Nili.

— Spójrzcie na te oczy! Och, i te policzki. Czy ona nie jest urocza, Nabi? — zachwycała się Nila.

— Tak, jest, *bibi sahib* — potwierdziłem.

— I dostała doskonałe imię: Pari. Naprawdę jest śliczna jak wróżka.

Abdullah patrzył na Nilę, kołysząc Pari w ramionach, i coraz bardziej pochmurniał.

W drodze powrotnej do Kabulu Nila usadowiła się wygodnie na tylnym siedzeniu i oparła głowę o szybę. Przez długi czas nic nie mówiła, a potem nagle się rozpłakała.

Zatrzymałem wóz na poboczu.

Nie odzywała się przez dłuższą chwilę. Ramiona jej drżały, gdy szlochała z twarzą ukrytą w dłoniach. Wreszcie wydmuchała nos w chusteczkę.

— Dziękuję ci, Nabi — powiedziała.

— Za co, *bibi sahib*?

— Za to, że mnie tam zabrałeś. To był dla mnie zaszczyt, poznać twoją rodzinę.

— Raczej zaszczyt dla nich. I dla mnie. Spotkał nas wielki honor.

— Twoja siostra ma wspaniałe dzieci. — Zdjęła okulary i otarła oczy.

Zastanawiałem się przez moment, co zrobić. Najpierw uznałem, że najlepiej będzie milczeć. Ale ona przy mnie płakała i taki intymny moment wymagał słów. Powiedziałem więc łagodnie:

— Niedługo będzie pani miała własne, *bibi sahib*. *Inszallah*. Bóg już się o to zatroszczy. Cierpliwości.

— Nie sądzę, żeby Bóg tu coś pomógł.

— Oczywiście, że pomoże, *bibi sahib*. Jest pani taka młoda. Jeśli Bóg zechce, tak się stanie.

— Nie rozumiesz — odpowiedziała znużonym głosem. Nigdy nie widziałem jej takiej zmęczonej, tak pozbawionej energii. — To niemożliwe. W Indiach wyskrobali ze mnie wszystko. Jestem w środku pusta.

Na to już nic nie mogłem powiedzieć. Pragnąłem usiąść obok niej i wziąć ją w ramiona, uspokoić pocałunkami. Zanim zorientowałem się, co robię, odwróciłem się i ująłem jej dłoń. Myślałem, że natychmiast ją zabierze, ale ona z wdzięcznością uścisnęła moje palce i siedzieliśmy tak, nie patrząc na siebie, ale na ciągnące się wokół nas aż po horyzont równiny, pożółkłe i jałowe, zryte wyschniętymi rowami irygacyjnymi, usiane tu i tam krzewami, kamieniami, śladami życia. Trzymając Nilę za rękę, spojrzałem na wzgórza i słupy wysokiego napięcia. Dostrzegłem w oddali załadowaną ciężarówkę, za którą unosiła się chmura pyłu. Mógłbym tak siedzieć aż do zmroku.

— Zawieź mnie do domu — powiedziała w końcu i puściła moją dłoń. — Położę się wcześniej do łóżka.

— Dobrze, *bibi sahib*. — Odchrząknąłem i trochę niepewną ręką wrzuciłem jedynkę.

Nila poszła do swojej sypialni na piętrze i nie wychodziła z niej przez trzy dni. Nie był to pierwszy raz. Od czasu do czasu przysuwała sobie krzesło do okna i siedziała: paliła papierosy, machała nogą i z twarzą bez wyrazu patrzyła przez szybę. Nic nie mówiła. Nie przebierała się w dzienny strój, pozostawała w koszuli nocnej. Nie kąpała się, nie myła zębów, nie czesała włosów. Tym razem jednak także nie jadła, i to już pana Wahdatiego zaniepokoiło.

Czwartego dnia rozległo się pukanie do frontowych drzwi. Otworzyłem je i zobaczyłem w progu wysokiego starszego mężczyznę w starannie wyprasowanym garniturze i wypastowanych mokasynach. Miał w sobie coś władczego i złowrogiego, gdy tak stał i trzymając laskę w obu rękach, niczym berło, patrzył na mnie, jakbym był przezroczysty. Nie wypowiedział jeszcze słowa, a już wiedziałem, że jest przyzwyczajony, iż okazuje mu się posłuszeństwo.

— Rozumiem, że moja córka nie czuje się dobrze — odezwał się.

A więc był jej ojcem. Nigdy wcześniej go nie widziałem.

— Tak, *sahib*, obawiam się, że to prawda.

— Wobec tego zejdź mi z drogi, młody człowieku. — I wyminął mnie.

Poszedłem do ogrodu i zająłem się rąbaniem drewna na

113

opał. Z miejsca, w którym pracowałem, miałem dobry widok na okno sypialni Nili. Widziałem w nim jej ojca, który pochylił się nad nią i położył rękę na jej ramieniu. Nila zrobiła taką minę jak ludzie, których przestraszył nagły hałas, na przykład odpalona petarda czy zatrzaśnięte przeciągiem drzwi.

Tamtego wieczoru zjadła kolację.

Po kilku dniach wezwała mnie do domu i powiedziała, że zamierza wydać przyjęcie. Kiedy pan Wahdati był kawalerem, rzadko zapraszaliśmy gości. Nila, wprowadziwszy się do nas, urządzała przyjęcia dwa, trzy razy w miesiącu. Dzień wcześniej dawała mi dokładne instrukcje, jakie przekąski i dania mam przyrządzić, a wtedy jechałem na targ, żeby kupić, co trzeba. Najważniejszy był alkohol, którego nigdy wcześniej nie kupowałem, bo pan Wahdati go nie pił — nie z powodów religijnych, po prostu nie lubił skutków jego działania. Nila jednak znała pewne przybytki — mówiła o nich żartobliwie „apteki" — gdzie za dwie moje miesięczne pensje można było nielegalnie kupić butelkę „lekarstwa". Załatwiałem takie sprawunki z mieszanymi uczuciami, bo w ten sposób jakby nakłaniałem kogoś do grzechu, ale jak zwykle chęć zadowolenia Nili przeważała nad skrupułami.

Musi Pan zrozumieć, Panie Markosie, że kiedy urządzaliśmy przyjęcia w Szadbagh, czy było to wesele, czy jakaś inna uroczystość, odbywały się one w dwóch oddzielnych domach, w jednym z udziałem kobiet, a w drugim mężczyzn. Na przyjęciach Nili kobiety i mężczyźni bawili się razem. Kobiety przeważnie ubierały się tak jak ona, w sukienki odsłaniające całe ramiona i dużą część nóg. Paliły papierosy, piły ze szklanek do połowy napełnionych bezbarwnym, czerwonym albo miedzianym płynem, żartowały, śmiały się i swobodnie dotykały ramion żonatych mężczyzn, których małżonki przebywały w tym samym pokoju. Krążyłem z małymi półmiskami bolani i lola kabob* od jednego zadymionego końca salonu do drugiego, od jednej grupki gości do następnej, jak płyta na talerzu gramofonu. Muzyka nie była afgańska, Nila nazywała ją jazzem, który, jak dowiedziałem się wiele lat później, także lubiła. W moich uszach niemelodyjne brzdąkanie na pianinie czy dziwne, zawodzące brzmienie trąbek przypominało pozbawiony harmonii zgiełk. Ale Nila go uwielbiała i często słyszałem, jak mówiła gościom, że koniecznie muszą posłuchać tej czy innej płyty. Przez cały wieczór trzymała w ręku kieliszek i więcej piła, niż jadła.

Pan Wahdati nie wysilał się specjalnie, żeby zabawiać gości. Chodził między nimi, ale częściej stał w kącie z nieobecnym wyrazem twarzy, kręcił szklanką z wodą sodową i uśmiechał się uprzejmie samymi kącikami ust, gdy ktoś coś do niego mówił. I jak to miał w zwyczaju, wymawiał się czymś i wychodził, kiedy goście zaczynali prosić Nilę, żeby wyrecytowała któryś ze swoich wierszy.

To z kolei była moja ulubiona część wieczoru. Zawsze znajdowałem jakiś pretekst, żeby być w pobliżu. Stawałem z boku, ze ściereczką na ręku, i wytężałem słuch. Wiersze Nili nie przypominały tych, na których się wychowałem. Jak Pan wie, my, Afgańczycy, kochamy naszą poezję, i nawet ci najmniej wykształceni znają na pamięć wersy Hafeza, Chajjama czy Sadiego. Czy pamięta Pan, Panie Markosie, jak

---

* Bolani — placek (chleb) nadziewany warzywami; lola kabob — kebab przypominający szaszłyk.

115

mówił mi Pan w zeszłym roku, że bardzo lubi Pan Afgańczyków? Zapytałem wtedy dlaczego, a Pan się zaśmiał i odpowiedział: „Bo nawet wasi graficiarze wypisują na murach wiersze Rumiego".

Ale wiersze Nili nie miały nic wspólnego z tradycją. Nie było w nich rymów i rytmu. Nie dotyczyły też tak zwyczajnych rzeczy, jak drzewa, wiosenne kwiaty czy ptaki. Nila pisała o miłości, ale nie mam tu na myśli safickich westchnień Rumiego czy Hafeza, lecz miłość fizyczną. Pisała o kochankach szepczących do siebie nad poduszkami, pieszczących się. Pisała o przyjemności. Nigdy nie słyszałem, żeby kobieta używała takiego języka. Stałem tam i słuchałem niskiego głosu Nili, który niósł się korytarzem. Oczy miałem zamknięte, a uszy czerwone, bo wyobrażałem sobie, że czyta dla mnie, że to my jesteśmy tymi kochankami z wiersza, aż ktoś prosił o herbatę albo sadzone jajka, i czar pryskał, a potem Nila mnie wzywała i podchodziłem do niej pospiesznie.

Wiersz, który wybrała tamtego wieczoru, był dla mnie zaskoczeniem. Opowiadał o mężu i żonie z wioski, którzy opłakują niemowlę zmarłe z zimna. Gościom chyba bardzo się podobał, sądząc po kiwaniu głowami i pomrukach aprobaty, a także gorących oklaskach, gdy Nila podniosła wzrok znad kartki. Ja jednak byłem niemile zaskoczony, że nieszczęście mojej siostry stało się rozrywką dla gości, i nie mogłem pozbyć się wrażenia, że doszło do jakiejś zdrady.

Kilka dni po przyjęciu Nila powiedziała, że chce sobie kupić nową torebkę. Pan Wahdati czytał gazetę przy stole, na którym postawiłem mu lunch: zupę z soczewicy i nan.

— Potrzebujesz czegoś, Solejmanie? — zapytała go Nila.

— Nie, *aziz*. Dziękuję — odparł.

Rzadko się zdarzało, żeby zwracał się do niej inaczej niż *aziz*, co znaczy „moja droga" czy „kochanie", ale żadna para nie wydawała się sobie dalsza, niż gdy pan Wahdati wypowiadał to pieszczotliwe słowo, a ono samo nigdy nie brzmiało bardziej oficjalnie niż w jego ustach.

W drodze do sklepu Nila powiedziała, że chce zabrać przyjaciółkę, i podała mi jej adres. Zaparkowałem na wskazanej ulicy i patrzyłem na Nilę, jak szła w stronę piętrowego domu o jaskraworóżowych ścianach. Początkowo stałem na jałowym biegu, ale po pięciu minutach, gdy Nila nie wracała, zgasiłem silnik. Dobrze zrobiłem, bo dopiero po dwóch godzinach zobaczyłem jej smukłą sylwetkę zmierzającą do samochodu. Otworzyłem przed nią tylne drzwi i kiedy wsiadła, poczułem oprócz zapachu jej perfum inną woń, coś jak cedr i może imbir, który, jak sobie przypomniałem, czułem przed dwoma dniami na przyjęciu.

— Nie znalazłam takiej, jaką chciałam — oznajmiła z tylnego siedzenia, pociągając szminką usta.

Dostrzegła we wstecznym lusterku moją zdziwioną minę. Opuściła rękę i popatrzyła na mnie spod rzęs.

— Zawiozłeś mnie do dwóch sklepów, ale nie trafiłam na torebkę, która by mi się spodobała.

Spojrzała na mnie znacząco i zrozumiałem, że został mi powierzony sekret. Tym spojrzeniem prosiła, żebym dokonał wyboru.

— Może odwiedziła pani trzy sklepy? — zareagowałem słabo.

Uśmiechnęła się szeroko.

— *Parfois je pense que tu es mon seul ami, Nabi.*

Zamrugałem.

— To znaczy: czasami myślę, że jesteś moim jedynym przyjacielem.

Znów uśmiechnęła się do mnie promiennie, ale to nie poprawiło mi humoru.

Przez resztę dnia pracowałem wolniej niż zazwyczaj i bez zwykłej gorliwości. Kiedy wieczorem koledzy przyszli na herbatę, jeden z nich dla nas śpiewał, ale to mnie nie rozweseliło. Czułem się, jakbym to ja został rogaczem. I miałem wrażenie, że Nila wreszcie straciła nade mną władzę.

Ale kiedy wstałem następnego ranka, wszystko wróciło. Nila wypełniała sobą mój domek, całą jego przestrzeń, przesycała ściany, przenikała powietrze, którym oddychałem. Nie było dla mnie nadziei, Panie Markosie.

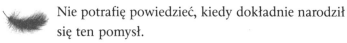 Nie potrafię powiedzieć, kiedy dokładnie narodził się ten pomysł.

Może wietrznego poranka, gdy podawałem Nili herbatę? Pochyliłem się i właśnie kroiłem dla niej kawałek ciasta roat, kiedy w stojącym na parapecie radiu podano informację, że nadchodząca zima 1952 roku może okazać się jeszcze ostrzejsza niż poprzednia. A może to stało się wcześniej, tamtego dnia, gdy zawiozłem ją do domu o jaskraworóżowych ścianach, albo jeszcze wcześniej, wtedy, kiedy płakała w samochodzie i wziąłem ją za rękę.

Ale od chwili, gdy ten pomysł przyszedł mi do głowy, nie mogłem się od niego uwolnić.

Niech wolno mi będzie powiedzieć, Panie Markosie, że miałem czyste sumienie i byłem przekonany, że moja propozycja zrodziła się z dobrej woli i uczciwych intencji. Wiary, że to, co początkowo może być bolesne, w dłuższej perspektywie okaże się korzystne dla wszystkich zainteresowanych. Miałem jednak mniej szlachetne, bardziej egoistyczne motywy. Chciałem dać Nili coś, czego nie mógł dać jej żaden inny mężczyzna — ani mąż, ani właściciel tego dużego różowego domu.

Najpierw odbyłem rozmowę z Saburem. Mogę powiedzieć, że gdyby chciał wziąć ode mnie pieniądze, chętnie bym mu je dał. Wiedziałem, że ich potrzebuje, bo mówił mi o swoich kłopotach ze znalezieniem pracy. Pożyczyłbym je od pana Wahdatiego na poczet przyszłej pensji, żeby Sabur mógł zabezpieczyć rodzinę na zimę. Ale on, jak większość moich rodaków, miał swoją dumę, niemądrą, ale niewzruszoną. Nigdy nie wziąłby ode mnie pieniędzy. Gdy ożenił się z Parwaną, nie chciał brać nawet tych małych sum, które jej dawałem. Uważał, że jest mężczyzną i potrafi zadbać o swoją rodzinę. I umarł, to właśnie robiąc, jeszcze przed czterdziestką, bo pewnego dnia upadł podczas zbierania buraków cukrowych gdzieś pod Baghlanem. Słyszałem, że w chwili śmierci w pokrytych pęcherzami krwawiących rękach trzymał motykę.

Nie byłem ojcem, więc nie będę udawał, że rozumiem powody, które skłoniły Sabura do podjęcia tej decyzji. Nie było mnie też podczas dyskusji państwa Wahdati na ten temat. Kiedy wyjawiłem swój pomysł Nili, prosiłem tylko, aby podczas rozmowy z mężem nie mówiła mu, że to moja inicjatywa. Wiedziałem, że pan Wahdati będzie przeciwny. Nigdy nie widziałem u niego żadnych przejawów instynktu rodzicielskiego. Zastanawiałem się nawet, czy na jego decyzję o poślubieniu Nili nie wpłynęło to, że nie mogła mieć dzieci.

Wszystko jedno: w okresach napięcia starałem się trzymać od nich z daleka. Gdy tamtego wieczoru kładłem się spać, w pamięci miałem tylko łzy, które popłynęły po twarzy Nili, kiedy powiedziałem jej o swoim pomyśle, to, jak wzięła mnie za obie ręce i spojrzała na mnie z wdzięcznością oraz — byłem tego pewny — czymś w rodzaju miłości. Myślałem tylko o tym, że ofiarowałem jej dar, którego nie dostałaby od mężczyzn o lepszych perspektywach. O tym, co dla niej zrobiłem i jak chętnie. I miałem nadzieję — głupią oczywiście — że może zacznie widzieć we mnie kogoś więcej niż tylko lojalnego służącego.

Kiedy pan Wahdati wreszcie się ugiął — co mnie nie zaskoczyło, bo Nila była kobietą o bardzo silnej woli — powiadomiłem Sabura i zaproponowałem, że przywiozę go z Pari do Kabulu. Nigdy do końca nie zrozumiem, dlaczego postanowił sam przyprowadzić córkę z Szadbagh. Ani dlaczego pozwolił Abdullahowi, by mu towarzyszył. Może chciał spędzić z Pari jeszcze trochę czasu? Może trudy podróży miały być dla niego karą? A może kierował się dumą i nie zamierzał jechać samochodem kogoś, kto kupował od niego dziecko? Ale w końcu przybyli we trójkę, cali pokryci pyłem, i czekali, tak jak się umówiliśmy, pod meczetem. Zawiózłszy ich do domu państwa Wahdati, starałem się być wesoły, ze względu na dzieci, nieświadome swojego losu — i strasznej sceny, jaka miała się niebawem rozegrać.

Nie ma sensu, Panie Markosie, żebym relacjonował ją szczegółowo, bo przebiegła tak, jak się obawiałem. Ale nawet po tych wszystkich latach wciąż czuję ból w sercu, gdy ją sobie przypominam. Bo jak mogłoby być inaczej? Wziąłem te bezbronne dzieci, w których objawiła się najprostsza i naj-

120

czystsza miłość, i je rozdzieliłem. Nigdy nie zapomnę ich rozpaczy. Pari, przewieszona przez moje ramię, wierzgała nogami i krzyczała: „Abollah! Abollah!", podczas gdy ja próbowałem nad nią zapanować. Abdullah wołał ją i usiłował wyrwać się ojcu. Nila, z szeroko otwartymi oczami, przyciskała obie ręce do ust, być może po to, żeby stłumić krzyk. Nadal mi to ciąży. Minęło już tyle czasu, Panie Markosie, a to nadal ciąży mi na sumieniu.

Pari miała dopiero cztery lata, ale mimo jej młodego wieku pewne rzeczy trzeba było zmienić. Poinstruowano ją na przykład, żeby nie mówiła już do mnie *kaka*** Nabi, tylko po prostu Nabi. A gdy się myliła, była poprawiana, także przeze mnie, aż w końcu zapomniała, że łączy nas jakieś pokrewieństwo. Stałem się dla niej Nabim kucharzem i Nabim kierowcą. Nila została „mamą", a pan Wahdati „tatą". Nila zaczęła uczyć dziewczynkę ojczystego języka swojej matki — francuskiego.

Rezerwa pana Wahdatiego wobec Pari wkrótce stopniała, może ku jego własnemu zdziwieniu, bo niepewność i lękliwość dziewczynki i jej tęsknota za domem zupełnie go rozbroiły. Wkrótce Pari zaczęła nam towarzyszyć w porannych spacerach. Pan Wahdati sadzał ją w wózku i obwoził po okolicy. Albo gdy siedział za kierownicą samochodu, brał małą na kolana i pozwalał jej naciskać klakson. Wynajął stolarza i kazał mu zrobić dla Pari wysuwane łóżko z trzema

---

* *Kaka* (farsi) — stryj, dziadek, tak zwracają się Afgańczycy do starszych mężczyzn.

szufladami, skrzynię na zabawki z klonowego drewna i małą szafę. Polecił też pomalować na żółto wszystkie meble w jej pokoju, kiedy odkrył, że to jej ulubiony kolor. A pewnego dnia zastałem go siedzącego obok Pari ze skrzyżowanymi nogami i malującego na drzwiach szafy — całkiem udatnie — żyrafy i małpy z długimi ogonami. To chyba dużo mówi o jego skrytości, Panie Markosie, bo choć przez te wszystkie lata widziałem, jak rysował, dopiero wtedy zobaczyłem jakieś jego dzieło.

Po przybyciu Pari państwo Wahdati stali się wreszcie prawdziwą rodziną. Połączeni uczuciem do dziewczynki, Nila i jej mąż zaczęli jeść razem wszystkie posiłki. Szli z Pari do pobliskiego parku, zadowoleni siadali obok siebie na ławce i obserwowali, jak się bawi. Kiedy wieczorem, sprzątnąwszy ze stołu po kolacji, podawałem im herbatę, często jedno z nich czytało Pari książeczkę dla dzieci, podczas gdy ona leżała im na kolanach, z każdym dniem coraz bardziej zapominając o swoim dawnym życiu w Szadbagh i ludziach, którzy tam zostali.

Jednego tylko się nie spodziewałem: wraz z przybyciem Pari zszedłem na drugi plan. Proszę nie osądzać mnie zbyt surowo, Panie Markosie, przecież byłem młodym człowiekiem i miałem pewne nadzieje, choć być może głupie. Dzięki mnie Nila została matką. Odkryłem przyczynę jej nieszczęścia i znalazłem na to lek. Czy łudziłem się, że teraz moglibyśmy być kochankami? Chciałbym powiedzieć, że taki głupi nie byłem, Panie Markosie, ale to nie byłoby do końca prawdą. Przypuszczam, że wszyscy wbrew wszelkiemu prawdopodobieństwu liczymy na to, że zdarzy się coś niemożliwego.

Nie przewidziałem jednak, że stanę się mniej ważny. Teraz Nila poświęcała cały swój czas Pari. Lekcje, zabawy, drzemki, spacery, znowu zabawy. Nasze codzienne pogawędki powoli odchodziły w przeszłość. Jeśli we dwie budowały coś z klocków albo układały puzzle, Nila rzadko zauważała, że przyniosłem jej kawę, że wciąż jestem w pokoju. Kiedy już rozmawialiśmy, wydawała się roztargniona i zawsze raczej skracała pogawędkę. W samochodzie miała nieobecną minę. Dlatego, choć przyznaję się do tego ze wstydem, czułem do siostrzenicy niechęć.

Zgodnie z umową z państwem Wahdati rodzina nie mogła odwiedzać Pari. Nie wolno im było kontaktować się z nią w żaden sposób. Pewnego dnia, niedługo po sprowadzeniu Pari do domu państwa Wahdatich, pojechałem do Szadbagh. Przywiozłem drobne prezenty dla Abdullaha i synka mojej siostry, Ighbala, który był jeszcze wtedy niemowlęciem.

Sabur powiedział wówczas znacząco:

— Rozdałeś upominki, a teraz pora na ciebie.

Odparłem, że nie rozumiem powodu takiego chłodnego przyjęcia i braku gościnności.

— Rozumiesz — odrzekł. — I nie musisz już więcej do nas przyjeżdżać.

Miał rację, rozumiałem. Wkradła się między nas uraza. Podczas mojej wizyty panowało skrępowanie, doszło nawet do spięcia. Czuliśmy się niezręcznie, popijając razem herbatę, gawędząc o pogodzie albo o zbiorze winogron. Sabur i ja udawaliśmy, że wszystko jest jak dawniej, ale nie było. Niezależnie od powodu, stałem się przyczyną rozłamu w rodzinie. Sabur nie chciał mnie widzieć i rozumiałem to. Skończyłem więc z comiesięcznymi wizytami w Szadbagh. Nigdy więcej żadnego z nich nie widziałem.

Pewnego dnia wczesną wiosną 1955 roku, Panie Markosie, życie wszystkich nas zmieniło się na zawsze. Pamiętam, że padał deszcz. Nie lało jak z cebra, ale aż do południa mżyło, raz słabiej, raz mocniej. Pamiętam to, bo Zahid, ogrodnik, rozleniwiony jak zwykle, stał oparty o grabie i mówił, że z powodu paskudnej pogody mógłby pójść do domu. Już miałem udać się do swojej chaty, choćby po to, żeby uciec przed jego gadaniem, gdy usłyszałem, że Nila mnie woła.

Przebiegłem przez podwórko i wpadłem do domu. Jej głos dochodził z góry, z sypialni pana Wahdatiego.

Zastałem Nilę w kącie, stojącą plecami do ściany, z ręką przy ustach.

— Coś mu się stało — powiedziała, nie opuszczając ręki.

Pan Wahdati siedział na łóżku w białym podkoszulku i wydawał dziwne gardłowe odgłosy. Twarz miał bladą i stężałą, włosy potargane. Próbował bezskutecznie wykonać jakiś gest prawą ręką i przerażony zobaczyłem, że z kącika jego ust sączy się ślina.

— Nabi! Zrób coś!

Do pokoju weszła Pari, która miała wtedy sześć lat. Podreptała do pana Wahdatiego i pociągnęła go za podkoszulek.

— Tato? Tato?

On spojrzał na nią z szeroko otwartymi oczami, zamykając i otwierając usta.

Wziąłem ją szybko na ręce i zaniosłem do Nili. Powiedziałem jej, żeby zabrała dziecko do innego pokoju, bo nie powinno oglądać ojca w takim stanie. Nila zamrugała jak wyrwana z transu, spojrzała na mnie i na Pari, a potem wzięła ode mnie dziewczynkę. Wciąż pytała, co stało się jej mężowi. I powtarzała, że muszę coś zrobić.

Zawołałem przez okno Zahida i chociaż raz ten idiota na coś się przydał. Pomógł mi włożyć panu Wahdatiemu spodnie od piżamy. Dźwignęliśmy go z łóżka, znieśliśmy na dół i wsadziliśmy na tylne siedzenie samochodu. Nila usiadła obok. Poleciła Zahidowi wrócić do domu i zająć się Pari. Zaczął protestować, więc walnąłem go otwartą dłonią w skroń najmocniej, jak potrafiłem. Powiedziałem mu, że jest osłem i ma robić, co mu się każe.

Potem wycofałem wóz z podjazdu i ruszyłem w drogę.

Przywieźliśmy pana Wahdatiego z powrotem dopiero po dwóch tygodniach. Nastąpił chaos. Hordami przyjeżdżała do nas rodzina. Niemal przez całą dobę parzyłem herbatę i gotowałem posiłki, żeby nakarmić tego wuja, tamtego kuzyna, jakąś starszą ciotkę. Przez całe dnie rozlegał się dzwonek przy drzwiach, na marmurowej podłodze w salonie stukały obcasy, w korytarzu niosły się szepty, gdy ludzie rozchodzili się po domu. Większości z nich nigdy wcześniej u nas nie widziałem, zorientowałem się więc, że przybywali raczej, żeby złożyć uszanowanie dostojnej matce pana Wahdatiego, niż żeby zobaczyć chorego, z którym łączyła ich wątła więź. Ona oczywiście też się zjawiła, to znaczy matka. Na szczęście bez psów. Wpadła do domu z chusteczkami w obu dłoniach, wycierając zaczerwienione oczy i nos. Usadowiła się przy łóżku mojego pana i płakała. Była w czerni — co wydało mi się okropne — jakby jej syn już nie żył.

I w pewnym sensie tak było. W każdym razie umarł dawny pan Wahdati. Połowa jego twarzy stanowiła teraz nieruchomą maskę. Prawie nie miał władzy w nogach. Mógł poruszać lewą ręką, ale prawa stała się zaledwie kością otoczoną wiotkim ciałem. Wydawał tylko pomruki i jęki, których nikt nie mógł zrozumieć.

Lekarz powiedział, że pan Wahdati odczuwa emocje i wszystko rozumie tak jak przed wylewem, ale nie może, przynajmniej na razie, mówić ani okazywać, co czuje.

To nie była do końca prawda. Po mniej więcej tygodniu pan Wahdati wyraził swój stosunek do odwiedzających go gości, włącznie z matką. Nawet w tak strasznej chorobie pozostał samotnikiem. Nie potrzebował ich litości, zbolałych spojrzeń, żałosnego kiwania głowami na widok, który obecnie sobą przedstawiał. Kiedy wchodzili do jego pokoju, machał sprawną ręką, wyganiając ich ze złością. Gdy do niego mówili, odwracał głowę. Jeśli siadali obok niego, miął pościel, mamrotał i uderzał się pięścią w biodro, aż wyszli. Pari wypraszał z podobną stanowczością, choć znacznie łagodniej. Kiedy przychodziła, żeby pobawić się przy nim lalkami, patrzył na mnie błagalnie, ze łzami w oczach, z drżącym podbródkiem, więc wyprowadzałem ją z pokoju — nie próbował się do niej odzywać, bo wiedział, że by ją zasmucił.

Nila z wielką ulgą przyjęła wyjazd gości. Gdy okupowali dom, wycofywała się z Pari do dziecinnego pokoju, zresztą ku oburzeniu teściowej, która niewątpliwie oczekiwała po niej — i kto mógł ją winić — że będzie siedziała przy mężu, przynajmniej dla zachowania pozorów. Nila, oczywiście, nie dbała o pozory ani o to, co kto o niej mówi. A wiele osób mówiło źle.

— Co z niej za żona?! — słyszałem nieraz, jak wykrzykiwała jej teściowa, która skarżyła się każdemu, kto tylko chciał słuchać, że Nila jest bez serca, że ma w duszy ziejącą dziurę. Gdzie jest teraz, gdy mąż jej potrzebuje? Jaka żona opuszcza lojalnego, kochającego małżonka?

Część z tego, co mówiła starsza pani, było prawdą. Zamiast Nili to ja siedziałem przy łóżku pana Wahdatiego, to ja podawałem mu lekarstwa i witałem gości wchodzących do jego pokoju. To ze mną najczęściej rozmawiał lekarz i dlatego to mnie, a nie Nilę, pytano o jego stan.

To, że odprawiał gości, z jednej strony ułatwiło jej sprawę, ale z drugiej utrudniło. Uciekając do pokoju Pari i zamykając się w nim, odcinała się nie tylko od nieprzyjemnej teściowej, ale i od wraku człowieka, którym stał się jej mąż. Teraz, gdy dom znowu był pusty, stanęła wobec konieczności wypełniania małżeńskich obowiązków, do czego zupełnie się nie nadawała.

Nie potrafiła się na to zdobyć.

I nawet nie próbowała.

Nie twierdzę, że była okrutna albo bezduszna. Żyję już dość długo, Panie Markosie, i jeśli czegoś się nauczyłem, to tego, że należy z pokorą i łagodnością oceniać odruchy serca innych ludzi. Powiem tylko, że kiedy któregoś dnia wszedłem do pana Wahdatiego, zastałem Nilę szlochającą na jego brzuchu, z łyżką w ręku, a z jego brody ściekał na śliniak *dal** z soczewicy.

— Proszę mi pozwolić, *bibi sahib* — powiedziałem spokojnie. Wziąłem od niej łyżkę, otarłem mu usta i zacząłem karmić, ale on jęknął, zacisnął powieki i odwrócił głowę.

---

* Dal — purée z soczewicy lub z warzyw.

Wkrótce zniosłem po schodach dwie walizki i podałem kierowcy, który umieścił je w bagażniku samochodu pracującego na jałowym biegu. Pomogłem Pari, ubranej w ulubiony żółty płaszczyk, wsiąść na tylne siedzenie.

— Nabi, przyjedziesz z tatą do nas do Paryża, jak mówiła mamusia? — zapytała, uśmiechając się i pokazując szczerbę między zębami.

Odparłem, że na pewno tak, gdy tylko jej ojciec lepiej się poczuje. Ucałowałem małe dłonie.

— *Bibi* Pari, życzę ci szczęścia i pomyślności — powiedziałem.

Gdy wchodziłem do domu, natknąłem się na Nilę, która stała na stopniach ganku z zapuchniętymi oczami i rozmazaną kredką. Była u pana Wahdatiego, żeby się z nim pożegnać.

Zapytałem, jak on się czuje.

— Chyba mu ulżyło — odparła, a potem dodała: — Choć może to tylko myślenie życzeniowe z mojej strony. — Zasunęła suwak torebki i przewiesiła ją przez ramię.

— Nie mów nikomu, dokąd wyjeżdżam. Tak będzie najlepiej.

Obiecała, że wkrótce napisze. Potem długo patrzyła mi w oczy i chyba zobaczyłem w jej spojrzeniu prawdziwe uczucie. Wzięła moją twarz w obie dłonie.

— Cieszę się, Nabi, że będziesz przy nim.

Potem przyciągnęła mnie i objęła, przytulając policzek do mojego policzka. Poczułem zapach jej włosów i perfum.

— To byłeś ty, Nabi — powiedziała mi do ucha. — Zawsze ty. Nie wiedziałeś?

Nie rozumiałem, a ona odsunęła się ode mnie, zanim

zdążyłem zapytać, co ma na myśli. Z opuszczoną głową, stukając obcasami botków po asfalcie, pospiesznie oddaliła się podjazdem. Wsiadła na tylne siedzenie taksówki obok Pari, spojrzała na mnie jeszcze raz i przyłożyła dłoń do szyby. Ostatnim, co widziałem, gdy samochód ruszył ulicą, była jej biała ręka.

Patrzyłem za nią i odczekałem, aż samochód skręci za róg, a potem zamknąłem za sobą drzwi. Oparłem się o nie i rozpłakałem jak dziecko.

Mimo iż pan Wahdati sobie tego nie życzył, w domu wciąż zjawiali się goście, przynajmniej jeszcze przez jakiś czas. Ale potem przyjeżdżała do niego już tylko matka. Odwiedzała go mniej więcej raz w tygodniu. Pstrykała na mnie palcami, a ja podsuwałem jej krzesło, i gdy tylko siadała przy łóżku syna, zaczynała narzekać na jego nieobecną żonę. To ladacznica. Oszustka. Pijaczka. Tchórzliwa kobieta, która uciekła Bóg wie dokąd, gdy mąż najbardziej jej potrzebuje. Pan Wahdati słuchał tego w milczeniu, patrząc obojętnie w okno ponad jej ramieniem. Potem przychodziła pora na niekończące się nowiny i sensacje, z których większość była wręcz fizycznie bolesna w swojej banalności. Jedna kuzynka pokłóciła się ze swoją siostrą, bo ta miała czelność kupić sobie taki sam stolik. Druga w zeszły piątek złapała gumę, wracając do domu w Paghmanie. Trzecia obcięła włosy. I tak bez końca. Czasami pan Wahdati coś mruczał, a wtedy jego matka zwracała się do mnie:

— Hej, ty! Co on powiedział?

Zawsze mówiła do mnie w taki sposób, ostro i obcesowo.

Ponieważ spędzałem przy nim dużo czasu, stopniowo zacząłem rozumieć jego język. Pochylałem się nad nim i w tym, co dla innych było niezrozumiałym bełkotem, ja słyszałem prośbę o wodę, nocnik, przewrócenie na bok. Stałem się właściwie jego tłumaczem.

— Pani syn mówi, że chciałby się przespać.

Starsza pani wzdychała i mówiła, że dobrze, i tak powinna już iść. Pochylała się, całowała syna w czoło i obiecywała, że niebawem znowu przyjedzie. Odprowadzałem ją do bramy, przed którą czekał na nią kierowca, a potem wracałem do pana Wahdatiego, zajmowałem miejsce na stołku przy jego łóżku i siedzieliśmy w ciszy. Czasami patrzył mi w oczy, kręcił głową i uśmiechał się połową twarzy.

Ponieważ nie miałem dużo pracy w takim charakterze, w jakim zostałem zatrudniony — jeździłem tylko raz czy dwa razy w tygodniu po zakupy i gotowałem dla dwóch osób — uznałem, że nie ma sensu płacić pozostałym służącym za pracę, którą mogłem wykonywać sam. Powiedziałem to panu Wahdatiemu, a on skinął na mnie ręką. Pochyliłem się nad nim.

— Zaharujesz się.

— Nie, *sahib*. Chętnie wezmę na siebie te obowiązki.

Zapytał, czy jestem pewny, a ja potwierdziłem.

Łzy napłynęły mu do oczu, a palce zacisnęły się słabo na moim nadgarstku. Był najbardziej powściągliwym człowiekiem, jakiego znałem, ale od czasu wylewu nawet drobiazgi wywoływały u niego wzruszenie, niepokój, złość.

— Nabi, posłuchaj mnie.

— Tak, *sahib*.

— Weź sobie za służbę tyle, ile chcesz.

Odparłem, że nie ma potrzeby o tym mówić.

— Wiesz, gdzie trzymam pieniądze.

— Niech pan odpoczywa, *sahib*.

— Weź, ile chcesz.

Powiedziałem, że zamierzam ugotować na obiad szorwę.

— Nieźle brzmi, szorwa, prawda? Gdy się nad tym zastanowię, sam mam na nią ochotę.

Skończyłem z wieczornymi herbatkami w gronie pracowników. Nie obchodziło mnie już, co sobie o mnie pomyślą. Nie chciałem, żeby przychodzili do domu pana Wahdatiego i zabawiali się jego kosztem. Z dużą przyjemnością zwolniłem Zahida. Odprawiłem także Hazarę, praczkę. Później sam robiłem pranie i rozwieszałem je na sznurze, żeby wyschło. Zajmowałem się drzewami, przycinałem krzewy, kosiłem trawę, sadziłem nowe kwiaty i warzywa. Dbałem też o dom: odkurzałem dywany, pastowałem podłogi, trzepałem zasłony, myłem okna, naprawiałem cieknące krany, wymieniałem przerdzewiałe rury.

Pewnego dnia zdejmowałem pajęczyny z gzymsów w pokoju pana Wahdatiego, gdy on spał. Była wiosna, suchy upalny dzień. Odkryłem mojego pana i podwinąłem mu nogawki spodni od piżamy. Otworzyłem okna, wiatrak na suficie kręcił się ze zgrzytem, ale daremnie, bo upał wnikał do środka wszystkimi szczelinami.

W pokoju stała dość duża szafa, w której od jakiegoś czasu zamierzałem posprzątać, więc postanowiłem wreszcie się tym zająć. Otworzyłem drzwi i zacząłem od garniturów: trzepałem starannie każdy z nich, choć wiedziałem, że prawdopodobnie pan Wahdati żadnego już nie włoży. Były tam też stosy książek, na których zbierał się kurz, więc je wytarłem. Wyczyściłem ścierką buty i ustawiłem je w równym szeregu. Znalazłem duże kartonowe pudło, niemal zupełnie zasłonięte długimi zimowymi płaszczami. Wyjąłem je i otworzyłem. W środku znajdowały się szkicowniki pana Wahdatiego, jeden na drugim, smutne pamiątki po jego dawnym życiu.

Wyjąłem z pudła pierwszy szkicownik i otworzyłem go na chybił trafił. I prawie ugięły się pode mną nogi. Przejrzałem cały, wszystkie strony po kolei. Odłożyłem i wziąłem następny, potem następny i tak dalej. Poszczególne strony migały mi przed oczami, wachlując moją twarz z cichym szelestem — każda przedstawiała ten sam obiekt. Oto ja, widziany z pokoju na piętrze, wycieram przedni zderzak samochodu. Opieram się o szpadel na werandzie. Można mnie było zobaczyć na tych kartach, jak wiążę sznurowadła, rąbię drewno, podlewam krzewy, nalewam herbatę z czajniczka, modlę się, drzemię. Oto samochód stojący nad jeziorem Ghargha, ja za kierownicą, otwarte okno, przewieszona przez nie moja ręka, z tyłu mroczna postać, w górze krążące ptaki.

„To byłeś ty, Nabi.

Zawsze ty.

Nie wiedziałeś?"

Spojrzałem na pana Wahdatiego. Spał mocno na boku. Włożyłem szkicowniki do pudła i zamknąwszy je, wsunąłem na dawne miejsce pod zimowe płaszcze. Potem wyszedłem z pokoju, cicho zamykając drzwi, żeby nie obudzić pana Wahdatiego. Ruszyłem ciemnym korytarzem i zbiegłem po schodach. Nie mogłem się zatrzymać. Wyszedłem na upał, przeciąłem podjazd, pchnąłem bramę, powędrowałem ulicą, skręciłem za róg i szedłem, nie oglądając się za siebie.

Jak mogę teraz zostać? — zastanawiałem się. Odkrycie,

którego dokonałem, ani nie napawało mnie odrazą, ani mi nie pochlebiało, Panie Markosie, ale czułem się zakłopotany. Próbowałem sobie wyobrazić, jak by to było, gdybym został, wiedząc to, co wiedziałem. To, co znalazłem w pudle, miało wpływ na wszystko. Czegoś takiego nie można od siebie odsunąć, wyrzucić z pamięci, udając, że nie istnieje. Ale jak mogłem odejść, gdy był w takim beznadziejnym stanie? Nie mogłem, dopóki nie znalazłbym kogoś odpowiedniego, kto by mnie zastąpił. Przynajmniej tyle byłem winien panu Wahdatiemu, bo przecież zawsze był dla mnie dobry, podczas gdy ja kombinowałem, jak zdobyć względy jego żony.

Wróciłem do domu, usiadłem w salonie przy stole ze szklanym blatem i zamknąłem oczy. Nie potrafię powiedzieć, jak długo tak siedziałem, Panie Markosie, wiem tylko, że w pewnej chwili usłyszałem na górze jakiś hałas, zamrugałem i zobaczyłem, że światło się zmieniło. Wstałem i wstawiłem wodę na herbatę.

Któregoś dnia wszedłem do jego pokoju i powiedziałem, że mam dla niego niespodziankę. Było to pod koniec lat pięćdziesiątych, na długo przed tym, jak pojawiła się w Kabulu telewizja. W tamtym okresie spędzaliśmy czas, grając w karty, a później w szachy, bo mnie nauczył i nawet zacząłem wykazywać pewien talent do tej gry. Dużo czasu poświęcaliśmy też na naukę czytania. Solejman okazał się cierpliwym nauczycielem. Zamykał oczy i słuchał, jak czytam, a gdy popełniałem błąd, kręcił głową.

— Jeszcze raz. — W tamtym czasie mówił już o wiele lepiej. — Przeczytaj to jeszcze raz, Nabi.

Kiedy w 1947 roku przyjmował mnie do pracy, dzięki mulle Szekibowi nie byłem analfabetą, ale dopiero pod okiem Solejmana poczyniłem postępy w czytaniu, a tym samym w pisaniu. Uczył mnie, żeby mi pomóc, oczywiście, ale robił to także ze względu na siebie, bo teraz mogłem mu czytać książki, które lubił. Naturalnie sam też czytał, ale zwykle krótko, bo szybko się męczył.

Jeśli pracowałem i nie mogłem przy nim siedzieć, nie miał czym się zająć. Słuchał płyt. Często musiało mu jednak wystarczyć patrzenie przez okno na drzewa, niebo i chmury, i słuchanie dzieci bawiących się na ulicy, ulicznych handlarzy, którzy ciągnęli osły, wołając śpiewnie: „Wiśnie! Świeże wiśnie!".

Kiedy powiedziałem mu o niespodziance, zapytał, co mam na myśli. Wziąłem go na ręce i oznajmiłem, że schodzimy na dół. W tamtym czasie nosiłem go bez wysiłku, bo byłem jeszcze młody i silny. Podniosłem go więc i zaniosłem do salonu, a tam położyłem na kanapie.

— No i co dalej?

Przyprowadziłem z holu wózek inwalidzki. Przez rok namawiałem pana Wahdatiego na jego kupno, ale wciąż odmawiał. W końcu kupiłem wózek bez jego zgody. Teraz, widząc go, pokręcił głową.

— Chodzi o sąsiadów? — zapytałem. — Boisz się, co powiedzą ludzie?

Poprosił, żebym zaniósł go z powrotem na górę.

— Cóż, nic mnie nie obchodzi, co pomyślą albo powiedzą sąsiedzi — oświadczyłem. — Dziś pójdziemy na spacer. Jest piękny dzień, więc sobie pospacerujemy. Bo jeśli nie wyjdziemy z tego domu, oszaleję, i co wtedy zrobisz? No naprawdę, Solejmanie, przestań marudzić. Zachowujesz się jak stara baba.

Teraz już płakał i śmiał się jednocześnie, ale wciąż powtarzał: „Nie! Nie!" — nawet gdy już go podniosłem i posadziłem na wózku, a potem nakryłem kocem i wywiozłem za drzwi.

Powinienem wspomnieć, że początkowo szukałem dla siebie zastępstwa. Nie powiedziałem o tym Solejmanowi, bo uznałem, że najlepiej będzie znaleźć odpowiednią osobę i dopiero wtedy go poinformować. Zgłaszało się wielu ludzi. Spotykałem się z nimi poza domem, żeby nie budzić podejrzeń Solejmana. Ale te poszukiwania okazały się trudniejsze, niż przypuszczałem. Niektórzy z kandydatów byli ulepieni z tej samej gliny co Zahid, i takich — od razu ich wyczuwałem, bo miałem wieloletnie doświadczenie — natychmiast odprawiałem. Inni nie umieli gotować, a jak już wspomniałem, Solejman był raczej wybredny, jeśli chodzi o jedzenie. Albo nie umieli prowadzić samochodu. Wielu nie potrafiło czytać, co było poważną przeszkodą, bo w ostatnich czasach czytałem Solejmanowi po południu. Niektórzy wydali mi się niecierpliwi, co jest kolejną wadą, jeśli chodzi o opiekę nad panem Wahdatim, bo potrafił być irytujący, a czasami marudny jak dziecko. Innym brakowało temperamentu koniecznego do tej mozolnej pracy.

I tak po trzech latach wciąż byłem w tym domu i wciąż mówiłem sobie, że odejdę, gdy tylko powierzę los Solejmana osobie, której będę mógł zaufać. I po trzech latach wciąż to ja myłem go codziennie wilgotną szmatką i goliłem, obcinałem mu paznokcie, strzygłem włosy. Karmiłem go i sadzałem na nocnik, a potem podcierałem jak dziecko, i prałem zabrudzone pieluchy, które mu zakładałem. W tamtym czasie zrodziło się między nami niewymagające słów porozumienie, które wynikało z zażyłości i rutyny, oraz — w sposób nieunikniony — pewna poufałość, kiedyś nie do pomyślenia.

Gdy Solejman dał się namówić do korzystania z wózka inwalidzkiego, wróciliśmy do dawnych przedpołudniowych spacerów. Wiozłem go ulicą, a jeśli spotykaliśmy sąsiadów, mówiliśmy im „dzień dobry". Jednym z nich był pan Basziri, młody człowiek, który niedawno skończył studia na uniwersytecie w Kabulu i pracował w Ministerstwie Spraw Zagranicznych. On i jego brat wprowadzili się z żonami do dużego piętrowego domu przy naszej ulicy, trzy budynki od nas. Czasami spotykaliśmy go, gdy rozgrzewał silnik samochodu przed wyjazdem do pracy, i zawsze wtedy zatrzymywaliśmy się, żeby wymienić uprzejmości. Często woziłem Solejmana do parku Szar-e-Nau, gdzie sadowiliśmy się w cieniu wiązów i obserwowaliśmy ruch uliczny: trąbiących taksówkarzy, dzwoniące rowery, porykujące osły, przechodniów samobójców, wchodzących niemal pod koła autobusom. Byliśmy stałymi bywalcami parku i jego okolic. W drodze do domu zatrzymywaliśmy się często, żeby pogawędzić ze sprzedawcami czasopism i rzeźnikami, pożartować z młodymi policjantami kierującymi ruchem. Zagadywaliśmy taksówkarzy, którzy, oparci o maski swoich samochodów, czekali na klientów.

Czasami sadzałem Solejmana na tylnym siedzeniu starego chevroleta, wstawiałem wózek do bagażnika i jechaliśmy do Paghmanu, gdzie znajdowałem ładne zielone miejsce nad szemrzącym potokiem, w cieniu drzew. Po lunchu Solejman próbował rysować, ale był to dla niego zbyt duży wysiłek. Posługiwał się lewą ręką, ale mimo to szkicował drzewa, wzgórza i kępy dzikich kwiatów ze znacznie większym artyzmem, niż ja mógłbym to zrobić prawą. W końcu zasypiał zmęczony i ołówek wysuwał się z jego dłoni. Przykrywałem mu nogi kocem i kładłem się na trawie obok niego. Słuchałem szumu wiatru wśród drzew i patrzyłem w niebo na sunące pasma chmur.

Prędzej czy później moje myśli ulatywały ku Nili, od której oddzielał mnie cały kontynent. Wyobrażałem sobie jej błyszczące włosy, to, jak poruszała stopą, a jej sandałek uderzał o piętę, jakby wtórując sykowi papierosa. Myślałem o łuku jej pleców i zarysie piersi. Pragnąłem znowu znaleźć się przy niej, w obłoku jej zapachu, poczuć przyspieszone bicie serca, gdy dotykałem jej ręki. Obiecała, że będzie pisała listy, ale choć mijały lata i prawdopodobnie zupełnie o mnie zapomniała, nie mogę powiedzieć, że nie czułem podniecenia za każdym razem, kiedy przychodziła do domu poczta, bobym skłamał.

Pewnego dnia w Paghmanie siedziałem na trawie i wpatrywałem się w szachownicę. Było to wiele lat później, w 1968 roku, w którym zmarła matka Solejmana, a pan Baszari i jego brat zostali ojcami. Ich synowie otrzymali imiona Idris i Timur. Często widywałem małych kuzynów w wózkach, gdy matki zabierały ich na spacer po okolicy. Tamtego dnia Solejman i ja zaczęliśmy partię szachów, ale potem on przysnął, więc próbowałem wymyślić, jak odzyskać pozycję po jego agresywnym gambicie na otwarciu, gdy nagle zapytał:

— Ile masz lat, Nabi?

— Hm, ponad czterdzieści — odparłem. — Tyle wiem.

— Tak sobie właśnie myślałem, że powinieneś się ożenić. Zanim stracisz dobrą prezencję. Już siwiejesz.

Uśmiechnęliśmy się do siebie. Odpowiedziałem, że moja siostra Masuma też tak mówiła.

Zapytał, czy pamiętam dzień, w którym przyjął mnie do pracy, w 1947 roku, przed dwudziestu jeden laty.

Oczywiście, że pamiętałem. Pracowałem wtedy jako podkuchenny w domu oddalonym kilka przecznic od rezydencji Wahdatich, ale nie byłem z tamtej posady zadowolony. Kiedy usłyszałem, że Solejman potrzebuje nowego kucharza — bo poprzedni się ożenił i wyprowadził — jeszcze tego samego popołudnia poszedłem do jego domu i zadzwoniłem do bramy.

— Byłeś wyjątkowo kiepskim kucharzem — odparł Solejman. — Teraz wyczyniasz cuda, Nabi, ale tamten pierwszy posiłek? Mój Boże. A gdy pierwszy raz wiozłeś mnie samochodem, myślałem, że dostanę wylewu. — Przerwał, a potem parsknął śmiechem, rozbawiony własnym niezamierzonym żartem.

To mnie zaskoczyło, Panie Markosie, bo przez te wszystkie lata Solejman nigdy nie skarżył się na moje gotowanie ani na to, jak prowadzę wóz.

— To dlaczego mnie zatrudniłeś? — zapytałem.

Odwrócił się twarzą w moją stronę.

— Bo kiedy wszedłeś, pomyślałem, że nigdy w życiu nie widziałem nikogo równie pięknego.

Opuściłem wzrok na szachownicę.

— Gdy cię poznałem, wiedziałem, że nie jesteśmy tacy sami, ty i ja, i że to, czego pragnę, jest nierealne. Mimo to chodziliśmy razem na spacery, jeździliśmy na przejażdżki. Nie powiem, że mi to wystarczało, ale lepiej było być z tobą, niż nie być. Nauczyłem się zadowalać samą twoją obecnością. — Urwał, a po chwili podjął: — Chyba wiesz, o czym mówię, Nabi. Na pewno wiesz.

Nie mogłem podnieść wzroku i spojrzeć mu w oczy.

— Muszę ci to powiedzieć choćby tylko raz: kocham cię od bardzo, bardzo dawna, Nabi. Nie gniewaj się, proszę.

Pokręciłem głową, aby go zapewnić, że się nie gniewam. Przez kilka minut żaden z nas się nie odzywał. Jakby zawisło między nami to, co powiedział — ból życia w wyrzeczeniu, niezaznane szczęście.

— Mówię ci to teraz — ciągnął — żebyś zrozumiał, dlaczego chcę, żebyś odszedł i znalazł sobie żonę. Załóż rodzinę, Nabi, tak jak wszyscy inni. Najwyższa pora.

— Hm, czemu nie? — odezwałem się niedbałym tonem, żeby rozładować napięcie. — Ale jeszcze tego gorzko pożałujesz. Tak samo jak ten biedak, który będzie musiał prać twoje pieluchy.

— Zawsze żartujesz.

Patrzyłem na żuka, który szedł po szarozielonym liściu.

— Nie zostawaj ze względu na mnie. To ci chcę powiedzieć, Nabi. Nie zostawaj ze względu na mnie.

— Pochlebiasz sobie.

— Znowu żarty — szepnął znużony.

Nic nie powiedziałem, mimo że się mylił. Tym razem nie żartowałem. Nie odchodziłem, ale już nie ze względu na niego. Tak było na początku. Najpierw postanowiłem zostać, bo Solejman mnie potrzebował, bo był ode mnie całkowicie zależny. Kiedyś już uciekłem od kogoś, kto mnie potrzebował, i wyrzuty sumienia będą prześladować mnie do grobu. Nie mogłem zrobić tego po raz drugi. I powoli, niezauważalnie, moja motywacja się zmieniła. Nie potrafię powiedzieć, Panie

Markosie, kiedy i jak to się stało, ale później zostałem ze względu na siebie samego. Solejman uważał, że powinienem się ożenić, ale prawda była taka, że spojrzałem na swoje życie i uświadomiłem sobie, iż mam to, czego inni szukają w małżeństwie: wygodę i towarzystwo, i dom, w którym zawsze byłem mile widziany, kochany, niezbędny. Fizyczne potrzeby jako mężczyzny — bo, oczywiście, wciąż je miałem, choć z wiekiem coraz mniejsze — mogłem zaspokajać w sposób, o którym już wspominałem. A co do dzieci, to chociaż zawsze je lubiłem, nigdy nie czułem instynktu rodzicielskiego.

— Jeśli uprzesz się jak osioł i nie znajdziesz sobie żony, będę miał do ciebie prośbę. Ale musisz się zgodzić, zanim ją wyjawię.

Odparłem, że nie może tego ode mnie wymagać.

— A jednak wymagam.

Spojrzałem na niego.

— Nie mogę ci odmówić.

Dobrze mnie znał. Uśmiechnął się przewrotnie. Złożyłem więc obietnicę, a on przedstawił swoją prośbę.

Co mam, Panie Markosie, powiedzieć o latach, które potem nadeszły? Dobrze Pan zna najnowszą historię tego znękanego kraju. Nie muszę relacjonować Panu tamtych ponurych dni. Wzdragam się na samą myśl, że miałbym o nich pisać, a poza tym nasze cierpienie zostało już wystarczająco dobrze odmalowane, i to przez ludzi lepiej wykształconych i bardziej elokwentnych ode mnie.

Mogę to podsumować jednym słowem: wojna. Czy raczej wojny. Nie jedna, nie dwie, ale o wiele więcej, dużych i małych, słusznych i niesłusznych, wojen z coraz to inną obsadą „dobrych" i „złych". Każdy z nowych bohaterów sprawiał, że coraz bardziej tęskniło się za dawnymi czarnymi charakterami. Zmieniały się nazwiska i twarze, ale pluję równo na wszystkie za te zatargi, strzelców wyborowych, miny, naloty bombowe, rakiety, plądrowanie, gwałcenie i zabijanie. Ach, wystarczy! To zbyt przykre zadanie. Przeżyłem tamte czasy i zamierzam powrócić do nich na tych kartach tylko na tyle, na ile będę musiał. Jedyny pożytek z tamtych czasów był taki, że mogłem sobie robić mniej wyrzutów z powodu małej Pari, która musiała być już wtedy dorosłą młodą kobietą. Ulżyło mi na sumieniu, bo była bezpieczna, z dala od tych wszystkich mordów.

Jak Pan wie, Panie Markosie, lata osiemdziesiąte nie były w Kabulu takie straszne, ponieważ walki toczyły się raczej poza miastem. Jednak był to czas masowej emigracji i wiele rodzin z naszego sąsiedztwa pakowało manatki i wyjeżdżało do Pakistanu albo Iranu z nadzieją, że potem osiądą gdzieś na Zachodzie. Dobrze pamiętam dzień, w którym przyszedł się pożegnać pan Basziri. Uścisnąłem mu rękę i życzyłem wszystkiego dobrego. Pożegnałem się także z jego synem Idrisem, który wyrósł na wysokiego chudego czternastolatka z długimi włosami i puszkiem nad górną wargą. Powiedziałem chłopcu, że będzie mi brakowało widoku jego i Timura puszczających latawce i grających w piłkę na ulicy. Być może przypomina Pan sobie, Panie Markosie, że spotkaliśmy ich po latach, Pan i ja, już jako dorosłych mężczyzn na przyjęciu, które wydawał Pan u siebie w domu.

W latach dziewięćdziesiątych walki przeniosły się na teren miasta. Kabul wpadł w ręce ludzi wyglądających na takich, którzy urodzili się z kałasznikowami w dłoniach — to wszystko byli wandale, złodzieje z bronią, napuszeni samozwańcy. Kiedy zaczęły latać rakiety, Solejman siedział w domu, bo bał się wychodzić. Nie zamierzał też słuchać o tym, co dzieje się na zewnątrz. Wyciągnął z kontaktu wtyczkę telewizora. Wyrzucił radio. Nie kupował gazet. Prosił, żebym nie przynosił do domu żadnych wieści o walkach. Prawie się nie orientował, kto walczy przeciwko komu, kto wygrywa, kto przegrywa, jakby liczył, że jeśli będzie ignorował wojnę, ona odpłaci mu się tym samym.

Ale oczywiście tak się nie stało. Ulica, przy której mieszkaliśmy, niegdyś cicha i ładna, zamieniła się w strefę walk. Wszystkie budynki były ostrzeliwane. W górze przelatywały ze świstem rakiety. Na ulicę spadały pociski RPG i zostawiały dziury w asfalcie. W nocy aż do świtu niebo przecinały biało-czerwone smugacze. W niektóre dni zdarzały się chwile wytchnienia, kilka godzin spokoju, i nagle znowu wybuchała strzelanina, zewsząd dochodził huk wybuchów, krzyki.

To właśnie w tamtych latach, Panie Markosie, dom doznał większości szkód, które zobaczył Pan po przyjeździe w 2002 roku. Oczywiście część zniszczeń była wynikiem upływu czasu i zaniedbania — zestarzałem się i nie miałem środków, żeby zajmować się posesją tak jak kiedyś. Drzewa zmarniały — od lat nie rodziły owoców — trawnik zżółkł, kwiaty uschły. Ale wojna obeszła się okrutnie z tą niegdyś piękną rezydencją. Na skutek wybuchów wypadły szyby. Rakieta obróciła w pył mur po wschodniej stronie ogrodu oraz połowę werandy, na której ja i Nila odbyliśmy tyle rozmów. Granat rozerwał dach. Kule podziurawiły ściany.

A potem zaczął się szaber, Panie Markosie. Członkowie

straży ochotniczej wkraczali, kiedy chcieli, i wychodzili, z czym chcieli. Zabrali większość mebli, obrazy, turkmeńskie dywany, rzeźby, srebrne świeczniki, kryształowe wazony. Odłupali lazurytowe kafelki z blatów w łazienkach. Któregoś ranka obudził mnie ruch w holu. Zastałem tam bandę uzbeckich milicjantów, którzy zakrzywionymi nożami zrywali dywan ze schodów. Stałem i patrzyłem na to. Co mogłem zrobić? Czym byłby dla nich jeszcze jeden stary człowiek z kulą w głowie?

Solejman i ja, tak jak dom, mieliśmy się coraz gorzej. Psuł mi się wzrok i prawie codziennie bolały mnie kolana. Za przeproszeniem, Panie Markosie, ale już zwykłe oddawanie moczu stanowiło ciężką próbę dla mojej cierpliwości. Jak łatwo było przewidzieć, wiek bardziej dawał się we znaki Solejmanowi niż mnie. Mój pan skurczył się, zrobił się chudy i niepokojąco kruchy. Dwa razy był bliski śmierci, raz podczas najcięższych walk między Ahmadem Masudem a Golbuddinem Hekmatjarem, kiedy to na ulicach przez całe dnie leżały ciała poległych. Solejman miał wtedy zapalenie płuc, którego zdaniem lekarza nabawił się od własnej śliny. Chociaż brakowało zarówno lekarzy, jak i lekarstw, udało mi się uratować Solejmana przed prawie pewną śmiercią.

Może dlatego, że byliśmy zamknięci w czterech ścianach, a może z powodu bliskości, często się wtedy kłóciliśmy. Zupełnie jak pary małżeńskie, zawzięcie, z urazą, z powodu błahostek.

— Podałeś już w tym tygodniu fasolę.

— Nieprawda.

— Owszem, prawda. W poniedziałek.

Spieraliśmy się o to, ile partii szachów rozegraliśmy poprzedniego dnia. Dlaczego zawsze stawiam jego wodę na parapecie, chociaż wiem, że ogrzeje się w słońcu?

— Dlaczego nie poprosiłeś o nocnik, Solejmanie?

— Prosiłem, i to sto razy!

— Chcesz powiedzieć, że jestem głuchy czy leniwy?

— Jedno i drugie.

— To naprawdę tupet nazywać kogoś leniem, gdy samemu leży się w łóżku od rana do wieczora.

I tak w kółko.

Gdy próbowałem go karmić, odwracał głowę. Zostawiałem go więc i wychodząc z pokoju, trzaskałem drzwiami. Czasami, przyznaję, specjalnie grałem mu na nerwach. Opuszczałem dom. Wołał wtedy: „Dokąd idziesz?!" — a ja nie odpowiadałem. Udawałem, że odchodzę na zawsze. Oczywiście szedłem ulicą i paliłem papierosa — był to mój nowy nawyk, który nabyłem w późnym wieku — a robiłem to tylko wtedy, gdy byłem zły. Czasami szwendałem się tak przez kilka godzin, a czasami aż do zmroku, jeśli Solejman naprawdę mnie zezłościł. Zawsze jednak wracałem. Wchodziłem do jego pokoju bez słowa i odwracałem go albo strzepywałem mu poduszkę. Nie patrzyliśmy sobie wtedy w oczy, zaciskaliśmy usta i każdy z nas czekał, żeby ten drugi wyciągnął rękę na zgodę.

Nasze kłótnie skończyły się wraz z przybyciem talibów, tych młodych ludzi o wąskich twarzach, ciemnych brodach i obwiedzionych na czarno oczach, z biczami. Ich okrucieństwa, a nawet bestialstwa są dobrze udokumentowane, dlatego i w tym przypadku nie widzę powodu, aby je wyliczać. Powiem tylko, że ich pobyt w Kabulu, jak na ironię, był dla mnie okresem wytchnienia. Wyżywali się na młodych, a zwłaszcza na nieszczęsnych kobietach. Ja byłem już starym człowiekiem. W ramach ustępstw na rzecz reżimu zapuściłem brodę, co, szczerze mówiąc, oszczędziło mi codziennego męczącego golenia się.

— Poważnie, Nabi — dyszał Solejman z łóżka — straciłeś na urodzie. Wyglądasz jak prorok.

Talibowie mijali mnie na ulicy jak pasącą się krowę. Jeszcze im w tym pomagałem, robiąc tępą minę, żeby nie zwracać na siebie uwagi. Aż wzdrygam się na myśl, co mogliby pomyśleć o Nili i jak ją potraktować. Czasami, gdy ją sobie przypominałem, śmiejącą się na przyjęciu z kieliszkiem szampana w ręku, jej nagie ramiona, długie zgrabne nogi, miałem wrażenie, że ją wymyśliłem. Jakby nigdy nie istniała. Jakby to wszystko było nieprawdziwe — nie tylko ona, ale także ja, Pari i młody zdrowy Solejman, a nawet tamte czasy i dom, w którym mieszkaliśmy.

Któregoś ranka latem 2000 roku wszedłem do pokoju Solejmana, niosąc herbatę i świeżo upieczony chleb. Natychmiast się zorientowałem, że coś się stało. Jego oddech był urywany, twarz jeszcze bardziej przypominała nieruchomą maskę, a kiedy próbował coś powiedzieć, wydawał tylko ledwie słyszalne skrzeki. Odstawiłem talerz i podbiegłem do niego.

— Wezwę lekarza, Solejmanie — powiedziałem. — Tylko poczekaj. Wyjdziesz z tego, jak zawsze.

Odwróciłem się do drzwi, ale on gwałtownie poruszył głową. Przywołał mnie ruchem palców lewej ręki.

Pochyliłem się z uchem przy jego ustach.

Kilka razy usiłował coś powiedzieć, ale nic z tego nie rozumiałem.

— Przepraszam, Solejmanie. Pozwól, że pójdę po lekarza. Niedługo wrócę.

Znowu pokręcił głową, tym razem powoli, i z jego dotkniętych kataraktą oczu popłynęły łzy. Otworzył usta i je zamknął. Wskazał głową szafkę nocną. Zapytałem, czy czegoś z niej potrzebuje. Przymknął oczy na potwierdzenie.

Otworzyłem górną szufladę. Zobaczyłem tylko pigułki, jego okulary do czytania, starą butelkę wody kolońskiej, notatnik i węgle do rysowania, których nie używał od lat. Już chciałem go spytać, czego mam szukać, gdy to znalazłem — schowane pod notesem. Była to koperta z moim nazwiskiem, napisanym niewprawną ręką Solejmana. Zawierała kartkę, na której widniało tylko kilka zdań. Przeczytałem je.

Spojrzałem na Solejmana, jego zapadnięte skronie, obwisłe policzki, podkrążone oczy.

Przywołał mnie i znowu się nad nim pochyliłem. Poczułem na twarzy jego zimny, chrapliwy, nierówny oddech. Usłyszałem mlaskanie języka w suchych ustach. Jakimś cudem, ostatnim wysiłkiem woli, zdołał szepnąć mi do ucha kilka słów.

Nie mogłem oddychać. Z trudem wydusiłem przez zaciśnięte gardło:

— Nie. Proszę, Solejmanie.

— Obiecałeś.

— Jeszcze nie. Wyciągnę cię z tego. Zobaczysz. Przejdziemy przez to jak zwykle.

— Obiecałeś.

Jak długo przy nim siedziałem? Jak długo próbowałem pertraktować? Nie potrafię powiedzieć, Panie Markosie. Pamiętam tylko, że w końcu wstałem, obszedłem łóżko i położyłem się na nim obok Solejmana. Przewróciłem go tak, że na mnie patrzył. Był lekki jak piórko. Pocałowałem go w suche spękane usta. Umieściłem poduszkę między jego twarzą a swoją piersią i położyłem mu rękę na karku. Przyciągnąłem go do siebie i mocno przycisnąłem.

Jedyne, co pamiętam, to że rozszerzyły mu się źrenice.

Potem podszedłem do okna i usiadłem przy nim, herbata dla Solejmana wciąż stała na tacy u moich stóp. Był słoneczny ranek. Dopiero otwierano sklepy, a może już otwarto. Chłopcy szli do szkoły. Już wznosił się pył. Pies biegł niespiesznie ulicą w towarzystwie chmary komarów, które latały wokół jego łba. Dwaj młodzi ludzie przejechali na motocyklu. Pasażer siedzący z tyłu, na bagażniku, trzymał pod jedną pachą monitor komputera, a pod drugą melon.

Oparłem czoło o ciepłą szybę.

Koperta w szufladzie zawierała testament, w którym Solejman zapisał mi wszystko. Dom, pieniądze, rzeczy osobiste, nawet samochód, choć od dawna nie nadawał się do użytku, stał na tyłach podwórka na sflaczałych oponach, kupa zardzewiałego złomu.

Przez jakiś czas naprawdę nie wiedziałem, co ze sobą począć. Opiekowałem się Solejmanem przez ponad pół wieku. Moje codzienne życie było uzależnione od jego potrzeb, towarzystwa. Teraz mogłem robić, co tylko chciałem, ale ta wolność okazała się złudna, ponieważ pragnąłem tego, co mi odebrano. Powiadają: znajdź sobie cel w życiu i do niego dąż. Ale niekiedy dopiero poniewczasie człowiek pojmuje, że jego życie wbrew pozorom miało cel. Teraz, wypełniwszy misję, poczułem się niepotrzebny i zagubiony.

Stwierdziłem, że nie potrafię spać w tym domu, z trudem mogłem w nim przebywać. Po śmierci Solejmana stał się dla mnie za duży, a każdy róg, każdy zakątek przywoływał wspomnienia. Więc przeniosłem się z powrotem do chaty na drugim końcu podwórka. Wynająłem kilku robotników, żeby doprowadzili tam prąd, bo chciałem mieć światło do czytania i wiatrak, który latem by mnie chłodził. Nie potrzebowałem dużo przestrzeni. Mój dobytek ograniczał się do łóżka, kilku ubrań i pudła z rysunkami Solejmana. Wiem, że to może wydać się dziwne, Panie Markosie. Owszem, prawnie dom i wszystko w nim należało teraz do mnie, ale nie czułem się ich właścicielem i wiedziałem, że nigdy się nie poczuję.

Sporo czytałem — książki, które brałem z dawnego gabinetu Solejmana. Każdą z nich po przeczytaniu odstawiałem na miejsce. Zasadziłem kilka krzaków pomidorów, kilka kęp mięty. Chodziłem na spacery po okolicy, ale bolały mnie kolana i szybko musiałem wracać. Czasami wynosiłem krzesło do ogrodu i siedziałem na nim bezczynnie. W przeciwieństwie do Solejmana nie lubiłem samotności.

Wtedy któregoś dnia rozległ się dzwonek przy bramie.

W tamtym czasie talibowie zostali wyparci przez Sojusz Północny i do Afganistanu wkroczyli Amerykanie. Do Kabulu z całego świata przybywali ludzie z pomocą humanitarną, żeby budować szpitale i szkoły, naprawiać drogi i kanały nawadniające, dostarczać żywność, tworzyć miejsca pracy i schroniska.

Tłumaczem, który Wam towarzyszył, był młody miejscowy Afgańczyk. Nosił jaskrawoczerwoną marynarkę i okulary przeciwsłoneczne. Zapytał, kto jest właścicielem tego domu. Szybko wymieniliście spojrzenia, gdy odparłem, że to ja. Potem tłumacz prychnął i rzekł: „Nie, *kaka*, chodzi o pana tego domu".

Zaprosiłem Was obu na herbatę.

Rozmowa, która nastąpiła — na ocalałej części werandy, przy zielonej herbacie — odbywała się w farsi. Jak Pan wie, Panie Markosie, później, przez te siedem lat nauczyłem się trochę angielskiego, głównie dzięki Pańskiej życzliwości. Przez tłumacza powiedział Pan wtedy, że pochodzi Pan z Tinos, greckiej wyspy. Że jest Pan chirurgiem należącym do grupy medycznej, która przyjechała do Kabulu operować dzieci z ranami twarzy. Potrzebował Pan domu, *guesthouse'u*, jak to się teraz mówi.

Zapytał Pan, ile chciałbym za wynajem.

— Nic — odparłem.

Pamiętam, jak Pan zamrugał, gdy tłumacz przekazał panu moją odpowiedź. Spytał Pan jeszcze raz, być może sądząc, że coś źle zrozumiałem.

Tłumacz przesunął się na brzeg krzesła i nachylił w moją stronę. Mówił poufałym tonem. Zapytał, czy straciłem rozum, czy wiem, ile Wasza grupa jest gotowa zapłacić, czy mam pojęcie, jakie są teraz ceny mieszkań w Kabulu. Uważał, że siedzę na żyle złota.

Powiedziałem mu, żeby zdjął ciemne okulary, kiedy rozmawia ze starszym od siebie. Potem poleciłem mu, by wykonywał swoją pracę, czyli tłumaczył, a nie udzielał rad, następnie zaś zwróciłem się do Pana i nie ujawniając zbyt osobistych powodów, wyjaśniłem, dlaczego nie chcę pieniędzy.

— Zostawił pan swój kraj, przyjaciół i rodzinę, żeby przyjechać do tego zapomnianego przez Boga miasta i pomagać mojej ojczyźnie i rodakom. Jak mógłbym na panu zarabiać? — odrzekłem.

Młody tłumacz, którego nigdy potem z Panem nie widziałem, wyrzucił ręce w górę i zaśmiał się z niesmakiem. Ten kraj się zmienił. Nie zawsze tak w nim było, Panie Markosie.

Czasami leżę nocą w ciemności i widzę światła w głównym domu. Obserwuję Pana i Pańskich przyjaciół — zwłaszcza dzielną panią Amrę Ademovic, której wielkie serce będę podziwiał bez końca — jak jecie na werandzie albo na podwórku, palicie cygara, pijecie wino. Słyszę też muzykę, czasami jazz, którzy przypomina mi Nilę.

Ona już nie żyje, tyle wiem. Dowiedziałem się od pani Amry. Opowiedziałem jej o państwu Wahdati i wspomniałem, że Nila była poetką. Znalazła na komputerze pewną publikację po francusku. W internecie zamieszczono wybór najlepszych utworów poetów francuskich z ostatnich czterdziestu lat. Jest tam jeden wiersz Nili. Napisano, że zmarła w 1974 roku. Pomyślałem o tych wszystkich latach, podczas których liczyłem, że dostanę list od nieżyjącej od dawna kobiety. Nie zdziwiłem się jednak, kiedy się dowiedziałem, że odebrała sobie życie. Wiem, że niektórzy ludzie tak przeżywają nieszczęście, jak inni miłość: mocno, w skrytości, nie mogą od niego uciec.

Pozwoli Pan, Panie Markosie, że na tym zakończę.

Moje życie dobiega końca. Z dnia na dzień coraz bardziej słabnę. Długo już nie pociągnę. I dzięki za to Bogu. Dziękuję też Panu, Panie Markosie, nie tylko za Pańską przyjaźń, za to, że znajdował Pan czas, żeby codziennie przychodzić do mnie na herbatę i dzielić się ze mną wiadomościami od pańskiej matki na Tinos oraz przyjaciółki z dzieciństwa, Thalii, ale także za Pańskie współczucie dla moich rodaków i nieocenioną pomoc, jaką niesie Pan tutejszym dzieciom.

Dziękuję też za prace remontowe, które prowadzi Pan w domu. Spędziłem w nim większość życia, to dla mnie dom rodzinny, i sądzę, że niebawem dokonam w nim żywota. Ze smutkiem i bólem serca patrzyłem, jak niszczeje. Więc teraz cieszę się, że go odmalowano, że naprawiono mur w ogrodzie, wstawiono szyby, odbudowano werandę, na której spędziłem tyle szczęśliwych godzin. Dziękuję Panu, mój Przyjacielu, za to, że zasadził Pan drzewa i że znowu w ogrodzie kwitną kwiaty. Jeśli w jakiś sposób wspomogłem Pańską działalność na rzecz mieszkańców tego miasta, to, co Pan łaskawie zrobił dla tego domu, stanowi dla mnie sowite wynagrodzenie.

Ale, nawet jeśli miałby Pan to uznać za nadużycie, pozwolę sobie poprosić Pana o dwie przysługi, jedną dla mnie, a drugą dla kogoś innego. Po pierwsze, chciałbym, żeby pochowano mnie na cmentarzu Aszeghan-Arefan, tu, w Kabulu. Na pewno go Pan zna. Jeśli pójdzie Pan od głównej bramy na północny koniec i chwilę poszuka, natrafi Pan na grób Solejmana Wahdatiego. Niech Pan znajdzie niedaleko niego kwaterę i mnie tam pochowa. To wszystko, o co proszę dla siebie.

Moim drugim życzeniem jest, żeby odnalazł Pan moją siostrzenicę Pari. Jeśli żyje, to może nie będzie takie trudne — internet to wspaniały wynalazek. Jak Pan widzi, w kopercie razem z tym listem znajduje się mój testament, w którym zostawiam jej dom, pieniądze i kilka rzeczy. Chciałbym, żeby przekazał jej Pan ten list i testament. I proszę, niech jej Pan powie, niech jej Pan powie, że nie przewidziałem konsekwencji tego, co uczyniłem. I że jedyne pocieszenie stanowiła dla mnie nadzieja. Nadzieja, że może, gdziekolwiek jest, znalazła spokój, łaskę, miłość i szczęście, jakie tylko można znaleźć na tym świecie.

Dziękuję Panu, Panie Markosie. Niech Bóg ma Pana w opiece.

Zawsze Pański przyjaciel,
Nabi.

5

Wiosna 2003

P ielęgniarka, która nazywa się Amra Ademovic, ostrzegała Idrisa i Timura. Odciągnęła ich na bok i powiedziała:
— Jeśli tylko dacie coś po sobie poznać, cokolwiek, bardzo to przeżyje, a ja was wyrzucę.

Stoją na końcu długiego, słabo oświetlonego korytarza w męskim skrzydle szpitala Wazir Akbar Chan. Amra wyjaśniła, że jedynym krewnym, który pozostał dziewczynce — albo który ją odwiedzał — jest wuj, więc gdyby umieszczono ją w skrzydle dla kobiet, nie mógłby do niej przychodzić, bo tam by go nie wpuszczono. Więc zespół medyczny postanowił umieścić ją w męskim skrzydle, ale nie w żadnej z sal — byłoby nieprzyzwoitością, gdyby dzieliła pokój z mężczyznami nienależącymi do jej rodziny — tylko tu, na końcu korytarza, na ziemi niczyjej, ani męskiej, ani kobiecej.

— A myślałem, że talibów już tu nie ma — komentuje Timur.

— To wariactwo, no nie? — odpowiada Amra i zaskoczona parska śmiechem.

W ciągu tego tygodnia od przyjazdu do Kabulu Idris zauważył wśród cudzoziemców, którzy przyjechali tu z pomocą charytatywną i muszą liczyć się ze specyfiką afgańskiej kultury, ton lekkiego zniecierpliwienia. Trochę uraża go to, że pozwalając sobie na pewien protekcjonalizm, choć miejscowi jakby tego nie zauważali, a jeśli już zauważają, traktują to jak zniewagę, Idris zaczyna więc myśleć, że może powinien to ignorować.

— Ale pani wolno tu przebywać. Wchodzi pani i wychodzi bez przeszkód — zauważa Timur.

Amra unosi brew.

— Ja się nie liczę. Nie jestem Afganką, więc żadna ze mnie kobieta. Chyba to wiecie?

Timur, niezrażony, uśmiecha się szeroko.

— Amra to polskie imię?

— Bośniackie. Więc, jak mówię, żadnej reakcji. To szpital, a nie zoo. Musicie obiecać.

— Obiecujemy — odpowiada Timur.

Idris zerka na pielęgniarkę, przestraszony, że te zaczepki, niefrasobliwe i niepotrzebne, mogły ją urazić, ale wygląda na to, że Timurowi uszły na sucho. Idris ma za złe kuzynowi jego swobodę i jednocześnie mu jej zazdrości. Zawsze uważał go za niedelikatnego, pozbawionego wyobraźni i wyczucia. Wie, że kuzyn oszukuje żonę i urząd skarbowy. W Stanach ma agencję pośrednictwa w handlu nieruchomościami i na pewno siedzi po uszy w jakichś szwindlach hipotecznych. Ale jest bardzo towarzyski, uczynny, pokrywa wpadki żartami i ma w sobie pewną zwodniczą niewinność, która zjednuje ludzi. Aparycja też mu w tym nie przeszkadza — umięśnione ciało, zielone oczy, dołeczki, gdy się uśmiecha. Zdaniem Idrisa

Timur to dorosły mężczyzna, który cieszy się przywilejami dziecka.

— Dobrze — mówi Amra. — W porządku. — Odsuwa prześcieradło, które zostało przybite do sufitu jako prowizoryczna zasłona, i wpuszcza ich za nie.

Dziewczynka — Roszi, jak nazywa ją Amra, zdrobnienie od Roszana — wygląda na dziewięć, może dziesięć lat. Siedzi na łóżku ze stalowym stelażem, oparta plecami o ścianę, z kolanami podciągniętymi pod brodę. Idris natychmiast spuszcza wzrok. Tłumi gwałtownie sapnięcie. Jak łatwo przewidzieć, taka powściągliwość przekracza jednak możliwości Timura, który cmoka i zbolałym szeptem powtarza w kółko:

— Ojej, ojej!

Idris spogląda na niego i nie jest zaskoczony, gdy widzi w jego oczach teatralne łzy.

Dziewczynka krzywi się i coś mruczy.

— Dobra, koniec, wychodzimy — mówi ostro Amra.

Na rozpadających się schodach przed głównym wejściem pielęgniarka wyjmuje z kieszeni na piersi jasnoniebieskiego fartucha paczkę czerwonych marlboro. Timur, którego łzy zniknęły tak szybko, jak się pojawiły, bierze od niej papierosa i podaje jej ogień. Idrisowi robi się niedobrze, ma zawroty głowy. Zaschło mu w ustach. Boi się, że zaraz zwymiotuje i się ośmieszy, potwierdzi tylko zdanie Amry o nim i Timurze — ot, zamożni emigranci, którzy przyjechali do kraju, gdy już opuścili go źli ludzie, i patrzą z szeroko otwartymi oczami na okrucieństwa, jakich się tu dopuszczono.

Idris spodziewał się, że Amra ich zgani, a przynajmniej Timura, ale ona ma raczej ochotę poflirtować, niż udzielać im reprymendy. Tak Timur działa na kobiety.

— A więc — podejmuje pielęgniarka kokieteryjnie — co powiesz na swoją obronę, Timurze?

W Stanach Timur jest Timem. Zmienił imię po jedenastym września i twierdzi, że od tamtego czasu wiedzie mu się w interesach dwa razy lepiej. Odcięcie ostatnich dwóch liter, jak powiedział Idrisowi, bardziej pomogło mu w karierze niż dyplom ukończenia college'u, którego zresztą nie miał, bo to Idris jest w rodzinie Baszirich tym wykształconym. Jednak od przyjazdu do Kabulu przedstawia się wyłącznie jako Timur. To nieszkodliwa dwulicowość, a nawet konieczna. Ale trochę bolesna.

— Przepraszam za to, co się stało — mówi Timur.

— Chyba muszę cię ukarać.

— Spokojnie, kotku.

Amra zwraca spojrzenie na Idrisa.

— Hm, Timur to kowboj, a ty? Ty jesteś ten spokojny, wrażliwy. Jak to mówią... introwertyk.

— On jest lekarzem — wyjaśnia Timur.

— Tak? Wobec tego to musi być dla ciebie szokujące. Ten szpital.

— Co jej się stało? — pyta Idris. — Mam na myśli Roszi. Kto jej to zrobił?

Amra poważnieje. Kiedy się odzywa, w jej głosie słychać determinację.

— Walczę o nią. Walczę z rządem, szpitalną biurokracją, z tym przeklętym neurochirurgiem. Walczę na każdym kroku. I nie przestanę. Oprócz mnie nie ma nikogo.

— Myślałem, że ma stryja — zauważa Idris.

— To też drań. — Amra strzepuje popiół z papierosa. — Dobra. To po co tu przyjechaliście, panowie?

Timur przedstawia sprawę w zarysie. To, co mówi, mniej lub bardziej odpowiada prawdzie. Są kuzynami, ich rodziny uciekły stąd po wejściu Rosjan, spędzili rok w Pakistanie, a potem, na początku lat osiemdziesiątych, osiedli w Kalifornii. Przyjechali do kraju po raz pierwszy od dwudziestu lat. Są tu po to, żeby „nawiązać więź", „edukować się", „nieść świadectwo" skutków tych wszystkich lat wojen i zniszczenia. Po powrocie do Stanów budzili świadomość i zbierali pieniądze, żeby „odpłacić się krajowi".

— Pragniemy się odwdzięczyć — mówi, powtarzając ten frazes tak żarliwie, że Idris jest zażenowany.

Oczywiście Timur nie zdradza prawdziwego powodu, dla którego przyjechali do Kabulu: żeby odzyskać majątek ojców, dom, w którym obaj spędzili pierwszych czternaście lat życia. Ceny nieruchomości osiągają teraz w Kabulu astronomiczne sumy, bo zjeżdżają tu z pomocą humanitarną tysiące zagranicznych ochotników i muszą gdzieś mieszkać. Byli tam już tego dnia, w swoim dawnym domu, który zajmuje obecnie rozwydrzona grupa żołnierzy Sojuszu Północnego. Gdy wychodzili, natknęli się na mężczyznę w średnim wieku mieszkającego trzy domy dalej przy tej samej ulicy, greckiego chirurga plastycznego, niejakiego Markosa Varvarisa. Zaprosił ich na lunch i zaproponował wizytę w szpitalu Wazir Akbar Chan, gdzie mieści się biuro organizacji pozarządowej, dla której pracuje. Zaprosił ich także na przyjęcie tego wieczoru. Po przyjeździe do szpitala dowiedzieli się o tej dziewczynce — podsłuchali dwóch sanitariuszy, którzy rozmawiali o niej na schodach przed szpitalem — a wtedy Timur dźgnął Idrisa łokciem i rzucił:

— Powinniśmy to sprawdzić, braciszku.

Amra sprawia wrażenie znudzonej opowieścią Timura. Odrzuca niedopałek i poprawia związane gumką jasne kręcone włosy.

— Dobra. Więc zobaczymy się wieczorem na imprezie?

To ojciec Timura, stryj Idrisa, wysłał ich do Kabulu. Podczas ostatnich dwudziestu wojennych lat dom Baszirich wiele razy przechodził z rąk do rąk. Odzyskanie go wymagało jednak czasu i pieniędzy. Sądy w kraju były zarzucone tysiącami spraw o ustalenie prawa własności. Ojciec Timura powiedział im, że będą musieli manewrować w systemie afgańskiej biurokracji, niemrawej i ociężałej — czyli, mówiąc wprost, dać w łapę.

— To moja działka — oświadczył Timur, jakby to wymagało ustalenia.

Ojciec Idrisa zmarł przed dziewięciu laty po długiej walce z rakiem. Odszedł w domu, mając przy boku żonę, dwie córki i Idrisa. W dniu jego śmierci dom nawiedził prawdziwy tłum krewnych — wujów, ciotek, kuzynów, przyjaciół i znajomych — którzy obsiedli kanapy i krzesła, a gdy tych zabrakło, także podłogi i schody. Kobiety zebrały się w jadalni i kuchni. Parzyły kolejne termosy herbaty. Idris, jedyny syn, musiał podpisać wszystkie dokumenty: lekarzowi, który przyjechał, żeby określić przyczynę śmierci, uprzejmym młodym ludziom z zakładu pogrzebowego, którzy przybyli z noszami, aby zabrać ciało.

Timur nie odstępował go na krok. Odbierał za niego telefony. Witał kolejne fale gości zjawiających się, żeby złożyć wyrazy szacunku. Zamówił jagnięcinę z ryżem w Abe's Kabob

House, miejscowej afgańskiej restauracji prowadzonej przez jego przyjaciela Abdullaha, którego nazywał przekornie wujem Abe'em. Gdy zaczął padać deszcz, parkował samochody starszych gości. Zadzwonił do kolegi pracującego w jednej z afgańskich stacji telewizyjnych. Kiedyś powiedział Idrisowi, że ma w komórce trzysta nazwisk i numerów telefonicznych. Zawiadomienie o śmierci miało być nadane w afgańskiej telewizji jeszcze tego samego wieczoru.

Wczesnym popołudniem Timur zawiózł Idrisa do zakładu pogrzebowego w Haywardzie. Zaczęło lać i na sześćsetosiemdziesiątce tworzyły się korki.

— Twój ojciec to była klasa sama w sobie, stara szkoła — wychrypiał Timur, wybierając zjazd na Mission. Raz po raz ocierał oczy wolną ręką.

Idris pokiwał ze smutkiem głową. Przez całe życie nie potrafił płakać przy innych, na uroczystościach, które tego wymagały, na przykład na pogrzebach. Uważał to za pewne upośledzenie, jak daltonizm. Mimo to odczuwał — irracjonalną, wiedział to — niechęć do Timura za to, że odstawił w domu takie przedstawienie. Jakby to on stracił ojca.

Zaprowadzono ich do słabo oświetlonego cichego pomieszczenia z ciężkimi ciemnymi meblami. Tam zostali przyjęci przez mężczyznę w czarnym garniturze, z przedziałkiem pośrodku głowy. Pachniał dobrą kawą. Profesjonalnym tonem złożył Idrisowi kondolencje i podsunął mu do podpisania dokumenty. Zapytał, ile aktów zgonu życzy sobie rodzina. Kiedy wszystkie formalności zostały załatwione, taktownie położył przed Idrisem broszurę zatytułowaną *Cennik usług* i odchrząknął.

— Oczywiście te ceny nie mają zastosowania, jeśli pański ojciec uczęszczał do meczetu w Mission. Współpracujemy z nim. Opłacają kwaterę i ceremonię. Pokryją koszty.

— Nie mam pojęcia — odparł Idris, przeglądając broszurę. Jego ojciec był człowiekiem wierzącym, ale się z tym nie obnosił. Rzadko chadzał na piątkowe modły.

— Dać panu chwilę? Mógłby pan zadzwonić do meczetu.

— Nie. Nie ma potrzeby — odezwał się Timur. — Nie chodził do meczetu.

— Na pewno?

— Tak. Pamiętam rozmowę na ten temat.

— Rozumiem — odparł kierownik zakładu.

Po wyjściu, już przy SUV-ie, zapalili papierosy. Przestało padać.

— Rozbój w biały dzień — rzucił Idris.

Timur splunął w kałużę ciemnej deszczówki.

— Ale to dobry interes... śmierć... sam przyznaj. Zawsze będzie zapotrzebowanie. Cholera, to lepsze niż handel samochodami.

W tamtym czasie Timur był współwłaścicielem firmy handlującej używanymi wozami. Biznes szedł kiepsko, wręcz podupadał, gdy Timur w niego wchodził. Jednak w ciągu niespełna dwóch lat przekształcił go z przyjacielem w dochodowe przedsięwzięcie. „Człowiek, który doszedł do wszystkiego własną pracą", mawiał o nim ojciec Idrisa. Idris tymczasem dostawał marne grosze na drugim roku stażu na Uniwersytecie Kalifornijskim. Jego żona, Nahil — pobrali się przed rokiem — pracowała trzydzieści godzin w tygodniu jako sekretarka w kancelarii prawnej, jednocześnie przygotowując się do testu kwalifikacyjnego z prawa.

— To pożyczka — tłumaczył Idris. — Rozumiesz, Timurze. Oddam ci te pieniądze.

— Spokojnie, braciszku. Jak chcesz.

Nie pierwszy ani ostatni raz Timur przyszedł mu z pomocą. W prezencie ślubnym podarował mu nowego forda explorera. Podżyrował pożyczkę, gdy Idris i Nahil kupowali małe mieszkanie w Davis. Był w rodzinie dobrym wujkiem. Gdyby Idris w jakiejś krytycznej sytuacji musiał do kogoś zadzwonić, na pewno wybrałby numer Timura.

A jednak.

Idris dowiedział się na przykład, że wszyscy w rodzinie wiedzieli o tym podżyrowaniu. Timur im powiedział. A na weselu kazał przestać zespołowi grać, wygłosił oświadczenie i w obecności wszystkich zgromadzonych, przy błyskach fleszy, wręczył Idrisowi i Nahil kluczyki do forda — i to na tacy, a co. Idris nie był zachwycony, nie bardzo podobało mu się to przedstawienie, pompa, demonstracja. Nie chciał tak myśleć o kuzynie, który był dla niego prawie jak brat, ale miał wrażenie, że Timur robi to wszystko dla PR-u i jego hojność wynika z wyrachowania.

Idris i Nahil nawet pokłócili się o to pewnego wieczoru, gdy zmieniali pościel na łóżku.

— Wszyscy chcą być lubiani — rzekła Nahil. — Ty nie?

— Dobra, ale nie płacę za to.

Nahil powiedziała mu wtedy, że jest niesprawiedliwy i niewdzięczny, bo Timur dużo dla nich zrobił.

— Nie rozumiesz, Nahil. Chcę tylko powiedzieć, że z dobrymi uczynkami nie trzeba się od razu afiszować. Można spełniać je dyskretnie, z godnością. Dobroć nie polega na publicznym wypisywaniu czeków.

— Hm, to nie takie proste, kochanie — skwitowała Nahil, strzepując prześcieradło.

— Stary, pamiętam to miejsce — mówi Timur, rozglądając się po domu. — Powiedz jeszcze raz, jak brzmi nazwisko właściciela.

— Wahdati, ale imienia nie pamiętam — odpowiada Idris. Myśli o tych niezliczonych razach, gdy jako dzieci bawili się przed tą bramą na ulicy, a dopiero teraz, po kilkudziesięciu latach, przekroczyli ją po raz pierwszy.

— Pan i jego ścieżki — mamrocze Timur.

To zwyczajny jednopiętrowy dom, który w miejscu zamieszkania Idrisa, w San Jose, ściągnąłby gniew sąsiadów, Chińczyków Hoa. Ale jak na kabulskie standardy to okazała rezydencja z wysokim murem, żelazną bramą i szerokim podjazdem. Gdy razem z Timurem, prowadzeni przez uzbrojonego strażnika, wchodzą do środka, Idris dostrzega, jak w wielu innych miejscach w Kabulu, ślady dawnej świetności w ruinie, w którą zamienił się dom: są tu dziury po kulach i zygzakowate pęknięcia w osmalonych ścianach, gołe cegły w miejscach, gdzie odpadał tynk, uschnięte krzewy nad podjeździe, łyse drzewa w ogrodzie, pożółkły trawnik. Brakuje połowy werandy, która wychodzi na podwórko. Ale, podobnie jak wszędzie indziej w Kabulu, są też oznaki powolnego, jeszcze niepewnego odrodzenia. Ktoś zaczął odmalowywać dom, zasadził krzewy róż w ogrodzie, wzniósł brakujący fragment muru po wschodniej stronie, choć zabrakło mu wprawy. Od strony ulicy do ściany przystawiona jest drabina, więc prawdopodobnie przystąpiono do naprawy dachu. Rozpoczęto też odbudowę zniszczonej części werandy.

Spotykają Markosa w holu. Ma rzednące siwe włosy i jasnoniebieskie oczy. Ubrany jest w szary strój afgański, z zawiązaną elegancko na szyi czarno-białą kefiją. Prowadzi ich do zadymionego pokoju, w którym wszyscy głośno rozmawiają.

— Jest herbata, wino i piwo. A może wolicie coś mocniejszego?

— Proszę tylko powiedzieć, gdzie jest barek, a my już się obsłużymy — odpowiada Timur.

— O, to mi się podoba. Tam, przy wieży. A przy okazji, lód jest bezpieczny, z butelkowanej wody.

— Dzięki Bogu.

Timur jest w swoim żywiole, lubi takie zgromadzenia, i Idris mimowolnie podziwia jego swobodę, luz, pewność siebie. Idzie za kuzynem do barku, gdzie ten nalewa im alkohol z rubinowej butelki.

Pod ścianami siedzi na poduszkach ze dwudziestu gości. Podłogę zaściela afgański dywan w kolorze burgunda. Wystrój jest skromny, ale gustowny, Idris nazywa go ekspackim szykiem. Z płyty CD śpiewa cicho Nina Simone. Wszyscy piją, prawie wszyscy palą, rozmawiają o nowej wojnie w Iraku i o tym, co oznacza ona dla Afganistanu. W telewizji lecą wiadomości CNN International, ale dźwięk jest wyłączony. Bagdad, wobec którego zastosowano doktrynę *shock and awe*, wyłania się nocą z ciemności w błyskach zieleni.

Gdy z wódką z lodem odwracają się do pozostałych, podchodzą do nich Markos i para poważnych Niemców, którzy pracują dla World Food Program. Jak wielu pracowników pomocy humanitarnej wydają się Idrisowi trochę onieśmielający, światowi i obyci. Trudno zrobić na nich wrażenie.

— Ładny dom — mówi więc do Markosa.

— Proszę to powiedzieć właścicielowi. — Markos przechodzi przez pokój i wraca ze szczupłym starszym mężczyzną, który ma zaczesane do tyłu gęste szpakowate włosy, krótko przyciętą brodę i zapadnięte policzki, charakterystyczne dla ludzi prawie bezzębnych. Jest ubrany w nędzny oliwkowy garnitur w stylu lat czterdziestych. Markos uśmiecha się do starszego pana z nieukrywaną sympatią.

— Nabi *jan**?! — wykrzykuje Timur i nagle Idris również go sobie przypomina.

Starszy mężczyzna odpowiada nieśmiałym uśmiechem.

— Przepraszam, czy my się znamy?

— Jestem Timur Basziri — odpowiada Timur w farsi. — Moja rodzina mieszkała przy tej samej ulicy trzy domy dalej!

— Wielki Boże. — Starszy mężczyzna wciąga powietrze. — Timur *jan?* A to musi być Idris *jan?*

Idris kiwa z uśmiechem głową.

Nabi obejmuje ich obu, całuje w policzki, wciąż szeroko uśmiechnięty, i patrzy na nich z niedowierzaniem. Idris przypomina go sobie, jak woził na wózku inwalidzkim swojego pracodawcę, pana Wahdatiego. Czasami przystawał z nim na chodniku i razem patrzyli, jak on i Timur grają w piłkę z chłopcami z sąsiedztwa.

— Nabi *jan* mieszka w tym domu od czterdziestego siódmego roku — wyjaśnia Markos i obejmuje ramieniem Nabiego.

— Więc teraz to miejsce należy do pana? — pyta Timur.

---

* *Jan* (farsi) — drogi (miły).

Nabi się uśmiecha, widząc zdziwienie na jego twarzy.

— Służyłem panu Wahdatiemu od czterdziestego siódmego do dwutysięcznego roku, kiedy zmarł. Był tak miły, że zapisał mi dom w testamencie.

— Dał go panu? — dziwi się Timur.

Nabi kiwa głową.

— Tak.

— Musiał pan być doskonałym kucharzem!

— A pan, jeśli mogę powiedzieć, był małym łobuzem, z tego, co pamiętam.

Timur parska śmiechem.

— Nigdy nie przejmowałem się tym, co wolno, a czego nie, Nabi *jan*. Zostawiam to tu obecnemu kuzynowi.

Markos, kręcąc winem w kieliszku, zwraca się do Idrisa:

— Nila Wahdati, żona poprzedniego właściciela, była poetką. Jak się okazuje, nawet nie tak zupełnie nieznaną. Słyszał pan o niej?

Idris kręci głową.

— Wiem tylko, że wyjechała z kraju, jeszcze zanim się urodziłem.

— Mieszkała w Paryżu z córką — włącza się jeden z Niemców, Thomas. — Zmarła w siedemdziesiątym czwartym roku. Chyba popełniła samobójstwo. Miała problemy z alkoholem, a przynajmniej tak czytałem. Rok czy dwa lata temu ktoś dał mi jeden z jej wczesnych tomików poetyckich w niemieckim przekładzie. Całkiem niezłe wiersze. Zaskakująco zmysłowe, jeśli dobrze pamiętam.

Idris kiwa głową, znowu czuje się trochę nie na miejscu, tym razem dlatego, że cudzoziemiec udziela mu lekcji na temat afgańskiej poetki. Słyszy, że stojący kilka kroków dalej

Timur prowadzi ożywioną rozmowę z Nabim o cenach wynajmu nieruchomości. Oczywiście w farsi.

— Ma pan pojęcie, ile mógłby pan wziąć za taki dom, Nabi *jan*? — mówi do starszego mężczyzny.

— Tak — odpowiada Nabi i kiwa ze śmiechem głową. — Wiem, jakie są ceny w mieście.

— Mógłby pan oskubać tych ludzi!

— Hm...

— A pan pozwala im tu mieszkać za darmo.

— Przyjechali pomóc temu krajowi, Timur *jan*. Zostawili swoje domy i przyjechali tutaj. Nie wypada ich „oskubywać", jak się pan wyraził.

Timur wydaje jęk, a potem dopija drinka.

— Cóż, albo nie lubi pan pieniędzy, stary przyjacielu, albo jest pan o wiele lepszym człowiekiem niż ja.

Do pokoju wchodzi Amra w szafirowej afgańskiej tunice narzuconej na sprane dżinsy.

— Nabi *jan*! — woła.

Nabi wydaje się trochę speszony, gdy kobieta cmoka go w policzek i bierze pod rękę.

— Uwielbiam tego człowieka — mówi do całej grupy. — I bardzo lubię go peszyć. — Potem Nabiemu powtarza to w farsi. On odchyla głowę do tyłu i śmieje się, lekko zarumieniony.

— Mnie też możesz speszyć — odzywa się Timur.

Amra klepie go po piersi.

— Ten facet to chodzące kłopoty.

Potem całuje Markosa w policzki, po afgańsku, trzy razy, i tak samo Niemców.

Markos obejmuje ją w pasie.

— Amra Ademovic. Najciężej pracująca osoba w Kabulu. Lepiej nie podpaść tej dziewczynie. Poza tym ma mocną głowę.

— Sprawdźmy to — mówi Timur i sięga po szklankę stojącą na barze za nim.

Stary mężczyzna, Nabi, przeprasza towarzystwo i odchodzi. Przez następną godzinę Idris rozmawia z resztą gości, a przynajmniej próbuje. W miarę jak poziom alkoholu w butelkach opada, rozmowy stają się coraz głośniejsze. Idris słyszy niemiecki, francuski i chyba grecki. Wypija następną wódkę, a potem ciepławe piwo. Stojąc w jednej grupie, zbiera się na odwagę i opowiada dowcip mułły Omara, który usłyszał w farsi w Kalifornii. Ale trudno go przetłumaczyć na angielski i efekt jest żaden, Idris rusza więc dalej i przysłuchuje się rozmowie o irlandzkim pubie, który ma zostać otwarty w Kabulu. Wszyscy się zgadzają, że szybko padnie.

Idris z ciepłym piwem w ręku krąży po pokoju. Nigdy nie czuł się dobrze na takich zgromadzeniach. Stara się skupić uwagę na wystroju pomieszczenia. Są tam plakaty przedstawiające posągi Buddy w Bamijanie, zawody buzkaszi, zatokę greckiej wyspy o nazwie Tinos. Nigdy o tej wyspie nie słyszał. Dostrzega w holu oprawioną czarno-białą fotografię, trochę nieostrą, jakby zrobioną aparatem fotograficznym domowej roboty. Widać na niej młodą dziewczynę z długimi ciemnymi włosami, odwróconą plecami do obiektywu. Siedzi na plaży, na skałach, i patrzy w stronę morza. Lewy dolny róg zdjęcia wygląda tak, jakby był przypalony.

Na kolację podają udziec jagnięcy z rozmarynem i z ząbkami czosnku. Do tego sałatkę z kozim serem i makaron z sosem pesto. Idris nakłada sobie sałatkę i ląduje z nią w kącie pokoju. Idris zauważa Timura, który siedzi w towarzystwie młodych atrakcyjnych Dunek. Popisuje się, myśli Idris. Rozlegają się śmiechy i jedna z kobiet kładzie Timurowi rękę na kolanie.

Idris wychodzi z winem na werandę i siada na drewnianej ławie. Zapadł zmrok i werandę oświetlają tylko dwie żarówki wiszące pod sufitem. Ze swojego miejsca Idris widzi zarys jakiegoś domku po drugiej stronie ogrodu, na prawo, i sylwetkę samochodu — dużego, starego — prawdopodobnie amerykańskiego, sądząc po kształcie. Model z lat czterdziestych, może wczesnych pięćdziesiątych; Idris nie widzi dobrze, a poza tym nigdy nie znał się na samochodach. Timur na pewno by wiedział. Wyrecytowałby jednym tchem: model, rok produkcji, typ silnika, wszystko. Samochód stoi chyba na sflaczałych oponach. Pies z sąsiedztwa zaczyna szczekać *staccato*. W pokoju ktoś nastawił płytę Leonarda Cohena.

— Ten cichy i wrażliwy.

Amra siada obok niego, podzwaniając lodem w szklance. Ma bose stopy.

— Twój kuzyn kowboj jest duszą towarzystwa.

— Nie dziwi mnie to.

— Jest bardzo przystojny. Ma żonę?

— I troje dzieci.

— Fatalnie. Wobec tego będę się dobrze sprawowała.

— Na pewno byłby rozczarowany, gdyby to usłyszał.

— Mam zasady. Chyba za nim nie przepadasz — zauważa Amra.

Idris wyjaśnia, zgodnie z prawdą, że Timur jest dla niego prawie jak brat.

— Ale sprawia, że jesteś zażenowany.

To prawda. Timur sprawia, że czuje się zażenowany. Zachowuje się jak typowy okropny Afgańczyk z Ameryki, myśli

Idris. Porusza się po rozdartym wojną mieście, jakby mieszkał tu przez całe życie, kordialnie poklepuje miejscowych po plecach, mówi do nich „bracie", „siostro", „stryju", demonstracyjnie rzuca żebrakom pieniądze z woreczka z bakszyszem, jak go nazywa, żartuje ze starymi kobietami, które nazywa „matkami", i namawia je, aby opowiedziały swoją historię do kamery wideo, a przy tym wszystkim robi zbolałą minę, udając, że jest jednym z nich, jakby nigdy stąd nie wyjechał, jakby nie ćwiczył w siłowni w San Jose, nie pracował nad wyrabianiem mięśni brzucha ani torsu, podczas gdy ci ludzie byli tu ostrzeliwani, mordowani, gwałceni. To żenująca hipokryzja. I Idris dziwi się, że nikt tego nie dostrzega.

— To nieprawda, co ci powiedział — odzywa się. — Przyjechaliśmy tu, żeby odzyskać dom należący do naszych ojców. To wszystko. Nic więcej.

Amra parska śmiechem.

— Wiem to, oczywiście. Myślisz, że dałam się nabrać? Robiłam w tym kraju interesy z watażkami i talibami. Widziałam już wszystko. Nic mnie nie zaszokuje. Nic i nikt mnie nie zwiedzie.

— Wyobrażam sobie.

— Ty jesteś uczciwy — mówi. — Przynajmniej jesteś uczciwy.

— Uważam tylko, że powinniśmy szanować tych ludzi, zwłaszcza po tym, co przeszli. Mówiąc „my", mam na myśli takich jak Timur i ja. Szczęściarzy, których tu nie było, gdy na miasto spadały pociski. Nie jesteśmy tacy jak oni. I nie powinniśmy udawać, że jesteśmy. Historie, które mają do opowiedzenia... nie mamy do nich prawa... Ale bredzę.

— Bredzisz?

— Mówię bez sensu.

— Nie, rozumiem, co chcesz powiedzieć — zapewnia Amra. — Uważasz, że te ich historie to dar, który wam ofiarowują.

— A tak.

Piją wino. Rozmawiają przez jakiś czas, dla Idrisa to pierwsza prawdziwa rozmowa od przyjazdu do Kabulu, bez subtelnych szyderstw, lekkiej dezaprobaty miejscowych, urzędników, ludzi z organizacji charytatywnych. Pyta Amrę o jej pracę, a ona opowiada mu, że była w Kosowie jako przedstawicielka ONZ, w Rwandzie po ludobójstwie, w Kolumbii, Burundi. Pracowała z nieletnimi prostytutkami w Kambodży. W Kabulu jest od roku, to jej trzecie miejsce pracy, tym razem działa w małej organizacji pozarządowej, pracuje w szpitalu, a w poniedziałki prowadzi mobilną klinikę. Była dwa razy zamężna i dwa razy się rozwiodła, nie ma dzieci. Idris nie może ocenić jej wieku, pewnie jest młodsza, niż wygląda. Mimo pożółkłych zębów i worków pod oczami na jej twarzy widać przemijającą urodę, zmysłowość. Za pięć, sześć lat i to zniknie, myśli Idris.

— Chcesz wiedzieć, co stało się Roszi? — pyta Amra.

— Nie musisz mówić — odpowiada Idris.

— Chyba nie myślisz, że się upiłam?

— A upiłaś się?

— Trochę. Ale jesteś uczciwym facetem. — Lekko i jakby żartobliwie klepie go po ramieniu. — Chcesz wiedzieć z właściwych powodów. Bo dla innych Afgańczyków, Afgańczyków z Zachodu, to... jak wy to nazywacie?... ciekawość?

— Ciekawostka.

— Właśnie.

— Coś jak pornografia.

— Ale może ty jesteś porządnym facetem.

— Jeśli mi opowiesz, potraktuję to jako dar — mówi Idris.

Więc Amra mu opowiada.

Roszi mieszkała z rodzicami, dwiema siostrami i małym bratem w wiosce między Kabulem a Bagramem, mniej więcej, jednej trzeciej drogi. W któryś piątek, miesiąc temu, przyjechał z wizytą jej stryj, starszy brat ojca. Przez prawie rok on i ojciec dziewczynki toczyli spór o ziemię, na której Roszi mieszkała z rodziną, a którą stryj uważał za swoją, ponieważ był starszym bratem. Jego ojciec jednak przekazał ją młodszemu synowi, swojemu ulubieńcowi. W dniu wizyty stryja wszystko było z pozoru w porządku.

— Powiedział, że chce zakończyć spór.

Na jego przyjazd matka Roszi zabiła dwa kurczaki, przyrządziła dużą miskę ryżu z rodzynkami, kupiła na targu świeże granaty. Stryj i ojciec dziewczynki pocałowali się na przywitanie i serdecznie objęli. Ojciec Roszi tak uściskał brata, że niemal go podniósł. Matka płakała z radości. Rodzina zasiadła do posiłku. Wszyscy brali dokładki. Częstowali się granatami. Potem podano zieloną herbatę i cukierki toffi. Stryj przeprosił zebranych i poszedł do wychodka.

Wrócił z siekierą w ręku.

— Taką do rąbania drewna — wyjaśnia Amra.

Najpierw dopadł ojca Roszi.

— Powiedziała, że ojciec nawet się nie zorientował, co się dzieje. Nic nie widział.

Pierwszy cios w szyję, zza pleców, prawie pozbawił go głowy. Następna była matka Roszi. Próbowała się bronić, krzyczeć, ale wystarczyło kilka uderzeń w twarz oraz pierś i zamilkła. Wtedy dzieci z wrzaskiem rzuciły się do ucieczki, a stryj zaczął je gonić. Jedna z sióstr Roszi próbowała uciec do sieni, ale stryj złapał ją za włosy i rzucił na ziemię. Druga siostra wybiegła z izby. Stryj ją dogonił, kopnął w drzwi sypialni. Rozległy się krzyki, potem zapadła cisza.

— Roszi postanowiła uciec z małym braciszkiem. Wybiegli z domu, dotarli do bramy, ale była zamknięta. Oczywiście przez stryja.

Wypadli na podwórko, ale w panice albo desperacji chyba zapomnieli, że nie ma stamtąd wyjścia, jest tylko wysoki mur. Kiedy stryj wypadł z domu i zaczął ich gonić, braciszek Roszi, który miał pięć lat, rzucił się do tanduru, w którym zaledwie przed godziną ich matka piekła chleb. Roszi słyszała, jak biedny krzyczał w płomieniach, potem potknęła się i upadła. Gdy przewróciła się na plecy, zobaczyła błękitne niebo i spadającą na nią siekierę. A potem już nic.

Amra milknie. W pokoju Leonard Cohen śpiewa *Who By Fire* w wersji koncertowej.

Gdyby Idris mógł wydobyć z siebie głos, a w tej chwili nie mógł, nie wiedziałby, co powiedzieć. Może wyraziłby bezradnie oburzenie, gdyby to była robota talibów, Al-Kaidy albo jakiegoś megalomańskiego dowódcy mudżahedinów. Ale tego nie można było zwalić na Hekmatjara, mułłę Omara, bin Ladena, Busha ani jego wojnę z terroryzmem. Zwykły przyziemny motyw sprawia, że zbrodnia wydaje się jeszcze bardziej przerażająca i przygnębiająca. Przychodzi do głowy słowo „bezsensowna", ale Idris je odrzuca. Ludzie zawsze tak mówią: „Bezsensowny akt przemocy. Bezsensowne morderstwo". Jakby można było popełnić morderstwo sensowne.

Myśli o dziewczynce, Roszi, skulonej pod ścianą, z podkurczonymi palcami u stóp, dziecięcym wyrazem twarzy.

O ranie na jej ogolonej głowie i wystającej błyszczącej tkance mózgowej wielkości pięści, która wznosi się na jej głowie jak turban sikha.

— Sama opowiedziała ci te historię? — pyta w końcu.

Amra z powagą kiwa głową

— Bardzo dobrze wszystko pamięta. Każdy szczegół. Chciałaby zapomnieć, bo śnią jej się koszmary.

— A brat? Co z nim?

— Za dużo poparzeń.

— A stryj? — chce wiedzieć Idris.

— Mówią, że trzeba być ostrożnym. W moim fachu należy być ostrożnym, zachować profesjonalizm. Nie można angażować się emocjonalnie. Ale Roszi i ja...

Muzyka nagle cichnie. Kolejna przerwa w dostawie prądu. Przez chwilę wszystko jest pogrążone w ciemności, świeci tylko księżyc. Idris słyszy, że ludzie mruczą z niezadowoleniem. Wkrótce zapalają się latarki.

— Walczę o nią — dodaje Amra. Nie podnosi głowy. — I nie przestanę.

 Następnego dnia Timur jedzie z Niemcami do miasteczka Istalif słynącego z ceramiki.

— Powinieneś wybrać się z nami.

— Wolę zostać i poczytać — odpowiada Idris.

— Czytać możesz w San Jose, braciszku.

— Muszę odpocząć. Wczoraj wieczorem chyba za dużo wypiłem.

Niemcy przyjeżdżają po Timura. Idris jeszcze przez jakiś czas leży w łóżku i patrzy na wyblakły plakat reklamowy z lat sześćdziesiątych wiszący na ścianie; przedstawia czwórkę uśmiechniętych jasnowłosych turystów wędrujących brzegiem jeziora Band-e Amir — to pozostałość z jego dzieciństwa tutaj, w Kabulu, jeszcze sprzed wojen, sprzed tego wszystkiego. Wczesnym popołudniem idzie na spacer. W małej knajpce zjada na lunch kebab. Trudno mu jednak delektować się posiłkiem, gdy przez szybę zaglądają te wszystkie brudne młode twarze i patrzą, jak je. To przytłaczające. Idris musi przyznać sam przed sobą, że Timur lepiej sobie radzi. Traktuje to jak zabawę. Gwiżdże niczym sierżant prowadzący musztrę i każe żebrzącym dzieciakom ustawić się w kolejce, a potem z woreczka na bakszysz wyjmuje kilka banknotów. Rozdając po jednym banknoty, stuka obcasami i salutuje. Dzieciaki to uwielbiają. Też salutują. Mówią na niego *kaka*. Czasami obejmują go za nogi i się po nich wspinają.

Po lunchu Idris łapie taksówkę i prosi kierowcę, żeby zawiózł go do szpitala.

— Ale najpierw proszę zatrzymać się na bazarze.

Niosąc pod pachą pudełko, idzie korytarzem wzdłuż pomalowanych graffiti ścian i sal z plastikowymi zasłonami zamiast drzwi. Mija powłóczącego nogami starszego mężczyznę z zasłoniętym okiem, pacjentów leżących w dusznych pomieszczeniach z wykręconymi żarówkami. Wszędzie unosi się kwaśna woń ludzkiego ciała. Na końcu korytarza przystaje przed zasłoną, a potem ją odsuwa. Serce mu się ściska, kiedy widzi dziewczynkę siedzącą na brzegu łóżka. Amra klęczy przed nią i myje jej ząbki. Po drugiej stronie łóżka siedzi mężczyzna, chudy, opalony,

173

z brodą jak gniazdo szczurów i ze szczeciniastymi ciemnymi włosami. Na widok Idrisa szybko wstaje, kładzie rękę na piersi i skłania głowę. Idris jest zdziwiony tym, jak łatwo miejscowi rozpoznają w nim Afgańczyka z Zachodu, jak trochę pieniędzy i władzy może dać w tym mieście nieograniczone przywileje. Mężczyzna mówi Idrisowi, że jest wujem Roszi, bratem jej matki.

— Wróciłeś — mówi do Idrisa Amra, wrzucając szczoteczkę do miski z wodą.

— Mam nadzieję, że nie masz nic przeciwko temu.

— Nie, dlaczego.

Idris odchrząkuje.

— *Salam*, Roszi.

Dziewczynka patrzy na Amrę, jakby prosiła ją o pozwolenie. Odzywa się niepewnym, piskliwym głosem:

— *Salam*.

— Przyniosłem ci prezent. — Idris otwiera pudełko.

W oczach Roszi pojawia się błysk, gdy widzi mały telewizor i wideo. Idris pokazuje cztery filmy, które kupił. W sklepie były głównie produkcje indyjskie, filmy akcji i sensacyjne, z Jetem Li, Jeanem-Claudem van Damme'em, cała seria ze Stevenem Seagalem. Ale udało mu się znaleźć *E.T.*, *Babe — świnkę z klasą*, *Toy Story* i *Stalowego giganta*.

Amra w farsi pyta Roszi, który z filmów chciałaby zobaczyć. Dziewczynka wybiera *Stalowego giganta*.

— Spodoba ci się — mówi Idris. Nie może patrzeć jej w twarz, mimowolnie spogląda bowiem na głowę, wypiętrzoną lśniącą tkankę mózgową, siatkę żył i naczyń włosowatych.

Po tej stronie korytarza nie ma gniazdka elektrycznego i Amrze dopiero po pewnym czasie udaje się znaleźć przedłużacz, ale kiedy Idris podłącza wreszcie telewizor i na ekranie pojawia się film, Roszi uśmiecha się szeroko. Widząc to, Idris uświadamia sobie, jak słabo zna życie, nawet w wieku trzydziestu pięciu lat, jego okrucieństwo, bezwzględność, bezgraniczne zdziczenie.

Kiedy Amra wychodzi, żeby zająć się innymi pacjentami, Idris siada przy łóżku dziewczynki i razem z nią ogląda film.

Wuj milczy, jest jak duch. W połowie filmu wysiada prąd. Roszi zaczyna płakać, więc wuj pochyla się na krześle i szorstkim gestem bierze ją za rękę. Szepcze szybko kilka słów w paszto, którego Idris nie zna. Roszi się krzywi i próbuje się odsunąć. Idris patrzy na jej rączkę w silnym uścisku wuja, na zbielałe knykcie.

Wkłada płaszcz.

— Wrócę jutro, Roszi, i jeśli będziesz chciała, obejrzymy inny film. Dobrze?

Roszi kuli się pod prześcieradłem. Idris spogląda na wuja i wyobraża sobie, co zrobiłby mu Timur — Timur, który, w przeciwieństwie do niego, nie potrafi panować nad emocjami. „Zostaw mnie z nim na dziesięć minut", powiedziałby.

Wuj wychodzi z nim za zasłonę. Na schodach, ku wielkiemu zaskoczeniu Idrisa, mówi:

— Ja tu jestem prawdziwą ofiarą, *sahib*.

Chyba widzi wyraz twarzy Idrisa, bo natychmiast się poprawia i dodaje:

— Oczywiście ona jest ofiarą. Ale ja też ucierpiałem. Pan to oczywiście rozumie, jest pan Afgańczykiem. Ale ci to cudzoziemcy, nie rozumieją.

— Muszę już iść — odpowiada Idris.

— Jestem *mazdur*, prosty robotnik. W lepsze dni zarabiam

175

dolara, może dwa, *sahib*. A mam pięcioro dzieci. Jedno z nich jest ślepe. A teraz jeszcze to. — Wzdycha. — Czasami sobie myślę... Boże, wybacz mi... mówię sobie, że może Allah powinien pozwolić Roszi... no, wie pan. Tak byłoby chyba lepiej. Bo pytam, *sahib*, jaki chłopak się z nią ożeni? Ona nigdy nie znajdzie męża. I kto ją weźmie pod opiekę? Ja będę musiał się nią zajmować. Już do końca życia.

Idris wie, że został przyparty do muru. Sięga po portfel.

— Ile pan da, *sahib*. Nie dla mnie, oczywiście. Dla Roszi.

Idris wręcza mu dwa banknoty. Wuj mruga, spogląda na pieniądze. Zaczyna mówić:

— Dwa... — ale zaraz zamyka usta, jakby się bał, że Idris uświadomi sobie pomyłkę.

— Proszę jej kupić porządne buty — rzuca Idris i rusza po schodach.

— Niech pana Allah błogosławi, *sahib*! — woła za nim wuj. — Jest pan dobrym człowiekiem. Jest pan bardzo dobrym człowiekiem.

Idris przychodzi następnego dnia i następnego. Niebawem staje się to jego zwyczajem i jest przy Roszi codziennie. Zna imiona sanitariuszy, pielęgniarzy pracujących na parterze, dozorcy, niedożywionych, zmęczonych wartowników przy bramie szpitala. Utrzymuje te wizyty w tajemnicy przed rodziną. Nie powiedział Nahil o Roszi w żadnej z rozmów telefonicznych. Nie mówi też Timurowi, dokąd chodzi, dlaczego nie pojechał z nim do Paghmanu ani na spotkanie z urzędnikiem w ministerstwie spraw wewnętrznych. Ale kuzyn i tak się dowiaduje.

— Dobrze — mówi. — To szlachetne z twojej strony. — Urywa, a zaraz potem dodaje: — Ale bądź przezorny.

— Chcesz przez to powiedzieć, żebym skończył z tymi wizytami?

— Za tydzień wyjeżdżamy, braciszku. Chyba nie chcesz, żeby dziewczynka się do ciebie przywiązała.

Idris kiwa głową. Zastanawia się, czy Timur nie jest trochę zazdrosny o jego stosunki z Roszi, może nawet ma mu za złe, że pozbawił go spektakularnej możliwości odgrywania bohatera. Timur, wychodzący w zwolnionym tempie z płonącego budynku z dzieckiem na rękach, oklaski tłumu. Idris nie pozwoli mu wykorzystać Roszi w ten sposób.

Mimo to kuzyn ma rację. Za tydzień wracają do domu, a Roszi zaczęła mówić na niego *kaka* Idris. Gdy zdarza mu się przyjechać później, dziewczynka się niepokoi. Przywiera do niego, a na jej twarzy pojawia się ulga. Czeka już na jego wizyty, tak mu powiedziała. Czasami, gdy oglądają film, ściska obiema dłońmi jego rękę. Gdy nie jest przy niej, Idris często myśli o jasnych włosach na jej ramionach, wąskich orzechowych oczach, ładnych stopach, okrągłych policzkach, geście, jakim podpiera rączkami brodę, kiedy on czyta jej jedną z książek dla dzieci, które kupił w księgarni przy francuskim liceum. Kilka razy nawet wyobraził sobie przelotnie, jak by to było, gdyby zabrał ją do USA: czy dogadałaby się z jego synami, Zabim i Lemarem. W ostatnim roku rozmawiał z Nahil o trzecim dziecku.

— I co teraz? — pyta Amra w przeddzień jego wyjazdu.

Tego dnia Roszi dała mu obrazek, który narysowała ołówkiem na karcie szpitalnej. Przedstawiał dwie postacie oglądające razem telewizję. Wskazał tę z długimi włosami.

— To ty? — zapytał.

— Mhm, a to ty, *kaka* Idris.

— Więc dawniej miałaś długie włosy? Przedtem?

— Siostra czesała mnie co wieczór. Wiedziała, jak to robić, żeby nie ciągnąć.

— Musiała być dobrą siostrą.

— Gdy odrosną, ty będziesz mógł mnie czesać.

— Chętnie.

— Nie wyjeżdżaj, *kaka*. Nie jedź.

— To urocza dziewczynka — mówi teraz do Amry. Bo tak uważa. Grzeczne dziecko, dobrze wychowane. Z pewnym poczuciem winy myśli o Zabim i Lemarze tam, w San Jose, którzy już dawno temu oświadczyli, że nie lubią swoich afgańskich imion, i zamieniają się w małych tyranów, rozwydrzone amerykańskie dzieciaki. A przecież oboje z Nahil obiecywali sobie, że nie wychowają ich na takich.

— Jest twarda — stwierdza Amra.

— Mhm.

Amra opiera się o ścianę. Szybkim krokiem mijają ich dwie sanitariuszki pchające nosze na kółkach. Leży na nich młody chłopak z zakrwawionym bandażem na głowie i otwartą raną uda.

— Inni Afgańczycy z Ameryki albo Europy — podejmuje Amra — przyjeżdżają tu i robią jej zdjęcia. Nagrywają ją na wideo. Składają obietnice. Potem wracają do domów i pokazują zdjęcia swoich rodzinom. Jakby była zwierzęciem z zoo. Pozwalam na to, bo wciąż myślę, że któryś z nich jej pomoże. Ale szybko zapominają. Później żaden się nie odzywa. Więc znowu pytam: co dalej?

— A ta operacja, której potrzebuje? — odpowiada Idris pytaniem. — Chcę, żeby ją przeprowadzono. — Amra patrzy na niego niepewnie. — Mamy u nas klinikę neurochirurgii. Porozmawiam z szefową. Zorganizujemy przewiezienie jej do Kalifornii, przeprowadzimy operację.

— Tak, ale pieniądze...

— Znajdziemy fundusze. W najgorszym razie ja je wyłożę.

— Z własnego portfela?

Idris się śmieje.

— Mówi się „z własnej kieszeni". Ale owszem, tak.

— Musimy uzyskać zgodę wuja.

— Jeśli się jeszcze pokaże. — Od czasu gdy Idris wręczył mu dwieście dolarów, wuj nie dał znaku życia.

Amra uśmiecha się do niego. Nigdy czegoś takiego nie robił. W tym zobowiązaniu, które przypomina skok na główkę do wody, jest coś upajającego, a nawet euforycznego. Idris czuje przypływ energii. To prawie zapiera mu dech w piersi. Ku swojemu zdziwieniu zauważa, że łzy napływają mu do oczu.

— *Hvala* — mówi Amra. — Dziękuję ci.

Staje na palcach i całuje go w policzek.

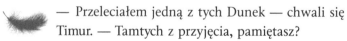 — Przeleciałem jedną z tych Dunek — chwali się Timur. — Tamtych z przyjęcia, pamiętasz?

Idris odrywa wzrok od okna samolotu. Podziwiał małe jasnobrązowe szczyty Hindukuszu daleko w dole. Odwraca głowę i patrzy na Timura, który siedzi przy przejściu.

— Tę brunetkę. Połknąłem połówkę witaminy V i ujeż-dżałem babkę aż do porannej modlitwy.

— O rany, czy ty kiedykolwiek dorośniesz? — pyta Idris zirytowany, że Timur obarczył go wiedzą o swoim występku, skoku w bok, groteskowej fanfaronadzie.

179

Timur prycha.

— Pamiętaj, kuzynie, to, co się dzieje w Kabulu...

— Nie musisz kończyć.

Timur się śmieje.

Gdzieś z tyłu samolotu odbywa się jakaś impreza. Ktoś śpiewa w paszto, inny stuka palcami w styropianowy talerz jak w tamburę.

— Nie do wiary, że wpadliśmy na starego Nabiego — mówi Timur. — O rany.

Idris wyjmuje z kieszeni na piersi tabletkę nasenną i połyka ją bez popijania.

— Więc wracam za miesiąc — ciągnie Timur. Splata ręce na piersi i zamyka oczy. — Pewnie trzeba będzie jeszcze odbyć kilka podróży, ale powinno się udać.

— Ufasz temu Farughowi?

— Nie ufam. Dlatego zamierzam tam wrócić.

Farugh to prawnik, którego wynajął Timur. Specjalizuje się w odzyskiwaniu utraconych nieruchomości w Kabulu i pomaga w tym Afgańczykom, którzy kiedyś wyemigrowali z kraju. Timur opowiada o formalnościach, które Farugh ma załatwić, i o sędzim, który będzie prowadził sprawę, to dalszy kuzyn żony Farugha. Idris opiera skroń o szybę i czeka, aż pigułka zacznie działać.

— Idrisie? — zagaduje cicho Timur.

— Tak?

— Widzieliśmy tam przykre rzeczy, no nie?

Co za głęboka refleksja, braciszku.

— Mhm.

Wkrótce zaczyna szumieć mu w głowie, powieki opadają.

Odpływając w sen, myśli o pożegnaniu z Roszi, jak trzymał ją za rękę i mówił, że niebawem znowu się zobaczą, a ona szlochała cicho, niemal bezgłośnie, na jego kolanach.

Podczas jazdy do domu z lotniska w San Francisco Idris przypomina sobie z sentymentem szalony chaos panujący na ulicach Kabulu. To dziwne uczucie, prowadzić lexusa, jechać autostradą o równej nawierzchni, bez dziur, dobrze oznakowaną, gdzie wszyscy kierowcy są tacy uprzejmi, sygnalizują, ustępują z drogi. Uśmiecha się na wspomnienie młodych zuchwałych taksówkarzy, którym obaj z Timurem powierzali swoje życie w Kabulu.

Siedząca na fotelu pasażera Nahil ma mnóstwo pytań. Czy w Kabulu jest bezpiecznie? Co jedli? Czy się pochorował? Czy fotografował i nagrywał wszystko? Starał się. Opisuje jej zbombardowane szkoły, dzikich lokatorów koczujących w domach bez dachów, żebraków, błoto na ulicach, przerwy w dostawach prądu, ale to jakby opisywał muzykę. Nie potrafi tego ożywić. Dziwne, niesamowite szczegóły, jak siłownia wśród gruzów z wizerunkiem Schwarzeneggera w oknie. Takie detale już mu umykają i jego opisy brzmią bezbarwnie, płasko, jak zwykłe doniesienia prasowe.

Chłopcy, którzy siedzą z tyłu, starają się być mili i przez jakiś czas go słuchają, a przynajmniej udają, bo Idris czuje, że są znudzeni. Potem Zabi, który ma osiem lat, prosi Nahil, żeby włączyła film. Lemar, dwa lata starszy, stara się słuchać, ale wkrótce Idris słyszy warkot samochodu wyścigowego dobiegający z Nintendo DS.

— Co z wami, chłopcy? — łaje ich Nahil. — Wasz ojciec wrócił z Kabulu. Nie jesteście ciekawi, co ma do powiedzenia? Nie chcecie go o coś zapytać?

— W porządku — mówi Idris. — Dajmy im spokój.

Ale jest rozdrażniony ich brakiem zainteresowania, głupią nieświadomością, jakie dostali uprzywilejowane życie od kapryśnego losu. Nagle czuje rozdźwięk między sobą a rodziną, nawet Nahil, bo większość jej pytań dotyczy knajp i braku kanalizacji w domach. Idris patrzy na nich wszystkich oskarżycielsko, tak jak miejscowi musieli patrzeć na niego, gdy po latach przyjechał do Kabulu.

— Umieram z głodu — oznajmia.

— Na co masz ochotę? — pyta Nahil. — Na sushi, a może włoską kuchnię? Przy Oakridge jest nowa knajpka.

— Zjedzmy coś afgańskiego.

Jadą więc do Abe's Kabob House we wschodniej części San Jose, w pobliżu dawnego pchlego targu w Berryessie. Jej właściciel, Abdullah, to siwowłosy mężczyzna po sześćdziesiątce, z podkręconymi do góry wąsami i silnymi dłońmi. Jest jednym z pacjentów Idrisa, tak jak jego żona. Abdullah macha do niego zza kasy, gdy Idris z rodziną wchodzi do restauracji. Abe's Kabob House to mały rodzinny biznes: tylko osiem stolików oddzielonych winylowymi, często lepkimi ściankami, laminowane karty dań, plakaty przedstawiające krajobrazy Afganistanu, stary saturator, w kącie regał z produktami do kupienia. Abdullah wita gości, prowadzi kasę, sprząta ze stolików. Jego żona Soltana krząta się na zapleczu, to ona dokonuje cudów w kuchni. Idris widzi ją tam pochyloną nad garnkiem: włosy ma ukryte pod czepkiem, a oczy zmrużone od pary. Ona i Abdullah pobrali się w Pakistanie pod koniec lat siedemdziesiątych, jak powiedzieli Idrisowi, po przewrocie komunistycznym. W 1982 dostali w USA azyl polityczny i w tym samym roku urodziła im się córka Pari.

To ona teraz przyjmuje zamówienia. Pari, miła i uprzejma, ma po matce jasną skórę i taki sam twardy błysk w oczach. A także dziwnie nieproporcjonalną budowę ciała: jest szczupła i drobna do pasa, a poniżej dość potężna, ma szerokie biodra, masywne uda i grube kostki. Nosi, tak jak tego dnia, szerokie spódnice do kostek.

Idris i Nahil zamawiają jagnięcinę z brązowym ryżem i bolani. Chłopcy wybierają chapli kebaby, które najbardziej w całym menu przypominają hamburgery. Gdy czekają na zamówienie, Zabi opowiada Idrisowi, że jego drużyna piłki nożnej dotarła do finałów. On gra na prawym skrzydle. Mecz odbędzie się w niedzielę. Lemar mówi, że w sobotę ma recital gitarowy.

— Co zagrasz? — pyta Idris sennie, czując już skutki zmiany stref czasowych.

— *Paint It Black*.

— Super.

— Nie wiem, czy dobrze to przećwiczyłeś — zauważa Nahil z lekką przyganą.

Lemar rzuca na stół papierową serwetkę, którą zwijał.

— Mamo! No naprawdę! Czy ty nie widzisz, ile ja mam codziennie do zrobienia?

W połowie posiłku podchodzi do nich Abdullah. Wyciera ręce w fartuch, który ma zawiązany w pasie, i pyta, czy wszystko im smakuje, czy podać coś jeszcze.

Idris mówi mu, że właśnie wrócili z Timurem z Kabulu.

— Co tam Timur *jan* znowu kombinuje? — pyta Abdullah.

— Nic dobrego, jak zwykle.

Abdullah uśmiecha się szeroko. Bardzo lubi Timura i Idris o tym wie.

— A jak twój biznes?

Abdullah wzdycha.

— Doktorze Basziri, gdybym chciał rzucić na kogoś przekleństwo, powiedziałbym: „Nich Bóg da mu restaurację".

Śmieją się z nim przez chwilę.

Później, kiedy wychodzą z knajpki i wsiadają do SUV-a, Lemar pyta:

— Tato, czy on wszystkim daje jedzenie za darmo?

— Oczywiście, że nie.

— To dlaczego nie chciał przyjąć od ciebie pieniędzy?

— Bo jesteśmy Afgańczykami, a poza tym go leczę — wyjaśnia Idris, co tylko częściowo odpowiada prawdzie. Prawdziwą przyczynę stanowi prawdopodobnie to, że jest kuzynem Timura, a Timur przed kilkoma laty pożyczył Abdullahowi pieniądze na otwarcie restauracji.

W domu Idris dziwi się, widząc, że z podłogi w salonie i w holu została zdjęta wykładzina, na schodach widać gołe deski i gwoździe. Potem jednak przypomina mu się, że robią remont, wymieniają wykładzinę na parkiet — szerokie klepki z wiśniowego drewna w kolorze miedzianego czajnika, jak nazwał je producent. Drzwi szafek kuchennych zostały wypiaskowane, a tam gdzie stała mikrofalówka, teraz jest puste miejsce. Nahil wyjaśnia, że w poniedziałek pracuje tylko pół dnia, bo rano spotyka się z parkieciarzem i Jasonem.

— Jasonem? — Potem sobie przypomina: Jason Speer, facet od kina domowego.

— Przychodzi, żeby zrobić pomiary. Już kupił dla nas na wyprzedaży głośniki i projektor. W środę przyśle trzech ludzi, którzy zaczną instalować sprzęt.

Idris kiwa głową. Kino domowe było jego pomysłem, zawsze o nim marzył, ale teraz wprawia go to w zakłopotanie. Czuje do tego wszystkiego dystans. Jason Speer, odnowione szafki i podłoga w kolorze miedzianego czajnika, trampki dla chłopców za sto sześćdziesiąt dolarów, szenilowe kapy do jego pokoju, cała ta energia, jaką razem z Nahil w to wkładają. Te jego ambicje wydają mu się teraz błahe. Uświadamiają mu rozdźwięk między jego życiem a tym, co widział w Kabulu.

— Co się stało, kochanie?

— To tylko zmęczenie po podróży — odpowiada Idris. — Muszę się przespać.

W sobotę jakoś udaje mu się przetrwać recital gitarowy Lemara, a w niedzielę większą część meczu piłkarskiego Zabiego. W drugiej połowie musi wymknąć się na parking i zdrzemnąć w samochodzie przez pół godziny. Na szczęście Zabi nawet nie zauważa jego nieobecności. W niedzielę wieczorem przychodzi na kolację kilku sąsiadów. Przekazują sobie zdjęcia z podróży Idrisa, a potem przez godzinę cierpliwie oglądają nagranie wideo z Kabulu, które Nahil, wbrew jego protestom, postanawia im pokazać. Przy kolacji wypytują Idrisa o podróż, o sytuację w Afganistanie i jego zdanie na ten temat. On popija mohito i udziela krótkich odpowiedzi.

— Nie mogę sobie wyobrazić, jak tam jest — mówi Cynthia, instruktorka pilatesu w klubie, w którym ćwiczy Nahil.

— Kabul to... — Idris szuka właściwego słowa — tysiąc tragedii na kilometr kwadratowy.

— To musiał być dla ciebie szok kulturowy.

— Tak, był. — Idris nie mówi, że prawdziwy szok kulturowy przeżył po powrocie.

W końcu rozmowa schodzi na kradzieże poczty, które ostatnio dotknęły okolicę.

Leżąc wieczorem w łóżku, Idris pyta:

— Myślisz, że musimy mieć to wszystko?

— To wszystko? — pyta Nahil, myjąc zęby przy umywalce. Idris widzi ją w lustrze.

— Tak, to wszystko. Te rzeczy.

— Nie, nie potrzebujemy ich, jeśli to masz na myśli — odpowiada Nahil. Wypluwa wodę do umywalki, a potem znowu płucze zęby.

— Nie sądzisz, że za dużo tego?

— Ciężko na to pracowaliśmy, Idrisie. Przypomnij sobie nasze egzaminy, akademię medyczną, prawo, lata oczekiwania na obywatelstwo. Nikt nam niczego nie dał w prezencie. Nie musimy za nic przepraszać.

— Za cenę kina domowego moglibyśmy zbudować szkołę w Afganistanie.

Nahil wchodzi do sypialni i siada na łóżku, żeby wyjąć z oczu szkła kontaktowe. Ma piękny profil. Idris uwielbia linię jej czoła i nosa, prawie jednolitą, mocno zarysowane kości policzkowe, smukłą szyję.

— Więc zróbmy jedno i drugie — mówi, odwracając się do niego i mrugając po wpuszczeniu kropli do oczu. — Przecież możemy.

Przed kilkoma laty Idris odkrył, że Nahil pomaga chłopcu z Kolumbii, Miguelowi. Nic mu o tym nie powiedziała, a ponieważ to ona zajmowała się korespondencją i finansami,

186

Idris przez długi czas trwał w nieświadomości, aż pewnego dnia zobaczył żonę czytającą list od Miguela. Przetłumaczyła go z hiszpańskiego zakonnica. W kopercie znajdowało się też zdjęcie wysokiego chudego chłopca stojącego z piłką pod pachą przed chatą ze słomy. Za nim widać było chude krowy i zielone wzgórza. Nahil zaczęła mu pomagać, jeszcze gdy była na studiach prawniczych. Od jedenastu lat wysyłane przez nią czeki dyskretnie mijały się ze zdjęciami Miguela i tłumaczonymi przez zakonnice pełnymi wdzięczności listami.

Nahil zdejmuje pierścionki.

— Więc o to chodzi? Masz poczucie winy, że przeżyłeś?

— Po prostu teraz widzę różne rzeczy inaczej.

— I dobrze. Więc wykorzystaj to. Ale przestań skupiać się na sobie.

Z powodu zmiany stref czasowych Idris nie może tej nocy spać. Przez jakiś czas czyta, ogląda na dole powtórkę *Prezydenckiego pokera*, wreszcie ląduje przed komputerem w pokoju gościnnym, który Nahil zamieniła w gabinet. Znajduje e-mail od Amry, która wyraża nadzieję, że bezpiecznie wrócił do domu i że jego rodzina jest zdrowa. W Kabulu pada „wściekle", błoto na ulicach po kostki. Deszcz spowodował powódź i trzeba było helikopterem ewakuować około dwustu rodzin z Szomali, na północ od Kabulu. Z powodu wsparcia udzielonego przez Kabul Bushowi oraz spodziewanych akcji odwetowych Al-Kaidy zaostrzono środki bezpieczeństwa. Na końcu Amra pyta: „Rozmawiałeś już ze swoją szefową?".

Do wiadomości załączony jest krótki list od Roszi przetłumaczony przez Amrę:

Salam, kaka Idris!

W Bogu nadzieja, że bezpiecznie dotarłeś do Ameryki. Twoja rodzina pewno bardzo się cieszy, że już jesteś. Myślę o Tobie codziennie. Codziennie oglądam filmy, które mi kupiłeś. Smutno mi, że nie ma Cię tutaj i nie możemy oglądać ich razem. Czuję się dobrze i Amra się mną opiekuje. Proszę, pozdrów ode mnie swoich bliskich. Mam nadzieję, że zobaczymy się niedługo w Kalifornii.

Z wyrazami szacunku,

Roszana

Idris odpowiada Amrze, pisze, że bardzo mu przykro z powodu powodzi. Wyraża nadzieję, że deszcze ustaną. Obiecuje, że w przyszłym tygodniu porozmawia z szefową o Roszi. Poniżej dodaje:

Salam, Roszi *jan*!

Dziękuję za list. Ucieszyłem się, że do mnie napisałaś. Ja też dużo o Tobie myślę. Opowiedziałem o Tobie mojej rodzinie i wszyscy bardzo by chcieli Cię poznać, zwłaszcza moi synowie, Zabi *jan* i Lemar *jan*, którzy stale mnie o Ciebie wypytują. Czekamy na Twój przyjazd. Przesyłam pozdrowienia,

kaka Idris

Wylogowuje się i idzie spać.

W poniedziałek, po przyjściu do pracy, zastaje stos wiadomości telefonicznych. Z koszyka wysypują się prośby o wypisanie recept. Musi przejrzeć ponad sto sześćdziesiąt e-maili i odsłuchać pocztę głosową, która jest pełna. Studiuje swój harmonogram zajęć w komputerze i przerażony widzi dodatkowe wizyty — wciśniętych pacjentów, jak to mówią w środowisku lekarskim — które dopisano mu w okienkach w całym przyszłym tygodniu. Co gorsza, widzi nazwisko pani Rasmussen, zapisanej na popołudnie, wyjątkowo nieprzyjemnej, kłótliwej baby z dziwnymi objawami, odpornymi na wszelkie sposoby leczenia. Poci się na myśl o tym, że będzie musiał stawić czoło tej wymagającej kobiecie. I wreszcie wiadomość głosowa od szefowej, Joan Schaeffer, która informuje go, że pacjent, u którego przed wyjazdem do Kabulu zdiagnozował zapalenie płuc, miał, jak się okazało, rozległy zawał serca. Ten przypadek będzie rozpatrywany w przyszłym miesiącu na seminarium lekarskim, comiesięcznej wideokonferencji transmitowanej przez wszystkie lecznice, na której dla celów naukowych omawia się pomyłki lekarzy — oczywiście anonimowo. Ale ta anonimowość, z tego, co Idris się orientuje, nie jest całkowita. Co najmniej połowa uczestników będzie wiedziała, kto jest winowajcą.

Czuje, że zaczyna go boleć głowa.

Przed południem ma już duże opóźnienie w stosunku do grafiku. Do gabinetu wchodzi nieumówiony na wizytę pacjent z astmą i niewydolnością oddechową, wymagający monitorowania pracy płuc i saturacji. Pracownik kadry kierowniczej, mężczyzna w średnim wieku, którego Idris widział przed trzema laty, zgłasza się z zawałem serca. Idris nie ma czasu pójść na lunch, udaje mu się wyrwać dopiero po południu. W sali konferencyjnej, w której jadają lekarze, połyka nerwowo duże kęsy suchej kanapki z kurczakiem, próbując nadgonić notatki. Odpowiada na wciąż te same pytania kolegów. Czy w Kabulu jest bezpiecznie? Co Afgańczycy sądzą o obecności Amerykanów? Udziela zwięzłych odpowiedzi i myśli o pani Rasmussen, wiadomościach w poczcie głosowej, na które musi odpowiedzieć, receptach, które musi sprawdzić i podpisać, trzech dodatkowych pacjentach zapisanych na popołudnie, nadchodzącej wideokonferencji, robotnikach piłujących, wiercących i wbijających gwoździe w jego domu. Gdy opowiada o Afganistanie, nagle ma wrażenie, jakby mówił o niedawno obejrzanym, emocjonalnie wyczerpującym filmie, który powoli zaciera się w pamięci — i jest zaskoczony, jak szybko i niezauważalnie dokonał się w nim ten proces.

Jak się okazuje, to najcięższy tydzień w jego karierze. Choć miał szczery zamiar, nie znajduje czasu, żeby pogadać z Joan Schaeffer o Roszi. Przez cały tydzień jest w fatalnym nastroju. W domu krótko rozmawia z chłopcami, irytują go przychodzący i wychodzący robotnicy, denerwuje hałas. Nie może jeszcze normalnie spać. Przychodzą dwa kolejne e-maile od Amry, która donosi o tym, co dzieje się w Kabulu. Otwarto znowu szpital dla kobiet. Rząd Karzaja pozwolił kablowym stacjom telewizyjnym emitować programy, wbrew twardogłowym islamistom, którzy byli temu przeciwni. W postscriptum drugiego e-maila pisze, że od czasu jego wyjazdu Roszi zamknęła się w sobie. Pyta, czy rozmawiał już z szefową. Idris odchodzi od komputera. Później wraca, zawstydzony, że wiadomość od Amry go zirytowała, że przez chwilę miał ochotę odpisać dużymi literami: „Porozmawiam we właściwym czasie".

— Mam nadzieję, że nie czułeś się źle.
Joan Schaeffer siedzi za biurkiem z rękami splecio-

nymi na kolanach. To energiczna, pogodna kobieta o okrągłej twarzy i suchych siwych włosach. Spogląda na niego znad wąskich okularów do czytania zsuniętych na czubek nosa.

— Rozumiesz, że nie chodziło o to, by kwestionować twoje kwalifikacje?

— Tak, oczywiście — odpowiada Idris. — Rozumiem.

— I nie przejmuj się za bardzo. To mogło się zdarzyć każdemu z nas. Zawał serca i zapalenie płuc... czasami trudno je odróżnić.

— Dzięki, Joan. — Wstaje, żeby wyjść, ale zatrzymuje się przy drzwiach. — Och, chciałem jeszcze o czymś z tobą porozmawiać.

— Jasne. Nie ma sprawy. Usiądź.

Siada. Opowiada jej o Roszi, opisuje uraz, przedstawia sytuację w szpitalu Wazir Akbar Chan. Mówi wprost o zobowiązaniach, jakie podjął wobec Amry i dziewczynki. Wyrzucając to wszystko z siebie, czuje się przytłoczony złożoną obietnicą, inaczej niż w Kabulu, na korytarzu, gdy Amra całowała go w policzek. Z zażenowaniem stwierdza, że ma wyrzuty sumienia jak ktoś, kto postąpił pochopnie.

— Mój Boże, Idrisie. — Joan kręci głową. — Podziwiam cię. Straszna historia. Biedne dziecko. To przekracza wszelkie wyobrażenie.

— No właśnie — odpowiada Idris.

Pyta, czy zespół podejmie się operacji Roszi.

— Może nie jednej — zaznacza. — Wydaje mi się, że będzie potrzeba ich więcej.

Joan wzdycha.

— Chciałabym. Ale, szczerze mówiąc, wątpię, żeby zarząd wyraził zgodę. Bardzo wątpię. Wiesz, że od pięciu lat mamy czerwone światło. No i byłyby do załatwienia kwestie prawne, i to skomplikowane.

Szefowa czeka na jego protest, jest na to przygotowana, ale on go nie zgłasza.

— Rozumiem — mówi tylko.

— Może uda ci się znaleźć jakąś organizację dobroczynną, która zajmuje się takimi przypadkami, nie sądzisz? To wymagałoby trochę starań, ale...

— Zastanowię się. Dzięki, Joan. — Wstaje zaskoczony, że jej odpowiedź sprawiła, iż odczuł ulgę, wręcz zrobiło mu się lżej.

Instalacja kina domowego zajmuje kolejny miesiąc, ale efekt jest tego wart. Obraz emitowany przez projektor pod sufitem jest ostry jak żyletka, a ruch na studwucalowym ekranie niemal płynny. Dźwięk w systemie Dolby Surround 7.1, korektor graficzny i pułapki basowe, które ustawiono w czterech kątach, czynią prawdziwe cuda, jeśli chodzi o akustykę. Oglądają właśnie *Piratów z Karaibów*, chłopcy, zachwyceni technologią, siedzą po obu jego bokach, jedząc popcorn z kubełka, który trzyma na kolanach. Obaj zasypiają przed finałową, trochę przydługą sceną bitwy.

— Położę ich do łóżka — mówi Idris do Nahil.

Bierze na ręce jednego, potem drugiego. Chłopcy rosną, ich smukłe ciała strzelają w górę w przerażającym tempie. Gdy kładzie każdego z nich na łóżku, ogarnia go bolesna świadomość, że sprawią mu ból. Za rok, najwyżej dwa, zejdzie na drugi plan. Synowie znajdą sobie nowe fascynacje, nowe rzeczy, nowych ludzi, i zaczną się wstydzić rodziców. Idris myśli z tęsknotą o czasach, kiedy byli mali i bezradni, całkowicie od niego zależni. Przypomina sobie, jak Zabi kilka lat temu bał się studzienek, obchodził je szerokim łukiem. Kiedyś, oglądając jakiś stary film, Lemar zapytał Idrisa, czy już żył, gdy świat był czarno-biały. To wspomnienie wywołuje uśmiech na jego twarzy. Idris całuje synów w policzki.

Siada w ciemności i patrzy na śpiącego Lemara. Teraz widzi, że ocenił chłopców pochopnie, niesprawiedliwie. A siebie samego zbyt surowo. Nie zrobił nic złego. Na wszystko, co ma, zapracował. W latach dziewięćdziesiątych, kiedy większość kolegów chodziła po klubach i uganiała się za dziewczynami, on pilnie studiował, wędrował szpitalnymi korytarzami o drugiej w nocy, nie myśląc o rozrywkach, wygodzie, śnie. Czas do trzydziestki poświęcił medycynie. Spłacił dług. Dlaczego miałby czuć się winny? To jego rodzina. Jego życie.

W ostatnim miesiącu Roszi stała się dla niego abstrakcją, jak bohaterka sztuki. Ich więź się rozluźniła. Niespodziewana bliskość, która nawiązała się między nimi w szpitalu, taka serdeczna, osłabła. Determinacja, którą wtedy czuł, teraz wydaje mu się iluzją, mirażem. Uległ działaniu czegoś podobnego do narkotyku. Dystans między nim a dziewczynką staje się ogromny. Nieskończony, nie do pokonania. A obietnica, którą złożył, nieprzemyślana i pochopna, przekracza jego możliwości i chęci. Lepiej o niej zapomnieć. Nie może jej spełnić. To takie proste. W ciągu ostatnich dwóch tygodni dostał jeszcze trzy e-maile od Amry. Pierwszy przeczytał, ale nie odpowiedział. Dwa następne skasował bez czytania.

 Kolejka, w której stoi dwanaście, trzynaście osób, ciągnie się w księgarni od prowizorycznego podestu do półki z czasopismami. Wysoka kobieta o szerokiej twarzy rozdaje kolejkowiczom żółte samoprzylepne karteczki, żeby napisali na nich swoje nazwiska i to, co ma się znaleźć w dedykacji. Sprzedawczyni na początku kolejki pomaga ludziom otwierać książki na pierwszej stronie.

Idris zbliża się do początku kolejki, trzymając w ręku swój egzemplarz. Stojąca przed nim kobieta po pięćdziesiątce, z krótko obciętymi włosami, odwraca się i pyta:

— Czytał pan to już?

— Nie — odpowiada Idris.

— My mamy to omawiać na następnym spotkaniu klubu książki, w przyszłym miesiącu. Tym razem ja wybierałam.

— Aha.

Kobieta marszczy czoło i przykłada do niego dłoń.

— Mam nadzieję, że ludzie będą ją czytali. To taka poruszająca historia. Taka inspirująca. Założę się, że nakręcą według niej film.

Powiedział prawdę. Nie przeczytał książki i wątpi, aby kiedykolwiek się na to zdobył. Nie chciałby odnaleźć samego siebie na jej kartach. Ale inni ją przeczytają. I wtedy zostanie zdemaskowany. Ludzie się dowiedzą. Nahil, jego synowie, koledzy. Na samą myśl o tym robi mu się niedobrze.

Znów otwiera książkę, kartkuje podziękowania, biogram współautora, który właściwie ją napisał. Patrzy na zdjęcie zamieszczone na skrzydełku obwoluty. Nie ma śladu po ranie. Jeśli pozostała blizna, a to pewne, zasłaniają ją długie wijące się, czarne włosy. Roszi ma na sobie bluzkę ze złotymi paciorkami, naszyjnik z imieniem Allaha, kolczyki z lazurytu. Stoi oparta o drzewo i z uśmiechem patrzy prosto w obiektyw. Idris myśli o ludzikach, które mu kiedyś narysowała. „Nie jedź. Nie wyjeżdżaj, *kaka*". Nie dostrzega w tej młodej kobiecie nawet cienia tamtej drżącej istoty, którą zobaczył za zasłoną sześć lat temu.

Spogląda na wydrukowaną dedykację.

Dwóm aniołom:
mojej matce Amrze i kace *Timurowi.*
To Wy mnie uratowaliście.
Zawdzięczam Wam wszystko.

Kolejka się posuwa. Kobieta z krótkimi jasnymi włosami dostaje autograf. Odchodzi i Idris, z sercem w gardle, robi krok do przodu. Roszi podnosi głowę. Ma afgański szal narzucony na pomarańczową bluzkę z długimi rękawami i małe owalne kolczyki. Jej oczy wydają mu się ciemniejsze, niż zapamiętał, a ciało nabrało kobiecych kształtów. Dziewczyna patrzy na niego bez zmrużenia oka, z uprzejmym uśmiechem, i choć nic nie wskazuje na to, że go rozpoznała, w wyrazie jej twarzy można dostrzec coś jakby rozbawienie, pewien dystans, przekorę. To go peszy i nagle wylatują mu z głowy wszystkie teksty, które sobie przygotował — a nawet spisał i przećwiczył. Nie może wydobyć głosu. Stoi w milczeniu jak głupek.

Sprzedawczyni chrząka.

— Proszę pana, jeśli poda mi pan książkę, otworzę ją na stronie tytułowej, a Roszi podpisze.

Książka. Idris spuszcza wzrok i zauważa, że ściska ją w ręku. Oczywiście nie przyszedł tu po autograf. To byłaby bezczelność — groteskowa bezczelność — po tym wszystkim. Mimo to podaje machinalnie książkę, sprzedawczyni z wprawą otwiera ją na odpowiedniej stronie, a Roszi pisze coś poniżej tytułu. Zostało mu jeszcze kilka sekund, żeby coś powiedzieć, nie po to, by wytłumaczyć się z niewytłumaczalnego, ale dlatego że jest jej to winien. Ale kiedy sprzedawczyni oddaje mu książkę, nie może przywołać odpowiednich słów. Pragnąłby mieć choć trochę odwagi Timura. Znów spogląda na Roszi. Ona już jednak patrzy na następną osobę w kolejce.

— Jestem... — zaczyna.

— Proszę pana, proszę się przesuwać, tylu ludzi jeszcze czeka — mówi sprzedawczyni.

Idris spuszcza głowę i odchodzi.

Samochód zostawił na parkingu za księgarnią. Idzie tam, ale to najdłuższa droga w jego życiu. Zatrzymuje się i uchyla drzwi auta. Otwiera książkę drżącymi rękami. Widzi nie tylko autograf, ale jeszcze dwa zdania po angielsku.

Zamyka książkę i oczy. Chyba powinien odczuć ulgę. Ale gdzieś w głębi duszy pragnie czegoś innego. Może wolałby, żeby Roszi się skrzywiła, powiedziała coś infantylnego, z pogardą albo niechęcią. Okazała urazę. To może byłoby lepsze. A zamiast tego czysta, dyplomatyczna odprawa: *Nie przejmuj się. Jesteś poza tym.* Akt łaski. A może, mówiąc dokładniej, akt litości. Powinien odczuć ulgę. Ale czuje tylko ból. Jak od ciosu, uderzenia siekierą w głowę.

Niedaleko, pod wiązem, stoi ławka. Podchodzi do niej i kładzie książkę. Wraca do samochodu i siada za kierownicą. Ale dopiero po chwili znajduje siły, żeby przekręcić kluczyk w stacyjce i odjechać.

6

Luty 1974

OD WYDAWCY

„Paralaksa" 84 (zima 1974), s. 5

Drodzy Czytelnicy!

Pięć lat temu, gdy zaczęliśmy wydawać nasz kwartalny dodatek, prezentujący wywiady z mało znanymi poetami, nie spodziewaliśmy się, że zdobędzie aż taką popularność. Wielu z Was prosiło o więcej i dzięki Waszym entuzjastycznym listom te wydania stały się w „Paralaksie" coroczną tradycją, a zamieszczane w nich profile — ulubionymi tekstami naszego zespołu redakcyjnego. Doprowadziły one do odkrycia — albo przypomnienia — naprawdę wartościowych poetów, a także przywrócenia ich twórczości należnego miejsca w literaturze.

Niestety jednak na obecne wydanie padł cień. Prezentujemy w nim Nilę Wahdati, afgańską poetkę, z którą zeszłej zimy rozmawiał w Courbevoie pod Paryżem

Étienne Boustouler. Pani Wahdati, jak z pewnością Państwo przyznają, udzieliła jednego z najbardziej szczerych wywiadów, jakie do tej pory opublikowaliśmy. Jednak właśnie dowiedzieliśmy się ze smutkiem, że niedługo po tym spotkaniu zmarła. Środowisko poetów odczuje jej stratę. Zostawiła córkę.

To niesamowity zbieg okoliczności. W chwili gdy drzwi windy się otwierają, dzwoni telefon. Pari go słyszy, bo dźwięk dochodzi z mieszkania Juliena tuż przy windzie, na końcu wąskiego, słabo oświetlonego korytarza. Intuicyjnie wie, kto dzwoni. A wyraz twarzy Juliena mówi, że on też się domyśla.

Julien, który już wsiadł do windy, mówi:

— Niech dzwoni.

Za nim stoi nieprzystępna kobieta o rumianej twarzy, ta z wyższego piętra, która patrzy niecierpliwie na Pari. Julien nazywa ją *la chèvre*, bo ma zarost na brodzie przypominający kozią bródkę.

— Chodź, Pari — mówi. — Bo się spóźnimy.

Zarezerwował stolik na dziewiętnastą w nowej restauracji w XVI dzielnicy, gdzie podobno podają doskonałe *poulet braisé*, *sole cardinale* i wątróbkę cielęcą w occie z sherry. Mają się tam spotkać z Christianem i Aurelie, przyjaciółmi Juliena z czasów uniwersyteckich — to znaczy ze studiów, nie z okresu, gdy był wykładowcą. Umówili się na aperitif o osiemnastej trzydzieści, a jest już osiemnasta piętnaście. Muszą dojść do stacji metra, podjechać do Muette, a potem przejść jeszcze sześć przecznic do restauracji.

Telefon wciąż dzwoni.

Koza pokasłuje.

Julien odzywa się bardziej stanowczo:

— Pari?

— To pewnie *maman* — odpowiada.

— Tak, domyślam się.

Pari myśli irracjonalnie, że *maman* — tak lubiąca dramatyzować — wybrała sobie akurat ten moment, żeby zmusić ją do wyboru: czy ma wsiąść do windy z Julienem, czy odebrać jej telefon.

— To może być coś ważnego — odpowiada.

Julien wzdycha.

Drzwi windy się zamykają i Julien opiera się o ścianę korytarza. Wsuwa ręce do kieszeni trencza i w tej chwili wygląda jak jeden z bohaterów powieści kryminalnych Melville'a.

— Zaraz wracam — rzuca Pari.

Julien patrzy na nią sceptycznie.

Jego mieszkanie jest małe. Sześć szybkich kroków i Pari przechodzi przez hol, mija kuchnię i już siedzi na brzegu łóżka. Sięga po słuchawkę telefonu stojącego na pojedynczej szafce nocnej, bo na drugą nie ma miejsca. Widok jest jednak wspaniały. Teraz pada deszcz, ale w pogodny dzień z okna po wschodniej stronie widać prawie całą XIX i XX dzielnicę.

— *Oui, allo?* — mówi Pari do słuchawki.

— *Mademoiselle* Pari Wahdati? — odzywa się męski głos.

— Kto mówi?

— Jest pani córką *madame* Nili Wahdati?

— Tak.

— Jestem doktor Delaunay. Dzwonię w sprawie pani matki.

Pari zamyka oczy. Na chwilę ogarnia ją poczucie winy, a zaraz potem jak zwykle strach. Już tyle razy odbierała takie telefony, od wczesnej młodości, a nawet wcześniej — kiedyś, w piątej klasie, gdy była w środku egzaminu z geografii, nauczyciel musiał wyprowadzić ją na korytarz i tam wyjaśnił przyciszonym głosem, co się stało. Pari przyzwyczaiła się, ale nie uodporniła. Za każdym razem myśli: To ten raz. Ten. Szybko odkłada słuchawkę na widełki i pędzi do matki. Julien powiedział jej kiedyś, używając języka ekonomii, że gdyby odcięła dostawy uwagi i troski, być może wyczerpałoby się zapotrzebowanie na jedno i drugie.

— Miała wypadek — mówi doktor Delaunay.

Pari staje przy oknie i słucha jego wyjaśnień. Raz po raz nawija na palec kabel telefonu, podczas gdy lekarz relacjonuje, co się stało: rana szarpana na głowie, szwy, profilaktyczny zastrzyk przeciwko tężcowi, później dezynfekcja, antybiotyki, opatrunek. Pari przypomina sobie, że gdy miała dziesięć lat, po powrocie do domu ze szkoły znalazła na kuchennym stole dwadzieścia pięć franków i odręczny list: *Pojechałam z Markiem do Alzacji. Pamiętasz go. Wrócę za parę dni. Bądź grzeczna. (Nie kładź się spać za późno!) Je t'aime, maman.* Zaczęła się wtedy trząść, do oczu napłynęły jej łzy. Mówiła sobie, że to tylko dwa dni, nie tak dużo.

Lekarz pyta ją o coś.

— Słucham?

— Pytałem, czy zabierze ją pani do domu, *mademoiselle*? Rana nie jest poważna, rozumie pani, ale chyba lepiej, żeby pani matka nie jechała sama. A może wezwać dla niej taksówkę?

— Nie, nie trzeba. Będę za jakieś pół godziny.

Siada na łóżku. Julien będzie niezadowolony i pewnie zawstydzony, bo bardzo liczy się ze zdaniem Christana i Aurelie. Pari z niechęcią myśli, że musi wyjść na korytarz i stawić czoło Julienowi. Nie ma też ochoty jechać do Courbevoie i stanąć przed matką. Najchętniej by się położyła i zasnęła, słuchając, jak deszcz uderza o szyby.

Zapala papierosa, a kiedy Julien wchodzi do pokoju i rzuca: „Nie jedziesz, prawda?" — nie odpowiada.

Fragmenty *Śpiewającego ptaka*,
wywiadu z Nilą Wahdati przeprowadzonego
przez Étienne'a Boustoulera,
„Paralaksa" 84 (zima 1974), s. 33

EB: Jeśli dobrze rozumiem, jest pani pół Afganką, pół Francuzką.

NW: Moja matka była Francuzką, owszem. Pochodziła z Paryża.

EB: Ale pani rodzice poznali się w Kabulu? I tam się pani urodziła?

NW: Tak. Poznali się w tysiąc dziewięćset dwudziestym siódmym roku, na oficjalnej kolacji w pałacu królewskim. Matka była tam ze swoim ojcem — moim dziadkiem — którego wysłano do Kabulu, żeby doradzał królowi Amanullahowi w sprawie reform. Słyszał pan o królu Amanullahu?

Siedzimy w salonie w małym mieszkaniu Nili Wahdati na dwunastym piętrze budynku w Courbevoie, na północny zachód od Paryża. Pokój jest niewielki, niezbyt dobrze oświetlony i skromnie urządzony: kanapa w kolorze szafranu, stolik do kawy, dwa wysokie regały z książkami. Nila Wahdati siedzi plecami do okna, które otworzyła, żeby wietrzyć pomieszczenie, bo pali papierosa za papierosem. Twierdzi, że ma czterdzieści cztery lata. To bardzo atrakcyjna kobieta, może już nie w pełni urody, ale wciąż piękna. Ma wydatne kości policzkowe, gładką cerę, szczupłą sylwetkę. Oczy o inteligentnym, kokieteryjnym i przenikliwym spojrzeniu, które ocenia człowieka, jakby go testuje, a jednocześnie uwodzi i bawi się z nim. To wciąż, jak sądzę, jej skuteczna broń. Nie jest umalowana, pociągnęła tylko usta szminką, wychodząc nieco poza ich kontur. Ubrana jest w dżinsy i wyblakłą purpurową bluzkę, na czole ma bandanę. Żadnych butów, skarpetek. Choć jest dopiero jedenasta, nalewa sobie chardonnay, które nie zostało schłodzone. Mnie też zaproponowała, ale odmówiłem.

NW: To był najlepszy król, jakiego mieli.

Ta uwaga zastanawia mnie ze względu na użycie formy czasownika.

EB: Oni? Nie czuje się pani Afganką?

NW: Powiedzmy, że rozstałam się z tym moim drugim, kłopotliwym „ja".

EB: Ciekaw jestem dlaczego.

NW: Gdyby mu się udało, to znaczy królowi Amanullahowi, być może moja odpowiedź na pańskie pytanie brzmiałaby inaczej.

Proszę o wyjaśnienie.

NW: Widzi pan, król obudził się pewnego ranka i ogłosił plan reformy Afganistanu — wbrew woli wszystkich —

chciał przekształcić go w nowoczesny, bardziej światły kraj. Na Boga! — powiedział — przede wszystkim koniec z noszeniem chust przez kobiety. Proszę sobie wyobrazić, panie Boustouler, zaczęto je nawet aresztować za to, że noszą burki! A kiedy jego żona Soraja pokazała się publicznie z odsłoniętą twarzą? *Oh là là*, to dopiero było. Mułłowie tak się nadęli, że mogliby wypuścić w powietrze tysiące hindenburgów. I koniec z poligamią! — oświadczył Amanullah. I to, rozumie pan, w kraju, w którym królowie mieli całe zastępy konkubin i rzadko kiedy widywali spłodzone przez siebie dzieci. Od tej pory, oznajmił, żaden mężczyzna nie będzie mógł zmusić kobiety do małżeństwa. Dzielne Afganki, nie będzie już posagów ani małżeństw między dziećmi. A co więcej, będziecie chodziły do szkół.

EB: Był więc wizjonerem.

NW: Albo głupcem. Zawsze uważałam, że kroczy po niebezpiecznie cienkiej linie.

EB: I co się z nim stało?

NW: Odpowiedź jest przykra, jak można się spodziewać, panie Boustouler. Dżihad, oczywiście. Mułłowie, przywódcy plemienni, ogłosili przeciwko niemu dżihad. Proszę sobie wyobrazić tysiące wzniesionych pięści! Król ruszył z podstaw Ziemię, ale otaczał go ocean fanatyków, a wie pan, co się dzieje, gdy drży dno oceanu, panie Boustouler? Na biedaka spadło tsunami brodatych rebeliantów, poniosło go ze sobą i wyrzuciło na brzeg Indii, potem zaniosło do Włoch i wreszcie Szwajcarii, gdzie podniósł się z błota i umarł jako pozbawiony złudzeń stary człowiek na wygnaniu.

EB: A co się stało z krajem? Domyślam się, że niezbyt dobrze się tam pani czuła?

NW: Można powiedzieć, że czułam się w nim źle.

EB: Dlatego w tysiąc dziewięćset pięćdziesiątym piątym roku wyjechała pani do Francji?

NW: Wyjechałam do Francji, bo pragnęłam oszczędzić mojej córce takiego życia.

EB: Czyli jakiego?

NW: Nie chciałam, żeby zamieniła się, wbrew własnej woli i naturze, w jedną z tych sumiennych, smutnych kobiet, które przez całe życie muszą służyć w milczeniu innym, wciąż w strachu, że zrobią albo powiedzą coś nie tak. Kobiet, czasami podziwianych na Zachodzie — na przykład tu, we Francji — uważanych za bohaterki z powodu ciężkiego życia, jakie wiodą, ale głównie przez tych, którzy nie wytrzymaliby ani jednego dnia, gdyby zamienili się z nimi miejscami. Kobiet, których pragnienia są tłumione, a marzenia wyśmiewane, które jednak — co jest najgorsze, panie Boustouler — uśmiechają się i udają, że są zadowolone. Jakby prowadziły podwójne życie. Jednak jeśli przyjrzy się pan bliżej, zobaczy pan w ich oczach bezradność i desperację przeczące zadowoleniu. To żałosne, panie Boustouler. Nie chciałam tego dla córki.

EB: Rozumiem, że ona to wszystkie wie i docenia pani krok?

Nila Wahdati zapala kolejnego papierosa.

NW: Cóż, dzieci nigdy nie spełniają wszystkich oczekiwań swoich rodziców, panie Boustouler.

Zniecierpliwiona pielęgniarka na pogotowiu każe jej czekać przy recepcji, obok obrotowego stojaka z podkładkami do pisania i kartami szpitalnymi. Pari dziwi się, że są ludzie przygotowujący się z własnej woli do zawodu, który będą wykonywali w takim miejscu jak to. Nie potrafi tego zrozumieć. Nienawidzi szpitali. Nie lubi oglądać ludzi w najgorszej formie, nie znosi zapachu choroby, skrzypiących metalowych łóżek na kółkach, korytarzy z ponurymi obrazami, nieustających komunikatów nadawanych przez głośniki.

Doktor Delaunay jest młodszy, niż Pari się spodziewała. Ma smukły nos, wąskie usta i jasne kędzierzawe włosy. Przez wahadłowe drzwi wyprowadza ją z poczekalni do głównego holu.

— Pani matka była pijana... — mówi cicho. — Nie jest pani tym zdziwiona?

— Nie.

— Podobnie jak większość pielęgniarek. Mówią, że często tu trafia. Ja jestem nowy, więc, oczywiście, nigdy nie miałem przyjemności jej poznać.

— Trudno z nią było?

— Sprawiała pewne kłopoty — przyznaje lekarz. — Powiedziałbym, że nawet urządziła scenę.

Wymieniają przelotne uśmiechy.

— Wyjdzie z tego?

— Tak, szybko wydobrzeje — zapewnia doktor Delaunay. — Ale radzę, i to stanowczo, żeby przestała pić. Dziś miała szczęście, ale nie wiadomo, jak będzie następnym razem...

Pari kiwa głową.

— Gdzie ona jest?

Lekarz prowadzi ją do poczekalni, a potem za róg.

— Trzecie łóżko. Niedługo przyjdę, żeby ją wypisać.

Pari mu dziękuje i podchodzi do łóżka matki.

— *Salut, maman.*

Matka uśmiecha się ze znużeniem. Włosy ma potargane, na nogach skarpetki nie do pary. Obandażowali jej głowę, a do żyły w lewym przedramieniu podłączyli kroplówkę, z której spływa bezbarwny płyn. Jest ubrana w szpitalną koszulę — włożono ją na lewą stronę i nie zawiązano jak należy. Koszula rozchyla się z przodu i Pari widzi na brzuchu matki fragment grubej ciemnej pionowej blizny po cesarskim cięciu. Przed kilkoma laty zapytała, dlaczego blizna nie jest pozioma, a matka odpowiedziała, że z jakichś powodów medycznych, których nie pamięta. „Najważniejsze, powiedziała, że cię wydobyli".

— Zepsułam ci wieczór — mówi *maman.*

— Wypadki się zdarzają. Odwiozę cię do domu.

— Mogłabym spać przez tydzień.

Powieki jej opadają, nadal mówi bełkotliwie, niewyraźnie.

— Siedziałam i oglądałam telewizję. Zrobiłam się głodna. Poszłam do kuchni po chleb z marmoladą. Poślizgnęłam się. Nie wiem, jak i o co, ale upadając, uderzyłam głową o uchwyt kuchenki. Może nawet na chwilę straciłam przytomność. Usiądź, Pari. Wisisz nade mną.

Pari siada.

— Lekarz powiedział, że piłaś.

Maman uchyla jedną powiekę. Nie znosi lekarzy, choć jej częsta styczność z nimi mogłaby temu przeczyć.

— Ten chłopak? Tak powiedział? *Le petit salaud.* Mały drań. Co on może wiedzieć? Jeszcze ma mleko pod nosem.

— Zawsze obracasz to w żart. Za każdym razem, gdy o tym mówię.

— Jestem zmęczona, Pari. Będziesz mi robiła wymówki innym razem. Biczowanie do niczego nie prowadzi.

W końcu zasypia. Chrapie nieładnie, co zdarza jej się tylko po przepiciu.

Pari siedzi na taborecie przy łóżku i czeka na doktora Delaunaya, wyobrażając sobie Juliena przy kameralnie oświetlonym stoliku, z kartą dań w ręku, wyjaśniającego Christianowi i Aurelie przy bordo w wysokich kieliszkach, co się stało. Zaproponował, że odwiezie ją do szpitala, ale nie nalegał. To była zwykła formalność. Zresztą nie byłoby dobrze, gdyby z nią przyjechał. Jeśli doktor Delaunay sądził, że widział scenę... Ale choć Julien nie musiał tu przyjeżdżać, wolałaby, żeby nie poszedł bez niej na kolację. Wciąż jest trochę zdziwiona, że to zrobił. Mógł zadzwonić do Christiana i Aurelie, umówić się z nimi na inny wieczór, odwołać rezerwację. Ale nie. I nie pojechał na spotkanie dlatego, że nie pomyślał. Nie. W tym posunięciu było coś prowokacyjnego, zamierzonego. Chciał dać jej nauczkę. Pari wie już od jakiegoś czasu, że jest do tego zdolny. Ostatnio zaczęła się zastanawiać, czy to nie sprawia mu satysfakcji.

Maman poznała Juliena właśnie na pogotowiu. Było to przed dziesięcioma laty, w 1963 roku, gdy Pari miała czternaście lat. Przywiózł kolegę, który miał ciężką migrenę, *maman* natomiast przywiozła Pari, która skręciła nogę w kostce na gimnastyce w szkole. Leżała na łóżku, kiedy Julien wjechał z wózkiem do poczekalni i nawiązał z *maman* rozmowę. Pari nie pamięta, co mówili. Pamięta tylko, że Julien spytał: „Paris... jak miasto?". A *maman* odpowiedziała jak zwykle: „Nie, bez »s« na końcu. W farsi to znaczy »dobra wróżka«".

Spotkały się z nim na kolacji pewnego deszczowego wieczoru jeszcze w tym samym tygodniu, w małym bistro przy uliczce odchodzącej od Boulevard Saint-Germain. Przedtem, jeszcze w domu, *maman* teatralnie zastanawiała się, co włożyć, i w końcu wybrała jasnoniebieską sukienkę z zaznaczoną talią, wieczorowe rękawiczki i szpilki z wąskimi noskami. A w windzie pytała jeszcze: „Nie za bardzo w stylu Jackie? Jak myślisz?".

Przed kolacją wypalili papierosy, cała trójka, a *maman* i Julien zamówili po piwie w dużych oszronionych kuflach. Wypili jedną kolejkę i Julien poprosił kelnera o drugą, a potem trzecią. W białej koszuli, krawacie i kraciastej wieczorowej marynarce, miał maniery powściągliwego, dobrze wychowanego mężczyzny. Uśmiechał się swobodnie i śmiał naturalnie. Miał na skroniach ślady siwizny, której Pari nie zauważyła w marnym świetle na pogotowiu, i na tej podstawie uznała, że jest w wieku *maman*. Był zorientowany w bieżących sprawach politycznych i przez jakiś czas mówił o sprzeciwie de Gaulle'a wobec przyjęcia Anglii do Wspólnego Rynku, co, ku zdziwieniu Pari, okazało się nawet interesujące. Dopiero gdy *maman* go o to zapytała, wyznał, że wykłada ekonomię na Sorbonie.

— Jest pan wykładowcą? To nie byle co.

— Och, wcale nie — odparł. — Powinna pani kiedyś przyjść na wykład. Szybko zmieniłaby pani zdanie.

— Może przyjdę.

Pari widziała, że *maman* jest już trochę wstawiona.

— Może wkradnę się któregoś dnia. Zobaczę pana w akcji.

— Akcji? Proszę pamiętać, że wykładam teorie ekonomiczne, Nilu. Jeśli pani przyjdzie, zobaczy pani, że studenci mają mnie za głupka.

— Och, bardzo wątpię.

Pari też wątpiła. Przypuszczała raczej, że wiele z jego studentek ma ochotę pójść z nim do łóżka. Podczas kolacji przyglądała mu się ukradkiem. Miał twarz jak z filmów noir, którą należy przedstawiać w bieli i czerni, z poprzecznymi cieniami żaluzji i wijącą się smugą papierosowego dymu. Włosy jak nawiasy wdzięcznie opadające na czoło — może nawet zbyt wdzięcznie. Ale nawet jeśli nie było w tym wyrachowania, Pari zauważyła, że nigdy ich nie odgarnia.

Zapytał *maman* o księgarenkę, którą prowadziła, na drugim brzegu Sekwany, naprzeciwko Pont d'Arcole.

— Ma pani książki na temat jazzu?

— *Bah oui* — odpowiedziała *maman*.

Deszcz się nasilił i w bistro zrobiło się głośniej. Gdy kelner podał im ptysie serowe i szaszłyki z szynki, między *maman* a Julienem wywiązała się długa dyskusja o Budzie Powellu, Sonnym Stitcie, Dizzym Gillespiem i Charliem Parkerze, którego Julien lubił najbardziej. *Maman* powiedziała, że woli styl Zachodniego Wybrzeża w wykonaniu Cheta Bakera i Milesa Davisa, i zapytała, czy słyszał *Kind of Blue*. Pari dowiedziała się ze zdziwieniem, że *maman* bardzo lubi jazz i że ma dużo do powiedzenia o różnych muzykach. Nie po raz pierwszy ogarnęły ją dziecięcy podziw dla matki i niepokojące wrażenie, że tak naprawdę jej nie zna. Nie dziwiło jej natomiast, że *maman* tak łatwo i skutecznie uwodzi Juliena. Była w swoim żywiole. Zawsze umiała zwrócić na siebie uwagę mężczyzn. Przyciągała ich.

Pari obserwowała, jak mruczy kokieteryjnie, śmieje się z żartów Juliena, przechyla głowę i jakby mimowolnie nawija na palec pasmo rudych włosów. I znowu nie mogła się nadziwić, jaka matka jest młoda i piękna — ta matka, zaledwie dwadzieścia lat od niej starsza. Te jej długie ciemne włosy, pełne piersi, niepokojące oczy i twarz o klasycznych, szlachetnych rysach. Ona nie była do niej podobna, z poważnymi jasnymi oczami, długim nosem, przerwą między zębami i raczej małym biustem. Jeśli była ładna, to w sposób skromniejszy, bardziej zwyczajny. Obecność matki zawsze przypominała jej, że ma przeciętną urodę. A czasami robiła to sama *maman*, choć przewrotnie, pod postacią komplementów.

— Jesteś szczęściarą, Pari — mówiła. — Nie będziesz musiała tak bardzo się starać, żeby mężczyźni traktowali cię poważnie. Ciebie będą słuchali. Zbyt duża uroda przeszkadza.

Śmiała się.

— Och, posłuchaj mnie. Nie mówię na podstawie własnego doświadczenia. Oczywiście, że nie. To tylko spostrzeżenie.

— Chcesz powiedzieć, że nie jestem piękna?

— Mówię tylko, że nie chciałabyś być piękna. Poza tym jesteś ładna, a to już dużo. *Je t'assure, ma cherie.* Tak jest lepiej.

Do ojca też nie była specjalnie podobna. Był mężczyzną o poważnej twarzy, wysokim czole, wąskiej brodzie i cienkich ustach. Pari miała w swoim pokoju kilka jego zdjęć, jeszcze z dzieciństwa w Kabulu. Zachorował w 1955 roku — wtedy, kiedy *maman* przeniosła się do Paryża — i niedługo potem zmarł. Czasami Pari mimowolnie patrzyła na jedną ze starych fotografii, szczególnie na tę czarno-białą, przedstawiającą ich oboje stojących przed starym amerykańskim samochodem. Ojciec opierał się o zderzak i trzymał ją na rękach. Oboje się uśmiechali. Pari pamiętała, że kiedyś siedziała przy nim, gdy malował dla niej na szafie żyrafy i małpy z długimi ogonami. Pozwolił jej pokolorować jedną z małp — trzymał za rękę i uczył, jak poruszać pędzlem.

Widok twarzy ojca na tych zdjęciach budził w Pari uczucie, które towarzyszyło jej, odkąd pamiętała: wrażenie, że w jej życiu brakuje czegoś albo kogoś bardzo ważnego. Czasami było ono mgliste, nieokreślone, jak wiadomość wysłana z daleka zacienionymi bocznymi ścieżkami, słaby sygnał w radiu, ledwie słyszalny, stłumiony. Innym razem zaś tak wyraźne, tak bliskie, że serce jej zamierało. Na przykład dwa lata wcześniej w Prowansji, gdy zobaczyła potężny dąb przed wiejskim domem. Innym razem w ogrodzie Tuileries, kiedy przyglądała się młodej matce z synkiem w wózku. Pari tego nie rozumiała. Kiedyś przeczytała historię o Turku, który w średnim wieku wpadł w głęboką depresję, kiedy nieznany mu brat bliźniak podczas wyprawy kanoe w amazońskim lesie deszczowym dostał ataku serca. Nic lepiej nie wyrażało tego, co czuła.

Pewnego razu rozmawiała o tym z matką.

— Cóż, to nie jest żadna zagadka — odparła *maman*. — Po prostu tęsknisz za ojcem. Odszedł z twojego życia. To naturalne, że czujesz coś takiego. Chodź do mnie. Daj mamie buzi.

Odpowiedź matki była rozsądna, ale niesatysfakcjonująca. Pari przypuszczała, że czułaby się bardziej kompletna, gdyby ojciec żył, gdyby był przy niej. Ale pamiętała, że miała to wrażenie już jako dziecko, gdy mieszkała z obojgiem rodziców w dużym domu w Kabulu.

Niedługo po kolacji *maman* wstała od stolika w bistro, żeby pójść do toalety, i Pari została z Julienem sam na sam. Rozmawiali o filmie, który obejrzała tydzień temu, z Jeanne

Moreau w roli hazardzistki, a potem o szkole i o muzyce. Gdy mówiła, Julien oparł łokcie na stole i nachylił się do niej, słuchając z zainteresowaniem. Uśmiechał się i marszczył czoło, nie odrywając od niej wzroku. Miał to wyćwiczone, stosował tę sztuczkę wobec innych kobiet i teraz pod wpływem chwili też się do niej odwołał, bawiąc się Pari dla przyjemności. A jednak, pod wpływem jego spojrzenia, jej serce zaczęło bić szybciej i ścisnęło ją w żołądku. Zauważyła, że mówi w sposób sztucznie wyszukany, śmiesznym tonem, którego zwykle nie używała. Miała świadomość, że to robi, i nic nie mogła na to poradzić.

Powiedział jej, że kiedyś był żonaty, bardzo krótko.

— Naprawdę?

— Kilka lat temu. Miałem trzydzieści lat. Mieszkałem wtedy w Lyonie.

Ożenił się ze starszą od siebie kobietą. To małżeństwo wkrótce się rozpadło, bo była wobec niego bardzo zaborcza. Julien nie wspomniał o tym wcześniej, przy *maman*.

— To był pociąg fizyczny — wyjaśnił. — *C'était complètement sexuelle*. Chciała mnie mieć na własność.

Mówiąc to, patrzył na nią i uśmiechał się przewrotnie, jakby ostrożnie badał jej reakcję. Pari zapaliła papierosa i udawała, że jego wyznanie nie zrobiło na niej wrażenia, zachowywała się jak Bardot, jakby mężczyźni przez cały czas mówili jej takie rzeczy. Jednak w środku aż drżała. Zdawała sobie sprawę, że doszło przy tym stole do małej zdrady. Wydarzyło się coś zakazanego, nie tak zupełnie nieszkodliwego, ale niewątpliwie ekscytującego. Kiedy *maman* wróciła, z przyczesanymi włosami i świeżą warstwą szminki na ustach, ich potajemne porozumienie prysło i Pari przez chwilę miała jej za złe, że im przeszkodziła, ale natychmiast ogarnęły ją z tego powodu wyrzuty sumienia.

Zobaczyła go znowu z tydzień później. Był ranek i szła z dzbankiem kawy do pokoju *maman*. Siedział na brzegu łóżka matki i zakładał zegarek. Nie wiedziała, że spędził u niej noc. Zauważyła go jeszcze w holu, przez szparę w drzwiach. Stanęła jak wryta, z dzbankiem w ręku, czując suchość w ustach, jakby włożyła do nich grudę ziemi, i patrzyła na niego, jego gładkie plecy, małą fałdkę na brzuchu, ciemny trójkąt między nogami, tylko częściowo zasłonięty zmiętą pościelą. Zapiął zegarek, sięgnął po papierosa z paczki leżącej na szafce nocnej, zapalił go, a potem od niechcenia przeniósł spojrzenie na nią, jakby od początku wiedział o jej obecności. Uśmiechnął się do niej kącikami ust. Potem *maman* powiedziała coś spod prysznica i Pari odwróciła się na pięcie. To cud, że nie oblała się gorącą kawą.

Maman i Julien byli kochankami przez około pół roku. Często chodzili do kina, do muzeów i małych galerii sztuki, w których wystawiano prace nieznanych artystów o obco brzmiących nazwiskach. W któryś weekend pojechali na plażę do Arcachon pod Bordeaux i wrócili z opalonymi twarzami, przywożąc skrzynkę czerwonego wina. Julien zabierał *maman* na różne imprezy na uniwersytecie, a ona zapraszała go na spotkania z pisarzami w swojej księgarni. Początkowo Pari chodziła z nimi — Julien sam to proponował, co sprawiało *maman* przyjemność — ale wkrótce zaczęła znajdować wymówki, żeby zostać w domu. Nie chciała im towarzyszyć, nie mogła. To było nie do zniesienia. Mówiła, że jest zmęczona albo że źle się czuje. Że idzie się uczyć do koleżanki, do Collette. Collette, z którą przyjaźniła się od drugiej klasy, była chudą, drobną dziewczyną z długimi cienkimi włosami i nosem jak dziób kruka. Lubiła szokować ludzi i mówić odważne, gorszące rzeczy.

— Założę się, że jest zawiedziony — mówiła. — No, że z nimi nie poszłaś.

— Hm, jeśli tak, to nie daje tego po sobie poznać.

— Przecież by nie mógł, no nie? Co by pomyślała sobie twoja matka?

— O czym? — pytała Pari, choć oczywiście znała odpowiedź. Chciała jednak to usłyszeć.

— Jak to o czym? — odpowiadała Collette przebiegle, wyraźnie podniecona. — Że jest z nią, aby zdobyć ciebie. Tego tak naprawdę chce.

— To niesmaczne — odpowiadała Pari z przejęciem.

— A może chce was obu? Może lubi trójkąty? Jeśli tak, powiedz mu o mnie.

— Jesteś odrażająca, Collette.

Czasami, gdy matki i Juliena nie było w domu, Pari rozbierała się w holu i patrzyła na siebie w podłużnym lustrze. Nic jej się nie podobało: była za wysoka, niezgrabna, zbyt... zwyczajna. Nie odziedziczyła po *maman* żadnych apetycznych krągłości. Od czasu do czasu wchodziła naga do pokoju matki i kładła się na łóżku, na którym, jak wiedziała, matka i Julien uprawiali seks. Leżała tam z zamkniętymi oczami, bolącym sercem, pogrążona w poczuciu beznadziei, czując dziwny ucisk w piersi, brzuchu i niżej.

To oczywiście się skończyło. Romans *maman* i Juliena.

Pari przyjęła to z ulgą, ale bez zdziwienia. Mężczyźni zawsze w końcu matkę zawodzili. Żaden nie dorastał do ideału, który w nich widziała. Związki zaczynające się burzliwie i z pasją zawsze kończyły się ostrymi oskarżeniami, słowami nienawiści, gniewem, napadami płaczu i rzucaniem naczyniami. Prawdziwym dramatem. *Maman* nie potrafiła ani zacząć, ani zakończyć romansu bez pewnej przesady.

Potem następował okres, w którym wolała samotność. Leżała w łóżku w starym zimowym płaszczu narzuconym na piżamę, zmęczona, smętna, poważna. Pari wiedziała, że wtedy lepiej zostawić matkę samą. Jej towarzystwo i próby pocieszenia nie były mile widziane. Taka ponura atmosfera panowała tygodniami. Po zerwaniu z Julienem jeszcze dłużej.

— *Ah, merde!* — klnie teraz *maman*.

Siedzi na łóżku, wciąż w szpitalnej koszuli. Doktor Delaunay dał Pari wypis ze szpitala, a pielęgniarka odłącza kroplówkę.

— Co się stało?

— Właśnie sobie przypomniałam. Mam za dwa dni udzielić wywiadu.

— Wywiadu?

— Tak, do czasopisma poświęconego poezji.

— To wspaniale, *maman*.

— Zamieszczą też moje zdjęcia. — Wskazuje szwy na głowie.

— Na pewno znajdziesz jakiś efektowny sposób, żeby je zakryć — pociesza ją Pari.

Maman wzdycha i odwraca wzrok. Gdy pielęgniarka wyjmuje jej igłę z przedramienia, matka krzywi się i rzuca pod adresem kobiety jakąś niemiłą, niesprawiedliwą uwagę.

Fragmenty *Śpiewającego ptaka*,
wywiadu z Nilą Wahdati przeprowadzonego
przez Étienne'a Boustoulera,
„Paralaksa" 84 (zima 1974), s. 36

Znów rozglądam się po mieszkaniu i moją uwagę przyciąga oprawiona w ramki fotografia stojąca na regale. Przedstawia dziewczynkę kucającą wśród krzewów, zajętą zbieraniem jakichś owoców. Ma na sobie zapięty pod szyję jaskrawożółty płaszczyk, który kontrastuje z szarym, zachmurzonym niebem. W tle widać kamienny wiejski dom z zamkniętymi okiennicami i zniszczonymi gontami na dachu. Pytam o to zdjęcie.

NW: To moja córka Pari. Jak miasto Paryż, tylko bez „s" na końcu. To znaczy „dobra wróżka". To zdjęcie z Normandii, dokąd pojechałyśmy razem. Chyba w pięćdziesiątym siódmym roku. Musiała mieć wtedy osiem lat.

EB: Mieszka w Paryżu?

NW: Studiuje matematykę na Sorbonie.

EB: Musi być pani z niej dumna.

Uśmiecha się i wzrusza ramionami.

EB: Jestem trochę zaskoczony takim wyborem drogi życiowej, bo przecież pani poświęciła się sztuce.

NW: Nie wiem, skąd ma do tego smykałkę. Te wszystkie niezrozumiałe wzory i teorie. Dla niej chyba nie są niezrozumiałe. Ja sama ledwie znam tabliczkę mnożenia.

EB: Może to z jej strony przejaw buntu? Pani chyba wie to i owo o buncie.

NW: Owszem, ale ja buntowałam się jak należy. Piłam, paliłam, miałam kochanków. Kto w ramach buntu studiuje matematykę?

Znowu się śmieje.

NW: Poza tym byłby to typowy bunt bez powodu. Dawałam jej swobodę w każdym zakresie. Niczego nie potrzebuje, ta moja córka. Niczego jej nie brak. Ma kogoś. Jest od niej sporo starszy. To czarujący człowiek, oczytany, inteligentny. Oczywiście straszny narcyz. Ego wielkości Polski.

EB: Nie aprobuje pani tego związku?

NW: To, czy go aprobuję, czy nie, nie ma znaczenia. To Francja, panie Boustouler, nie Afganistan. Tu młodzi ludzie nie potrzebują zgody rodziców, aby wieść życie, jakie chcą.

EB: Więc pani córka nie czuje więzi z Afganistanem?

NW: Wyjechałyśmy stamtąd, gdy miała sześć lat. Niewiele pamięta z czasu, który tam spędziła.

EB: Ale pani oczywiście pamięta.

Proszę, żeby mi opowiedziała o swoim dzieciństwie i młodości.

Przeprasza mnie i wychodzi na chwilę z pokoju. Po powrocie wręcza mi starą, pogniecioną, czarno-białą fotografię. Widzę na niej poważnego mężczyznę potężnej budowy, w okularach i o błyszczących włosach z idealnie równym przedziałkiem. Siedzi za biurkiem i czyta książkę. Ma na sobie garnitur ze spiczastymi klapami, dwurzędową kamizelkę, białą koszulę z wysokim kołnierzykiem i muszkę.

NW: To mój ojciec. W dwudziestym dziewiątym roku. Tym, w którym się urodziłam.

EB: Bardzo dystyngowany mężczyzna.

NW: Wywodził się z pasztuńskiej arystokracji w Kabulu. Miał doskonałe wykształcenie, nieskazitelne maniery i ogładę towarzyską. Był też wspaniałym gawędziarzem. Przynajmniej na zewnątrz.

EB: A prywatnie?

NW: Jak pan myśli, panie Boustouler? Biorę zdjęcie i znowu na nie patrzę.

EB: Człowiek z dystansem. Surowy. Nieprzenikniony. Bezkompromisowy.

NW: Naprawdę musi się pan ze mną napić. Nie znoszę... nienawidzę... pić sama.

Nalewa mi kieliszek chardonnay. Z grzeczności upijam łyk.

NW: Miał zimne ręce. Mój ojciec. Niezależnie od pogody. Zawsze miał zimne ręce. I zawsze nosił garnitur, też niezależnie od pogody. Doskonale skrojony, odprasowany. I fedorę. I oczywiście wingtipsy, dwukolorowe, eleganckie, skórzane półbuty. Chyba był przystojny, choć o dość surowej urodzie. Do tego... co zrozumiałam dopiero później... w sztuczny, nieco śmieszny sposób, pseudoeuropejski... co tydzień grał w kule na trawie, w polo, i miał piękną francuską żonę, a wszystko to za aprobatą postępowego króla.

Przez chwilę skubie skórkę przy paznokciu i nic nie mówi. Zmieniam taśmę w magnetofonie.

NW: Ojciec spał w swoim pokoju, a matka ze mną. Przeważnie jadał lunche z ministrami i doradcami króla. Albo jeździł konno, grał w polo, polował. Uwielbiał polować.

EB: Więc niewiele spędzała pani z nim czasu. Był raczej nieobecny.

NW: Nie całkiem. Starał się co kilka dni poświęcić mi kilka minut. Przychodził do mojego pokoju i siadał na łóżku, a wtedy ja wdrapywałam mu się na kolana i podrzucał mnie na nich przez chwilę. Przeważnie milczeliśmy, aż w końcu zagadywał: „To co teraz będziemy robili, Nilu?". Czasami mówił, żebym wyjęła chusteczkę z jego kieszeni na piersi, i pozwalał mi ją złożyć. Oczywiście zwijałam ją w kulę i wkładałam z powrotem do kieszeni, a wówczas on udawał zaskoczenie, co bardzo mnie bawiło. Bawiliśmy się tak, aż mu się znudziło, czyli dość krótko. Później zimnymi dłońmi głaskał mnie po włosach i mówił: „Tata musi już iść, moja łaniu. Zmykaj".

Odnosi zdjęcie do drugiego pokoju, a wracając, wyjmuje z szuflady nową paczkę papierosów i zapala jednego.

NW: Tak mnie nazywał. Uwielbiałam to. Skakałam po ogrodzie... mieliśmy bardzo duży ogród... i śpiewałam: „Jestem łanią tatusia! Jestem łanią tatusia!". Dopiero później zrozumiałam, jakie to było złowieszcze.

EB: Nie rozumiem.

Uśmiecha się.

NW: Mój ojciec strzelał do łań, panie Boustouler.

Mogły przejść te kilka przecznic do mieszkania *maman*, ale deszcz się nasilił. W taksówce matka siedzi przypięta pasami, z płaszczem Pari na ramionach, i w milczeniu patrzy przez okno. W tej chwili wygląda staro, znacznie starzej, niż wskazywałby na to jej wiek: czterdzieści cztery lata. Jest stara, szczupła i krucha.

Pari dawno u niej nie była. Przekręca klucz w zamku, wchodzi z matką do mieszkania i widzi na blacie w kuchni brudne kieliszki, otwarte paczki chipsów i makaronu, talerze z zaschniętymi niezidentyfikowanymi resztkami jedzenia. Na stole w papierowej torbie, niebezpiecznie blisko krawędzi blatu, stoją puste butelki po winie. Na podłodze leżą gazety, jedna z nich nasiąkła tego dnia krwią, a na niej spoczywa różowa wełniana skarpetka. Pari jest przerażona tym, co widzi. I dopada ją poczucie winy. Co, znając *maman*, może być zamierzonym efektem. A potem ma do siebie pretensję za tę ostatnią refleksję. Tak powiedziałby Julien: „Ona chce wzbudzić w tobie wyrzuty sumienia". Gdy Pari usłyszała to od niego po raz pierwszy, poczuła ulgę, odniosła wrażenie, że ktoś ją rozumie. Była mu wdzięczna, że wyartykułował coś, czego sama nie mogła zwerbalizować, nie zrobiłaby tego. Pomyślała, że znalazła sprzymierzeńca. Ale dziś ma wątpliwości. Dostrzega w jego słowach małostkowość. Deprymujący brak współczucia.

Na podłodze w sypialni walają się ubrania, płyty, książki, kolejne gazety. Na parapecie stoi szklanka z wodą, pożółkłą od pływających w niej petów. Pari zrzuca z łóżka książki i stare czasopisma, a następnie pomaga *maman* położyć się pod kocem.

Matka patrzy na nią, przykładając wierzch dłoni do zabandażowanego czoła. W tej pozie wygląda jak aktorka w niemym filmie, która zaraz zemdleje.

— Tak ci będzie dobrze, *maman*?

— Nie sądzę — odpowiada. Ale to nie brzmi jak próba przyciągnięcia uwagi. *Maman* mówi to znużonym tonem. Jej odpowiedź wydaje się szczera i ostateczna.

— Niepokoisz mnie, *maman*.

— Idziesz już?

— Chcesz, żebym została?

— Tak.

— To zostanę.

— Wyłącz światło.

— *Maman*?

— Tak?

— Bierzesz pigułki? Czy przestałaś? Chyba przestałaś, i to mnie martwi.

— Nie zaczynaj znowu. Zgaś światło.

Pari spełnia jej życzenie. Siada na brzegu łóżka i patrzy, jak matka zasypia. Potem idzie do kuchni i zabiera się do sprzątania. Znajduje gumowe rękawiczki i zaczyna od naczyń. Myje szklanki po dawno skwaśniałym mleku, miski z zastygłymi płatkami śniadaniowymi, talerze z resztkami pokrytymi zielonkawymi kępkami pleśni. Przypomina sobie, jak zmywała naczynia w mieszkaniu Juliena tamtego ranka, gdy pierwszy raz poszli do łóżka. Julien zrobił na śniadanie omlet. Ależ cieszyły ją wtedy te prozaiczne domowe czynności, mycie naczyń w zlewie, kiedy on nastawił płytę Jane Birkin na adapterze.

Spotkała go rok wcześniej, w 1973, po prawie dziesięciu latach przerwy. Wpadła na niego na ulicznej demonstracji przed ambasadą kanadyjską, podczas studenckiego protestu przeciwko polowaniom na foki. Pari nie chciała tam iść,

poza tym musiała dokończyć pracę na temat funkcji mero-
morficznych, ale Collette nie chciała o tym słyszeć. Mieszkały
wtedy razem, co zaczynało być uciążliwe dla każdej z nich.
Collette paliła trawkę. Nosiła na głowie opaski, luźne tuniki
w kolorze fuksji wyszywane w ptaki i stokrotki. Sprowadzała
do domu brodatych, nieuczesanych chłopaków, którzy wy-
jadali z lodówki zapasy Pari i kiepsko grali na gitarze. Collette
większość czasu spędzała na ulicach, protestując przeciwko
okrucieństwu wobec zwierząt, rasizmowi, niewolnictwu,
francuskim próbom nuklearnym na Pacyfiku. W mieszkaniu
stale był ruch, przewijali się przez nie ludzie, których Pari
nie znała. A kiedy były same, wyczuwała napięcie, wyniosłość
Collette, jej milczącą dezaprobatę.

— Oni kłamią — mówiła z przejęciem. — Twierdzą, że
stosują humanitarne metody. Humanitarne! Widziałaś, czym
walą je po łbach? Widziałaś te hakapiki? Biedne zwierzęta
jeszcze nie zdążą skonać, a te dranie już nadziewają je na
haki i ciągną za łodzią. Żywcem obdzierają je ze skóry, Pari.
Żywcem! — Collette mówiła to takim tonem, z taką emfazą,
że Pari miała ochotę ją przepraszać. Za co, tego nie była
pewna, ale wiedziała, że przy Collette, z jej ciągłymi tyradami
i urąganiem, nie może swobodnie oddychać.

Przyszło wtedy zaledwie trzydzieści osób. Krążyły wieści,
iż ma pojawić się Brigitte Bardot, ale wkrótce się okazało,
że to tylko plotki. Collette była rozczarowana tak małą
frekwencją. Urządziła z tego powodu awanturę chudemu
bladdemu okularnikowi o imieniu Eric, który, jak Pari się
domyśliła, był organizatorem marszu. Biedny Eric, Pari mu
współczuła. Wciąż kipiąc gniewem, Collette objęła przywódz-
two. Pari przesunęła się do tyłu i stanęła obok płaskiej jak

deska dziewczyny, która wykrzykiwała slogany z dziwnym nerwowym rozbawieniem. Pari szła ze wzrokiem wbitym w chodnik i starała się nie rzucać w oczy.

Na rogu ulicy jakiś mężczyzna klepnął ją w ramię.

— Wyglądasz, jakbyś marzyła, żeby ktoś cię wyratował.

Był ubrany w tweedową marynarkę narzuconą na sweter, dżinsy i wełniany szalik. Miał dłuższe włosy i trochę się postarzał, ale elegancko, w sposób, który kobiety w jego wieku mogłyby uznać za niesprawiedliwy, a nawet denerwujący. Wciąż szczupły i w dobrej formie, miał kurze łapki wokół oczu, więcej siwizny na skroniach, a na twarzy wyraz lekkiego zmęczenia.

— Bo tak jest — odparła.

Cmoknęli się w policzki, a kiedy zapytał, czy napiłaby się z nim kawy, chętnie się zgodziła.

— Twoja przyjaciółka wygląda na wściekłą. Niebezpiecznie wściekłą.

Pari obejrzała się za siebie i zobaczyła, że Collette stoi obok Erica, wciąż coś skanduje i wymachuje pięścią, ale, o absurdzie, patrzy na nich. Pari stłumiła śmiech — byłby niewybaczalny. Wzruszyła przepraszająco ramionami i zwiała.

Poszli do małej kafejki i zajęli stolik przy oknie. Julien zamówił dla nich po kawie i *mille-feuille*. Pari przyglądała mu się, jak rozmawiał z kelnerem pełnym wyższości, ale łaskawym tonem, który dobrze pamiętała, i poczuła ten sam skurcz żołądka jak wtedy, gdy przychodził po *maman*. Nagle straciła pewność siebie, uświadomiła sobie, że ma obgryzione paznokcie, nieupudrowaną twarz, wiszące smętnie włosy, i pożałowała, że nie wysuszyła ich po wyjściu spod prysznica, ale była już spóźniona, a Collette krążyła po pokoju jak zwierzę w klatce.

— Nigdy nie sprawiałaś wrażenia osoby protestującej — zauważył, podając jej ogień.

— Bo nią nie jestem. To było raczej z poczucia winy niż z przekonania.

— Poczucia winy? Z powodu polowań na foki?

— Z powodu Collette.

— Ach tak. Wiesz co? Ja chyba też się jej boję.

— Jak my wszyscy.

Zaśmiali się. Julien wyciągnął rękę i dotknął jej szalika.

— To byłby frazes, gdybym powiedział, że urosłaś, więc tego nie zrobię. Ale wyglądasz olśniewająco, Pari.

Skubnęła połę swojego płaszcza przeciwdeszczowego. „Co, idziesz w tym? Wyglądasz jak Clouseau". Collette mówiła jej, że to głupi zwyczaj, to deprecjonujące pajacowanie, które pomagało jej zamaskować tremę w obecności pociągających mężczyzn. Nie po raz pierwszy i nie ostatni pozazdrościła *maman* jej naturalnej swobody i pewności siebie.

— Zaraz powiesz, że jestem jak moje imię — odparła.

— *Ah, non.* Proszę. To byłoby zbyt oczywiste. Prawienie komplementów kobietom to sztuka, jak wiesz.

— Nie wiedziałam. Ale ty na pewno ją opanowałeś.

Kelner przyniósł ciastka i kawę. Pari skupiła się na jego rękach, gdy stawiał na blacie filiżanki i talerzyki. Jej dłonie były spocone. Jak dotąd miała tylko czterech kochanków — skromna liczba, zdawała sobie z tego sprawę, zwłaszcza w porównaniu z *maman*, gdy była w jej wieku, czy choćby z Collette. Była zbyt ostrożna, zbyt rozsądna, gotowa na kompromisy i ustępliwa, a w sumie także bardziej zrównoważona i mniej męcząca niż matka czy przyjaciółka. A to nie są cechy, które przyciągają tabuny mężczyzn. Nie kochała też żadnego z nich — choć jednego okłamała, mówiąc, że tak — ale gdy leżała pod nim, myślała o Julienie, o jego pięknej twarzy, która zdawała się emanować światłem.

Kiedy jedli ciastka, opowiadał o swojej pracy. Jakiś czas temu rzucił posadę wykładowcy na uczelni i przez kilka lat zajmował się podtrzymywalnością długu w ramach Międzynarodowego Funduszu Walutowego. Najatrakcyjniejsze w tej pracy były podróże, jak twierdził.

— Dokąd?

— Do Jordanii, Iraku. Potem przez kilka lat pisałem książkę o ekonomicznej szarej strefie.

— I wydałeś ją?

— Tak mówią. — Uśmiechnął się. — Teraz pracuję dla prywatnej firmy konsultingowej tu, w Paryżu.

— Ja też chciałabym podróżować — wyznała Pari. — Collette wciąż powtarza, że powinnyśmy pojechać do Afganistanu.

— Chyba wiem, dlaczego chce się tam wybrać.

— Hm, zastanawiałam się na tym. To znaczy, żeby tam wrócić. Nie interesuje mnie haszysz, ale chciałabym poznać kraj, zobaczyć, gdzie się urodziłam. Może odnaleźć dom, w którym mieszkali kiedyś moi rodzice.

— Nie wiedziałem, że masz takie ciągoty.

— Jestem ciekawa. Tak niewiele pamiętam.

— Kiedyś chyba mówiłaś coś o domowym kucharzu.

Pari pochlebiało, że pamiętał, co powiedziała przed tyloma laty. Musiał więc w tym czasie o niej myśleć. Nie zapomniał jej.

— Tak. Miał na imię Nabi. Był też szoferem. Prowadził samochód ojca, taki wielki amerykański, niebieski z jasno-brązowym dachem. Pamiętam, że na masce był łeb orła.

Później zapytał ją o studia, a ona opowiedziała mu o nich i o zmiennych złożonych, którymi się zajmowała. Słuchał tak, jak nigdy nie słuchała jej *maman* — ten temat ją nudził i nie rozumiała, jak może pasjonować Pari. Nawet nie udawała zainteresowania. Robiła sobie beztroskie żarty, pozornie wymierzone przeciwko własnej ignorancji. „*Oh là là!* — mówiła z uśmiechem. — Moja głowa! Ta moja głowa! Kręci się jak totem! Zawrzyjmy umowę, Pari. Ja naleję nam herbaty, a ty wrócisz na naszą planetę, *d'accord?*". Śmiała się i Pari ją pocieszała, ale czuła, że za tymi żartami coś się kryje, jakieś szyderstwo, sugestia, że jej wiedza jest ezoteryczna, a dążenie do niej niepoważne. Niepoważne. Co było tak naprawdę śmieszne, zwłaszcza w ustach poetki, myślała Pari, chociaż nigdy by tego matce nie powiedziała.

Julien spytał, co widzi w matematyce, a ona odparła, że znajduje w niej ukojenie.

— Rzekłbym raczej, że działa zniechęcająco — skomentował.

— To także.

Powiedziała, że w niezmienności prawd matematycznych, w ich braku dwuznaczności jest coś pocieszającego. Studiując matematykę, ma się świadomość, że odpowiedzi są trudne, ale można je znaleźć. Gdzieś istnieją, tylko czekają — kredowe bazgroły.

— Czyli, innymi słowy, nie tak jak w życiu — zauważył. — Bo tu albo nie ma odpowiedzi, albo są mętne.

— Aż tak łatwo mnie przejrzeć? — Zaśmiała się i zasłoniła twarz serwetką. — Mówię jak idiotka.

— Wcale nie. — Odsunął serwetkę. — Wcale nie.

— Jak jedna z twoich studentek. Muszę ci przypominać twoich studentów.

Zadał kolejne pytania, z których wynikało, że znał, przynajmniej pobieżnie, analityczną teorię liczb i słyszał o Carlu Gaussie i Bernhardzie Riemannie. Rozmawiali aż do zmroku. Wypili kawę, potem piwo i wreszcie wino. A później, kiedy już nie można było przeciągać sprawy, Julien nachylił się i zapytał uprzejmie, jakby z obowiązku:

— A powiedz, jak się ma Nila?

Pari wydęła policzki i powoli wypuściła powietrze.

Julien pokiwał ze zrozumieniem głową.

— Może stracić księgarnię — powiedziała Pari.

— Przykro mi to słyszeć.

— Interes od lat słabo idzie. Być może będzie musiała go zamknąć. Nie przyznałaby się do tego, ale to byłby dla niej cios. I to duży.

— Pisze coś?

— Pisała.

Wkrótce zmienił temat. Pari przyjęła to z ulgą. Nie chciała rozmawiać o *maman* i jej piciu. Ani o walce, aby zmusić ją do brania lekarstw. Pari przypomniała sobie te wszystkie skrępowane spojrzenia, które wymieniali, ona i Julien, kiedy byli sami, gdy *maman* się ubierała, on patrzył na nią, a ona gorączkowo myślała, co powiedzieć. *Maman* musiała to czuć.

Czy dlatego zerwała z Julienem? Jeśli tak, Pari miała przeczucie, że zrobiła to raczej jako zazdrosna kochanka niż troskliwa matka.

Kilka tygodni później Julien zaproponował Pari, żeby się do niego wprowadziła. Zajmował małe mieszkanie na lewym brzegu, w VII dzielnicy. Pari się zgodziła. Mieszkanie pod jednym dachem z Collette, która nie ukrywała wrogości wobec niej, stało się nie do zniesienia.

Pari przypomina sobie swoją pierwszą niedzielę z Julienem w jego mieszkaniu. Leżeli przytuleni na kanapie. Pari trwała w przyjemnym półśnie, a Julien pił herbatę, opierając długie nogi na stoliku do kawy. Czytał recenzję na ostatniej stronie gazety. Nastawił płytę Jacques'a Brela. Co jakiś czas Pari poruszała głową, a Julien pochylał się i cmokał ją w powiekę, ucho albo nos.

— Musimy powiedzieć *maman* — odezwała się.

Poczuła, że stężał. Złożył gazetę, zdjął okulary do czytania i rzucił je na oparcie kanapy.

— Musi wiedzieć — dodała.

— Chyba tak — odparł.

— „Chyba"?

— Nie, oczywiście. Masz rację. Powinnaś jej powiedzieć. Ale bądź ostrożna. Nie proś jej o pozwolenie ani błogosławieństwo, bo nie dostaniesz ani jednego, ani drugiego. Po prostu jej powiedz. I postaraj się, aby wiedziała, że z nią nie negocjujesz.

— Łatwo ci mówić.

— Być może. Ale pamiętaj, że Nila to mściwa kobieta. Przykro mi to mówić, ale dlatego się rozstaliśmy. Jest zaskakująco mściwa. Tyle wiem. Nie będzie ci łatwo.

Pari westchnęła i zamknęła oczy. Na samą myśl o tym żołądek podszedł jej do gardła.

Julien pogładził ją po plecach.

— Nie bój się.

Pari zadzwoniła do niej następnego dnia. *Maman* już wiedziała.

— Kto ci powiedział?

— Collette.

Oczywiście, pomyślała Pari.

— Zamierzałam ci powiedzieć.

— Wiem, że tak. Czegoś takiego nie da się ukryć.

— Jesteś zła?

— A czy to ma znaczenie?

Pari stała przy oknie. Z roztargnieniem przesuwała palcem po niebieskim brzegu starej wysłużonej popielniczki Juliena. Przymknęła oczy.

— Nie, *maman*, nie ma.

— Cóż, chciałabym powiedzieć, że to nie sprawiło mi bólu.

— Nie zamierzałam cię zranić.

— W to akurat wątpię.

— Dlaczego miałabym chcieć cię zranić, *maman*?

Matka się zaśmiała. Głucho, nieprzyjemnie.

— Czasami patrzę na ciebie i nie widzę w tobie siebie. Oczywiście, że nie. Ale chyba można się było tego spodziewać. Nie wiem, kim się stałaś, do czego jesteś zdolna, gdzieś tam, w głębi duszy. Jesteś dla mnie kimś obcym.

— Nie rozumiem, co to ma znaczyć — odparła Pari.

Ale matka już odłożyła słuchawkę.

Fragmenty *Śpiewającego ptaka*,
wywiadu z Nilą Wahdati przeprowadzonego
przez Étienne'a Boustoulera,
„Paralaksa" 84 (zima 1974), s. 38

EB: Francuskiego nauczyła się pani tutaj?

NW: Matka nauczyła mnie tego języka w Kabulu, gdy byłam mała. Mówiła do mnie wyłącznie po francusku. Codziennie miałyśmy lekcje. Ciężko mi było po jej wyjeździe z Kabulu.

EB: Wyjechała do Francji?

NW: Tak. Rodzice rozwiedli się w trzydziestym dziewiątym roku, kiedy miałam dziesięć lat. Byłam jedynym dzieckiem. Ojciec nie mógł pozwolić, żebym wyjechała z matką. Więc zostałam, a ona przeniosła się do Paryża, żeby zamieszkać ze swoją siostrą Agnes. Ojciec próbował zrekompensować mi stratę, zatrudniając prywatnego nauczyciela, opłacając lekcje jazdy konnej i rysunku. Ale nic nie zastąpi matki.

EB: Co się z nią stało?

NW: Och, zmarła. Kiedy Niemcy wkroczyli do Paryża. Nie zabili jej. Zabili Agnes. Matka umarła na zapalenie płuc. Ojciec powiedział mi o tym dopiero po wyzwoleniu Paryża przez aliantów, ale i tak wiedziałam. Po prostu czułam.

EB: To musiało być dla pani trudne.

NW: Druzgocące. Kochałam matkę. Po wojnie zamierzałam zamieszkać z nią we Francji.

EB: To chyba oznacza, że pani i ojciec nie dogadywaliście się najlepiej.

NW: Były między nami napięcia. Kłóciliśmy się. Dość często, co stanowiło dla niego nowość. Nie był przyzwyczajony, żeby ktoś mu się odszczekiwał, a już na pewno nie kobieta. Kłóciliśmy się o to, jak się ubierałam, dokąd chodziłam, co, jak i do kogo mówiłam. Stałam się zuchwała, a nawet bezczelna, a on jeszcze bardziej surowy i powściągliwy. Byliśmy całkowitym przeciwieństwem.

Parska śmiechem i poprawia bandanę.

NW: A potem zaczęłam się zakochiwać. Często, rozpaczliwie i ku przerażeniu ojca, w niewłaściwych mężczyznach. W synu gospodyni, w urzędniku państwowym niższego szczebla, który załatwiał coś ojcu. Były to głupie, przelotne fascynacje, wszystkie od początku skazane na niepowodzenie. Umawiałam się potajemnie i wymykałam z domu, a potem, oczywiście, ktoś informował ojca, że widziano mnie na ulicy. Mówiono mu, że jestem rozbrykana... zawsze tak to nazywano, „rozbrykaniem". Albo zarzucano mi, że się „afiszuję". Ojciec wysyłał po mnie ludzi. A potem zamykał na klucz. Na całe dnie. Mówił zza drzwi: „Przynosisz mi wstyd. Dlaczego przynosisz mi wstyd? Co mam z tobą zrobić?". I odwoływał się do pasa albo pięści. Gonił mnie po pokoju. Sądził, że może siłą zmusić mnie do posłuszeństwa. Dużo wtedy pisałam, były to długie gorszące wiersze, pełne młodzieńczej pasji. Obawiam się, że jednocześnie trochę melodramatyczne i teatralne. Ptaki uwięzione w klatkach, rozłączeni kochankowie, takie rzeczy. Nie jestem z tego dumna.

Czuję, że fałszywa skromność nie leży w jej naturze, dlatego przypuszczam, że to szczera ocena ówczesnych prób poetyckich. Jeśli tak, to również brutalnie surowa. Bo jej wiersze z tamtego okresu są niezwykłe, nawet w przekładzie, szczególnie jeśli weźmie się pod uwagę młody wiek autorki. Poruszające, przenikliwe i emocjonalne, pełne wyobraźni i wdzięku. Pięknie mówią o samotności i bezbrzeżnym smutku. Są zapisem jej rozczarowań, wzlotów i upadków, młodzieńczej miłości, ze wszystkimi jej blaskami i cieniami, obietnicami i pułapkami. Często jest też poczucie transcendentnej klaustrofobii oraz zwężających się horyzontów. Autorka walczy przeciwko tyranii okoliczności, przedstawianej niejednokrotnie pod postacią bezimiennej groźnej męskiej postaci. To chyba wcale nie zawoalowana aluzja do ojca. Mówię jej to wszystko.

EB: I odżegnuje się pani w tych wierszach od rymu i metrum, które, jeśli dobrze się orientuję, są charakterystyczną cechą klasycznej poezji w farsi. Pani odwołuje się do wyobraźni. Eksponuje przypadkowe, zwyczajne szczegóły. To było dość nowatorskie, jak rozumiem. Czy można powiedzieć, że gdyby przyszła pani na świat w bogatszym kraju... powiedzmy, w Iranie... prawie na pewno stałaby się pani pionierką w dziedzinie literatury?

Uśmiecha się cierpko.

NW: Przypuszczalnie.

EB: A jednak to uderzające, co powiedziała pani wcześniej. Że nie szczyci się pani tamtymi wierszami. Czy w ogóle jest pani zadowolona z własnej twórczości?

NW: Drażliwe pytanie. Myślę, że odpowiedź byłaby twierdząca, gdybym tylko potrafiła oddzielić wiersze od procesu twórczego.

EB: Czyli oddzielić efekt od tego, jak został uzyskany?

NW: Dla mnie proces twórczy to złodziejstwo. Gdyby zajrzeć pod piękny wiersz, panie Boustouler, można by tam znaleźć wszelkiego rodzaju świństwa. Tworzyć to niszczyć życie innych ludzi, czynić z nich swoich wspólników wbrew ich wiedzy i woli. Kraść ich pragnienia, sny, przywłaszczać sobie ich wady, cierpienie. Brać cudzą własność. I robi się to świadomie, z premedytacją.

EB: Pani jest w tym bardzo dobra.

NW: Robiłam to nie w jakimś szczytnym celu, dla sztuki, ale dlatego, że nie miałam innego wyjścia. Przymus był zbyt silny. Gdybym mu nie uległa, oszalałabym. Pyta pan, czy jestem zadowolona ze swojej twórczości. Trudno szczycić się czymś, co osiągnęło się wątpliwymi moralnie środkami. Chwalenie albo nie zostawiam innym.

Opróżnia kieliszek i nalewa do niego resztę wina z butelki.

NW: Mogę tylko powiedzieć, że w Kabulu nikt mnie nie chwalił. Nikt tam nie uważał mnie za pionierkę, a jeśli już, to w dziedzinie złego gustu, niemoralnego prowadzenia się, wyuzdania. A przynajmniej mój ojciec. Mówił, że moje wiersze to bredzenie dziwki. Tego właśnie słowa używał. Twierdził, że zhańbiłam rodzinne nazwisko. Że go zdradziłam. I wciąż pytał, dlaczego nie mogę być osobą szanowaną.

EB: Co pani odpowiadała?

NW: Odpowiadałam, że nie obchodzi mnie jego wyobrażenie o osobie szanowanej. I że nie chcę sobie zakładać pętli na szyję.

EB: To chyba jeszcze bardziej go denerwowało?

NW: Oczywiście.

Waham się, czy powiedzieć to, co przychodzi mi na myśl.

EB: Ale chyba rozumiem jego złość.

Unosi brew.

EB: Był patriarchą, prawda? A pani stanowiła wyzwanie dla wszystkiego, co znał, co było mu drogie. Walczyła pani, w pewien sposób, poprzez swój styl życia i twórczość, o przesunięcie granic obyczajowych dla swojej płci, o to, żeby kobiety mogły o sobie decydować, swobodnie wyrażać siebie. Sprzeciwiała się pani monopolowi władzy sprawowanej przez mężczyzn od wieków. Mówiła pani coś, czego nie można było mówić. Rozpoczęła pani małą jednoosobową wojnę.

NW: A cały czas myślałam, że piszę o seksie.

EB: Bo seks stanowi tego część, czyż nie?

Przerzucam notatki i wymieniam kilka erotycznych wierszy: *Ciernie, Tylko nie czekać, Poduszka*. I jednocześnie wyznaję, że nie należą do moich ulubionych. Według mnie brakuje im subtelności i dwuznaczności. Można odnieść wrażenie, że zostały napisane, aby szokować, gorszyć. Wydaje mi się, że są wściekłym protestem przeciwko tradycyjnym rolom płci w Afganistanie.

NE: No cóż, byłam wściekła. Nie uznawałam podejścia, że należy chronić mnie przed seksem. Że należy chronić mnie przed moim własnym ciałem, bo jestem kobietą. A kobiety, jak pan wie, są emocjonalnie, moralnie i intelektualnie niedojrzałe. Brakuje im samokontroli, są podatne na fizyczne pokusy. To hiperseksualne istoty, których trzeba pilnować, bo inaczej wskoczą do łóżka każdemu Ahmadowi i Mahmudowi.

EB: Ale... proszę mi wybaczyć, że to mówię... tak właśnie pani robiła, prawda?

NW: Tylko w ramach protestu przeciwko takiemu wyobrażeniu.

Ma piękny śmiech, łobuzerski i inteligentny. Pyta, czy zjem coś na lunch. Mówi, że córka ostatnio zaopatrzyła jej lodówkę, a następnie robi pyszną, jak się okazuje, kanapkę z *jambon fumé*. Ale tylko jedną, dla mnie. Dla siebie otwiera następną butelkę wina i zapala kolejnego papierosa. Siada.

NW: Czy przyzna mi pan rację, panie Boustouler, że przez wzgląd na tę rozmowę powinniśmy pozostać w dobrych stosunkach?

Potwierdzam.

NW: Wobec tego niech mi pan wyświadczy dwie przysługi: Proszę zjeść kanapkę i nie patrzeć tak na mój kieliszek.

Nie muszę mówić, że ta uwaga powstrzymuje mnie przed pytaniem o picie.

EB: Co było dalej?

NW: W czterdziestym ósmym roku, gdy miałam prawie dziewiętnaście lat, zachorowałam. To była poważna choroba i na tym poprzestańmy. Ojciec zawiózł mnie na leczenie do Delhi. Był przy mnie przez sześć tygodni, kiedy zajmowali się mną lekarze. Powiedziano mi, że byłam bliska śmierci. Może powinnam wtedy umrzeć. Przedwczesna śmierć służy karierze młodego poety. Po powrocie do domu byłam słaba i zamknięta w sobie. Przestałam pisać. Nie miałam ochoty jeść, rozmawiać, wychodzić. Niechętnie patrzyłam na gości. Chciałam tylko zaciągnąć zasłony i spać od rana do wieczora. I tak przeważnie robiłam. W końcu jednak wstałam z łóżka i powoli wróciłam do codziennych obowiązków, przez co rozumiem wszystkie te niezbędne czynności, które należy wykonywać, żeby jakoś funkcjonować i współżyć z ludźmi. Ale byłam zgaszona. Jakbym zostawiła w Indiach ważną część siebie.

EB: Pani ojciec się tym niepokoił?

NW: Wręcz przeciwnie. To go tylko zachęciło. Uważał, że zetknięcie się ze śmiercią wyleczyło mnie z niedojrzałości i krnąbrności. Nie rozumiał, że czułam się zagubiona. Czytałam, panie Boustouler, że gdy człowiek zostanie zasypany przez lawinę i leży pod śniegiem, nie potrafi powiedzieć, gdzie jest góra, a gdzie dół. Chce przekopać się na zewnątrz, ale jeśli nie wie, w którą stronę drążyć, ściąga na siebie zgubę. Tak właśnie się czułam, zdezorientowana, zawieszona w przestrzeni, pozbawiona kompasu. Niewyobrażalnie przygnębiona. A w takim stanie jest się zupełnie bezbronnym. Więc pewnie dlatego powiedziałam „tak", gdy w następnym roku, czterdziestym dziewiątym, Solejman Wahdati poprosił ojca o moją rękę.

EB: Miała pani dwadzieścia lat.

NW: A on nie.

Pyta, czy mam ochotę na drugą kanapkę, ale odmawiam, natomiast chętnie przyjmuję propozycję kawy. Stawiając wodę na gazie, pyta, czy jestem żonaty. Odpowiadam, że nie i że raczej się nie ożenię. Długo patrzy na mnie przez ramię, a potem się uśmiecha.

NW: Aha. Zwykle wiem to od razu.

EB: Niespodzianka!

NW: Może to z powodu wstrząsu mózgu.

Wskazuje bandanę.

NW: To nie modny dodatek. Kilka dni temu poślizgnęłam się i upadłam, rozcięłam sobie czoło. Ale mimo to powinnam wiedzieć. To znaczy, o panu. Z mojego doświadczenia wynika, że mężczyźni, którzy tak dobrze rozumieją kobiety jak pan, rzadko chcą mieć z nimi coś wspólnego.

Podaje mi kawę, zapala papierosa i siada.

NW: Mam pewną teorię na temat małżeństwa, panie Boustouler. W ciągu dwóch tygodni po ślubie wiadomo, czy związek będzie udany, czy nie. To zdumiewające, jak wielu ludzi tkwi przez lata, a nawet dziesięciolecia, w kajdanach, w przedłużającym się stanie iluzji i fałszywej nadziei, choć już w pierwszych dwóch tygodniach uzyskują odpowiedź. Mnie wystarczyło jeszcze mniej czasu. Mój mąż był przyzwoitym człowiekiem. Ale jednocześnie zbyt poważnym, powściągliwym i nieciekawym. A poza tym kochał się w szoferze.

EB: Och, to musiał być dla pani szok.

NW: Cóż, dodatkowy wątek, żeby skomplikować akcję.

Uśmiecha się smutno.

NW: Przeważnie było mi go żal. Nie mógł się urodzić w gorszym miejscu ani czasie. Umarł na wylew, gdy nasza córka miała sześć lat. Mogłam wtedy zostać w Kabulu. Miałam dom i majątek po mężu. Ogrodnika i wspomnianego szofera. Wiodłabym wygodne życie. Ale spakowałam walizki i przeniosłam się z Pari do Paryża.

EB: Co, jak była mowa wcześniej, zrobiła pani ze względu na nią.

NW: Wszystko, co robiłam, robiłam dla córki. Choć ona nie rozumie ani nie potrafi docenić mojego poświęcenia. Potrafi być niewiarygodnie bezmyślna, ta moja córka. Nie ma pojęcia, jakie życie musiałaby wieść, gdyby nie ja.

EB: Córka panią zawiodła?

NW: Panie Boustouler, doszłam do wniosku, że jest moją karą.

Pewnego dnia w 1974 roku Pari wraca do swojego nowego mieszkania i znajduje na łóżku małą paczkę. Minął rok od czasu, gdy zabrała matkę z pogotowia, i dziewięć miesięcy, odkąd odeszła od Juliena. Mieszka teraz ze studentką pielęgniarstwa, Zahią, młodą Algierką o ciemnych kręconych włosach i zielonych oczach. To dobra dziewczyna o pogodnym, niemęczącym usposobieniu, i dobrze się dogadywały, ale Zahia zaręczyła się ze swoim chłopakiem, Samim, i pod koniec semestru zamierza się do niego wprowadzić.

Obok paczki leży złożona kartka:

To przyszło do Ciebie. Nocuję u Samiego. Do
zobaczenia jutro. Je t'embrasse. Zahia.

Pari otwiera paczkę. W środku znajduje się czasopismo
i przypięty do niego drugi list, napisany znajomym, niemal
po kobiecemu ładnym pismem.

Przesłano to Nili, potem parze, która zajmuje
dawne mieszkanie Collette, a następnie przekazano
mnie. Powinnaś uaktualnić swój adres. Przeczytaj
to, ale na własne ryzyko. Obawiam się, że żadnemu
z nas nie wystawiono tam laurki. Julien.

Pari rzuca czasopismo na łóżko i robi sobie sałatkę ze
szpinaku oraz kuskus. Przebiera się w piżamę i je przy telewizorze, małym czarno-białym, pożyczonym odbiorniku.
Z roztargnieniem ogląda reportaż przedstawiający lądowanie
uchodźców z Wietnamu na wyspie Guam. Myśli o Collette,
która protestowała na ulicach przeciwko amerykańskiej in-
terwencji w Wietnamie. Collette, która na pogrzeb *maman*
przyniosła wieniec z dalii i stokrotek, przytuliła i pocałowała
Pari, a potem stanęła na podwyższeniu i pięknie wyrecytowała jeden z wierszy jej matki.

Julien nie przyjechał na pogrzeb. Wcześniej zadzwonił
i powiedział słabym głosem, że nie lubi takich uroczystości,
że go przygnębiają.

— A kto lubi? — zapytała Pari.

— Myślę, że będzie lepiej, jeśli nie przyjdę.

— Zrobisz, jak zechcesz — rzuciła do słuchawki i pomyślała: Ale to cię nie rozgrzeszy. Tak jak mnie nie rozgrzeszy
to, że przyjdę. Och, jacy byliśmy niefrasobliwi. Bezmyślni.

Mój Boże. Odłożyła słuchawkę, wiedząc, że przez resztę życia od czasu do czasu będzie ją to dopadało — poczucie winy, straszne wyrzuty sumienia — podkradało się znienacka i zawsze przejmowało bólem do szpiku kości. Będzie musiała się z tym zmagać do śmierci. To coś jak cieknący kran gdzieś głęboko w świadomości.

Po kolacji bierze kąpiel i przegląda notatki do nadchodzącego egzaminu. Znowu ogląda telewizję, zmywa i wyciera naczynia, zamiata podłogę w kuchni. Ale daremnie. Nie potrafi się na niczym skupić. Czasopismo leży na łóżku i przyzywa ją jak buczenie o niskiej częstotliwości.

Później wkłada na piżamę płaszcz przeciwdeszczowy i idzie na spacer bulwarem de la Chapelle, kilka przecznic na południe. Powietrze jest rześkie, na chodnik i wystawy sklepowe spadają krople deszczu, ale niepokój nie pozwala jej zostać w domu. Potrzebuje tego chłodnego, wilgotnego powietrza, otwartej przestrzeni.

Pari pamięta, że gdy była mała, stale zadawała pytania. „Czy mam w Kabulu kuzynów, *maman*? Stryjów, wujów i ciotki? A dziadkowie, czy mam *grand-pére* i *grand-maman*? Dlaczego nigdy nie przyjeżdżają do nas z wizytą? Mogę napisać do nich list? Proszę, możemy ich odwiedzić?"

Większość pytań dotyczyła ojca. „Jaki był jego ulubiony kolor, *maman*? Powiedz, *maman*, był dobrym pływakiem? Znał dużo dowcipów?" Pamięta, że ojciec kiedyś gonił ją po pokoju, przewrócił na dywan i zaczął łaskotać w stopy i brzuszek. Pachniał mydłem lawendowym, a jego wysokie czoło błyszczało. Miał długie palce. Owalne spinki do mankietów z lazurytu i zaprasowane w kant spodnie od garnituru. Widzi drobinki kurzu, które unosiły się wtedy z dywanu.

Pari zawsze oczekiwała od matki, że pomoże jej posklejać te wszystkie luźne fragmenty wspomnień, że przekształci je w jakąś spójną całość. Ale *maman* nigdy dużo nie mówiła. Zachowywała dla siebie szczegóły swojego i ich wspólnego życia w Kabulu. Nie dopuszczała jej do przeszłości i w końcu Pari przestała zadawać pytania.

A teraz okazuje się, że temu dziennikarzowi, Étienne'owi Boustoulerowi, *maman* opowiedziała o sobie i swoim życiu więcej niż własnej córce.

Czy to możliwe?

Przed wyjściem z mieszkania Pari czyta wywiad trzy razy. I nie wie, co ma o nim myśleć, w co wierzyć. Wiele fragmentów brzmi fałszywie. Część czyta się jak parodię. Łzawy melodramat o uwięzionej piękności. Skazanych na niepowodzenie miłościach i ciągłych przeszkodach, a wszystko to opowiedziane jednym tchem, ze swadą.

Pari zmierza na zachód, w stronę Pigalle, idzie szybkim krokiem, z rękami w kieszeniach płaszcza. Niebo szybko ciemnieje, deszcz zacina w twarz coraz mocniej, uporczywie, zalewając okna, rozmazując światła reflektorów. Pari nie pamięta, żeby kiedykolwiek spotkała tamtego mężczyznę, swojego dziadka, ojca *maman*, widziała go tylko na zdjęciu, czytającego przy biurku, ale wątpi, żeby był takim podkręcającym wąsa okrutnikiem, jak przedstawiła go matka. Pari ma wrażenie, że przejrzała *maman*. Ma własną teorię. W jej wersji dziadek nie bez powodu martwi się o swoją głęboko nieszczęśliwą córkę o autodestrukcyjnych skłonnościach, która rujnuje sobie życie. To człowiek cierpiący poniżenie i ciągłe zamachy na swoją godność, a mimo to stoi przy córce, zabiera ją do Indii, gdy ta choruje, tkwi przy jej boku przez sześć tygodni. A tak przy okazji, co wtedy *maman* dolegało? Co jej zrobili w Indiach? — zastanawia się Pari, myśląc o pionowej bliźnie na brzuchu matki. Kiedy zapytała o to Zahię, dowiedziała się od niej, że cesarskiego cięcia dokonuje się poziomo.

A później jeszcze to, co *maman* powiedziała dziennikarzowi o swoim mężu, ojcu Pari. Czy kłamała? Czy naprawdę kochał się w Nabim, szoferze? A jeśli tak, po co ujawniać to po tak długim czasie? Żeby wprowadzić zamęt, poniżyć, a może zadać ból? I komu w takim razie?

Jeśli chodzi o nią, Pari nie jest zdziwiona niepochlebną oceną, jaką wystawiła jej *maman* — nie po historii z Julienem — ani zaskoczona jej opinią o swojej roli jako matki.

Kłamstwa?

A mimo to...

Maman była utalentowaną poetką. Pari przeczytała wszystko, co kiedykolwiek napisała po francusku, i każdy jej wiersz przetłumaczony z farsi. Moc i piękno tej poezji są niezaprzeczalne. Ale jeśli to, co *maman* powiedziała w wywiadzie o swoim życiu, było nieprawdą, to skąd się wzięły te obrazy w jej twórczości? Gdzie było źródło słów, szczerych, wdzięcznych, brutalnych i smutnych? Czy była tylko wprawną oszustką? Sztukmistrzynią z piórem zamiast czarodziejskiej różdżki, zdolną poruszyć widownię, wywołującą emocje, których sama nie znała? Czy to w ogóle możliwe?

Pari nie wie, naprawdę nie wie. A może taka właśnie była intencja *maman*: podkopać grunt pod stopami córki. Specjalnie nią zachwiać, żeby się przewróciła, zamieniła w kogoś obcego dla samej siebie. Zasiać ziarno wątpliwości w jej umyśle wobec wszystkiego, co wiedziała o sobie i swoim życiu, sprawić, by poczuła się zagubiona, jakby wędrowała nocą przez pustynię, w ciemności, w nieznane, a prawda była czymś iluzorycznym, niczym małe światełko daleko w mroku, które zapala się i gaśnie, przemieszcza i znika.

Może, myśli Pari, to zemsta matki? Nie tylko za Juliena, ale także za zawód, jaki sprawiła jej córka, która może powinna była położyć kres jej piciu, nieudanym związkom z mężczyznami, desperackim próbom osiągnięcia szczęścia, na których upływały jej lata. Tym wszystkim ślepym uliczkom i porzuconym drogom. Po każdym rozczarowaniu *maman* była coraz bardziej rozbita, zagubiona i nieszczęśliwa. Kim byłam, *maman*? — zastanawia się Pari. Kim miałam być, gdy rosłam w twoim łonie, zakładając, że to w nim zostałam poczęta? Zalążkiem nadziei? Biletem na prom, żeby wypłynąć z ciemności? Łatą na dziurę, którą nosiłaś w sercu? Jeśli tak, to okazałam się niewystarczająca. Zupełnie niewystarczająca. Nie byłam balsamem na twoją ranę, tylko kolejną ślepą uliczką, kolejnym brzemieniem. Musiałaś wcześnie to dostrzec. Zdać sobie z tego sprawę. Ale co mogłaś zrobić? Pójść do lombardu i mnie sprzedać?

Może ten wywiad to śmiech *maman* zza grobu?

Kilka przecznic na zachód od szpitala, w którym Zahia odbywa praktykę, Pari wchodzi pod markizę brasserie, żeby schronić się przed deszczem. Zapala papierosa. Powinnam zadzwonić do Collette, myśli. Od pogrzebu rozmawiała z nią tylko raz czy dwa razy. Kiedy były małe, żuły całe garście gumy, aż bolały je szczęki, siadały przed toaletką *maman*, czesały sobie nawzajem włosy przed lustrem i je upinały. Pari zauważa po drugiej stronie ulicy starą kobietę w plastikowym kapelusiku przeciwdeszczowym, która z trudem idzie ulicą, prowadząc małego jasnobrązowego teriera. Nie po raz pierwszy z mgły, jaką są wspomnienia Pari, wyłania się pies. Nie taki mały, zabawkowy jak ten terier, ale duży, chudy, włochaty i brudny, z obciętym ogonem i uszami. Nie jest pewna, czy to wspomnienie, duch wspomnienia, a może ani jedno, ani drugie. Kiedyś spytała *maman*, czy mieli w Kabulu psa, i usłyszała w odpowiedzi:

— Wiesz, nie lubię psów. Nie mają godności. Możesz je kopnąć, a one i tak będą cię kochać. To przygnębiające.

Maman powiedziała coś jeszcze: „Nie widzę w tobie siebie. Nie wiem, kim jesteś".

Pari rzuca papierosa. Postanawia zadzwonić do Collette. Umówić się na herbatę. Dowiedzieć się, co u niej. Z kim się spotyka. I wybrać się razem na wycieczkę po sklepach, jak kiedyś.

Zapytać, czy stara przyjaciółka wciąż ma ochotę pojechać do Afganistanu.

Pari rzeczywiście spotyka się z Collette. Umawiają się w popularnym barze o marokańskim wystroju, z fioletowymi draperiami i pomarańczowymi poduszkami. Na małej scenie występuje mężczyzna z kręconymi włosami, który gra na ud. Collette nie przyszła sama. Przyprowadziła młodego faceta. Nazywa się Eric Lacombe. Uczy aktorstwa w siódmej i ósmej klasie liceum w XVIII dzielnicy. Przypomina Pari, że poznali się przed kilkoma laty podczas manifestacji przeciwko polowaniom na foki. Początkowo Pari nie pamięta, ale potem przypomina sobie, że to na niego Collette tak się wściekła z powodu małej frekwencji, to jego waliła w pierś. Siadają na podłodze, na puszystych poduszkach w kolorze mango, i zamawiają drinki. Na początku Pari ma wrażenie, że Collette i Eric są parą, ale przyjaciółka za bardzo chłopaka chwali i Pari orientuje się, że został tu przyprowadzony dla niej. Zażenowanie, które ogarnęłoby ją w takiej sytuacji, zostaje zrównoważone — i dzięki temu złagodzone — przez podobne skrępowanie Erica. Pari wydaje się to zabawne i nawet trochę ujmujące, bo Eric rumieni się, kręci głową przepraszająco, z zakłopotaniem. Przy pieczywie i tapenadzie z czarnych oliwek Pari ukradkiem mu się przygląda. Trudno go nazwać przystojnym. Ma długie proste włosy związane gumką na karku. Małe dłonie i jasną skórę. Za wąski nos i zbyt wystające czoło, podbródek niemal w zaniku. Ale za to uśmiecha się ładnie i wyczekująco unosi kąciki ust za każdym razem, gdy kończy zdanie, jakby zamykał je wesołym znakiem zapytania. I choć jego twarz nie urzeka tak Pari, jak kiedyś urzekła ją twarz Juliena, jest w niej dobroć, a pod nią, jak Pari niebawem się przekona, kryją się troska, cierpliwość, spokój i przyzwoitość.

Pobierają się zimnego wiosennego dnia 1977 roku, kilka miesięcy po zaprzysiężeniu Jimmy'ego Cartera. Wbrew życzeniu rodziców, Eric upiera się przy skromnej cywilnej ceremonii, tylko z udziałem państwa młodych i świadka, czyli Collette. Twierdzi, że uroczysty ślub to ekstrawagancja, na którą ich nie stać. Jego ojciec, zamożny bankowiec, proponuje, że pokryje koszty. W końcu Eric to ich jedyne dziecko. To ma być prezent, ewentualnie pożyczka. Ale Eric odmawia. I choć tego nie mówi, chce zaoszczędzić Pari ceremonii, podczas której byłaby sama, bez rodziny w ławkach, bez kogoś, kto poprowadziłby ją do ślubu, uronił łzę radości z powodu jej szczęścia. I Pari to wie.

Kiedy mówi mu o swoich planach, że chce pojechać do Afganistanu, Eric rozumie ją tak, jak Julien nigdy by nie zrozumiał. Zdaje też sobie sprawę z czegoś, do czego ona sama otwarcie by się nie przyznała.

— Sądzisz, że zostałaś adoptowana — mówi.

— Pojedziesz ze mną?

Postanawiają, że pojadą tego lata, gdy skończy się szkoła i Eric nie będzie miał pracy, a Pari zrobi sobie przerwę w przygotowaniach do doktoratu. Eric zapisuje ich oboje na lekcje farsi, do nauczyciela, którego znalazł przez matkę jednego ze swoich uczniów. Pari często zastaje męża leżącego na kanapie w słuchawkach, z magnetofonem na piersi — ma zamknięte oczy i skupiony mruczy w farsi, z wyraźnym akcentem, „dziękuję", „dzień dobry" i „jak się masz?".

Kilka tygodni przed nadejściem wakacji, gdy Eric szuka połączeń lotniczych i kwatery, Pari dowiaduje się, że jest w ciąży.

— I tak polecimy — mówi Eric. — Powinniśmy.

Pari decyduje, że tego nie zrobią.

— To byłoby nieodpowiedzialne — przekonuje.

Mieszkają w kawalerce z nawalającym ogrzewaniem, przeciekającymi rurami, ze zbieraniną mebli, bez klimatyzacji.

— To nie jest miejsce dla dziecka — mówi Pari.

Eric dorabia, udzielając lekcji gry na pianinie, której sam się uczył, zanim zainteresował się teatrem, i kiedy rodzi się Isabelle — słodka Isabelle o jasnej skórze i oczach barwy skarmelizowanego cukru — przeprowadzają się do małego mieszkania z dwiema sypialniami, niedaleko Ogrodu Luksemburskiego, tym razem dzięki finansowej pomocy ojca Erica, którą przyjmują, pod warunkiem że to pożyczka.

Pari bierze trzymiesięczny urlop. Spędza całe dnie z Isabelle. Czuje się przy niej lekka. Ma wrażenie, że gdy córeczka na nią patrzy, wokół niej robi się jaśniej. Kiedy Eric wraca wieczorem ze szkoły, pierwsze, co robi, to zdejmuje płaszcz, stawia teczkę przy drzwiach i kładzie się na kanapie, wyciągając ręce i przebierając palcami.

— Daj mi ją, Pari — prosi. — Daj mi ją.

Gdy podrzuca Isabelle na piersi, Pari relacjonuje mu wydarzenia dnia — ile mleka mała wypiła, ile razy spała, jakie odgłosy wydaje, co oglądały w telewizji, w co się bawiły. Eric może tego słuchać godzinami.

Odkładają wyjazd do Afganistanu. Prawda jest taka, że Pari nie czuje już palącej potrzeby, żeby szukać odpowiedzi, znaleźć korzenie. A to dzięki Ericowi, jego obecności, która ją uspokaja, daje poczucie bezpieczeństwa. I dzięki Isabelle, która scaliła grunt pod jej stopami — nadal są w nim dziury i szczeliny, te wszystkie pytania bez odpowiedzi, tajemnice, których nie wyjawiła *maman*. Te pozostały. Ale Pari nie musi ich koniecznie rozwikłać, tak jak kiedyś.

Tamto dawne wrażenie — że w jej życiu brakuje czegoś albo kogoś bardzo ważnego — jakby zbladło. Powraca do niej od czasu do czasu, nieraz z mocą, która ją zaskakuje, ale rzadziej niż dawniej. Pari nigdy nie była tak zadowolona, nie czuła się tak bezpiecznie przycumowana.

W 1981 roku, kiedy Isabelle ma trzy latka, Pari, która od kilku miesięcy nosi w łonie Alaina, musi wyjechać do Monachium na konferencję. Ma tam wygłosić referat, którego jest współautorką — o zastosowaniu form modularnych poza teorią liczb, a szczególnie w topologii i fizyce teoretycznej. Jej wystąpienie zostaje dobrze przyjęte, a później Pari z kilkoma innymi naukowcami idzie do głośnego baru na piwo, precle i *Weisswurst*. Wraca do pokoju hotelowego przed północą i kładzie się do łóżka, nie rozbierając się ani nie myjąc twarzy. O wpół do trzeciej budzi ją telefon Erica z Paryża.

— Chodzi o Isabelle — wyjaśnia.

Mała ma gorączkę. Nagle spuchły jej dziąsła i zrobiły się czerwone. Przy najlżejszym dotknięciu bardzo krwawią.

— Prawie nie widzę jej ząbków, Pari. Nie wiem, co robić. Czytałem gdzieś, że to może być...

Pari nie chce tego słuchać. Ma ochotę mu powiedzieć, żeby zamilkł, ale jest za późno. Słyszy słowa „dziecięca leukemia", a może „białaczka", ale co za różnica? Siada na brzegu łóżka i siedzi jak skamieniała, głowa jej pęka, a ciało oblewa się potem. Jest wściekła na Erica, że przekazał jej tak straszną wiadomość w środku nocy, gdy jest siedemset kilometrów od domu i nic nie może zrobić. Jest wściekła na siebie za swoją głupotę. Z własnej woli naraziła się na życie wypełnione troską i cierpieniem. To było szaleństwo. Niepoczytalność. Wyjątkowo głupia, bezpodstawna wiara, wbrew wszelkiemu prawdopodobieństwu, że świat, nad którym nie masz kontroli, nie zabierze ci tego jednego, czego utraty nie zniesiesz. Wiara, że świat cię nie zniszczy. „Nie przeżyję tego", mówi cicho. „Nie przeżyję tego". W tej chwili nie przychodzi jej do głowy bardziej beznadziejna, irracjonalna myśl niż to, że popełniła błąd, decydując się na dziecko.

Gdzieś w głębi duszy — Boże, pomóż mi, myśli, Boże, wybacz mi to — jest też wściekła na Isabelle, że jej to zrobiła, że to przez córkę tak cierpi.

— Ericu, Ericu! *Ecoute moi.* Oddzwonię do ciebie. Muszę się rozłączyć.

Wyrzuca zawartość torebki na łóżko i znajduje mały rdza-woczerwony notes z numerami telefonów. Zamawia rozmowę z Lyonem. Collette mieszka tam ze swoim mężem Didierem i prowadzi małe biuro. Didier studiuje medycynę. To właśnie on odbiera telefon.

— Ależ Pari, robię specjalizację z psychiatrii, nie wiedzia-łaś? — pyta.

— Wiem. Wiem, ale myślałam...

Didier zadaje kilka pytań. Czy Isabelle ostatnio schudła? Poci się w nocy, ma nietypowe siniaki, chronicznie gorączkuje, jest zmęczona?

Na koniec stwierdza, że Eric rano powinien pojechać z nią do szpitala. Jeśli dobrze pamięta z medycyny ogólnej, to może być ostry przypadek *gingivostomatitis*.

Pari tak mocno ściska słuchawkę, że bolą ją nadgarstki.

— Proszę — mówi cierpliwie. — Didierze.

— Ach, przepraszam, to wygląda mi na pierwsze objawy zapalenia gardła i dziąseł.

— Zapalenie gardła?

A potem wypowiada najcudowniejsze słowa, jakie Pari słyszała w życiu:

— Myślę, że nic jej nie będzie.

Pari widziała Didiera tylko dwa razy, przed jego ślubem z Collette i po nim. Ale w tej chwili szczerze go kocha. Mówi to, szlochając do słuchawki. Powtarza kilka razy, a on się śmieje i życzy jej dobrej nocy. Pari dzwoni do Erica, który rano zamierza zabrać Isabelle do doktora Perrina. Później Pari, której dzwoni w uszach, leży w łóżku i patrzy na światło wpadające z ulicy przez ciemnozielone drewniane okiennice. Przypomina sobie, jak w wieku ośmiu lat leżała w szpitalu z powodu zapalenia płuc. *Maman* nie chciała jechać do domu, spała na krześle przy jej łóżku. Teraz Pari czuje z nią spóźnioną solidarność. W ostatnich latach często tęskniła za matką. Na ślubie, bo jak by inaczej. Przy narodzinach Isabelle. W różnych chwilach. Ale najbardziej w tę straszną i wspaniałą noc w pokoju hotelowym w Monachium.

Następnego dnia, po powrocie do Paryża, mówi Ericowi, że gdy urodzi się Alain, nie powinni mieć więcej dzieci. To tylko zwiększa ryzyko ewentualnych cierpień.

W 1985 roku, kiedy Isabelle ma siedem lat, Alain cztery, a mały Thierry dwa, Pari przyjmuje propozycję prowadzenia zajęć na renomowanej uczelni w Paryżu. Przez jakiś czas jest obiektem zawiści i drobnych intryg — co nie dziwi, biorąc pod uwagę, że w wieku trzydziestu sześciu lat jest najmłodszym profesorem na wydziale i jedną z dwóch kobiet. Znosi to tak, jak w jej wyobrażeniu nie potrafiłaby znosić tego *maman*. Nie pochlebia, nie podlizuje się nikomu. Nie podejmuje walki ani nie składa skarg. Już na zawsze zachowa dystans. Ale gdy pada mur berliński, padają też mury w jej akademickim życiu i powoli, rozsądkiem i rozbrajającą otwartością, zdobywa sobie sympatię większości kolegów. Zawiera przyjaźnie na swoim wydziale — i na innych także — chodzi na uczelniane imprezy, przyjęcia charytatywne, koktajle czy kolacje. Eric jej towarzyszy. Dla żartu z uporem zakłada ten sam wełniany krawat i sztruksową marynarkę z łatami na łokciach. Krąży w tłumie, próbuje zakąsek, popija wino z lekko oszołomioną miną, tylko od czasu do czasu Pari musi wkroczyć i wyrwać go z grupy matematyków, zanim wyraziłby swoje zdanie o 3-rozmaitościach i aproksymacjach diofantycznych.

W sposób nieunikniony ktoś na tych przyjęciach musi ją zapytać o opinię na temat wydarzeń w Afganistanie. Pewnego wieczoru lekko wstawiony profesor, który gościnnie wygłaszał u nich wykłady, niejaki Chatelard, pyta, co według niej nastąpi w tym kraju, kiedy opuszczą go Rosjanie.

— Czy pani rodacy znajdą spokój, pani profesor?

— Nie wiem — odpowiada Pari. — Jestem Afganką tylko z nazwiska.

— *Non mais, quand-même* — nie ustępuje rozmówca. — Ale przecież musi mieć pani jakieś pojęcie.

Pari się uśmiecha, próbując nie ulec zawstydzeniu, które ogarnia ją zawsze podczas takich rozmów.

— Wiem tyle, ile przeczytałam w „Le Monde". Tak samo jak pan.

— Ale wychowała się pani tam, prawda?

— Wyjechałam, gdy byłam bardzo mała. Widział pan mojego męża? To ten z łatami na łokciach.

To, co mówi, jest prawdą. Śledzi wiadomości, czyta w gazetach o wojnie, o tym, że Zachód uzbraja mudżahedinów, ale Afganistan coraz bardziej zaciera się w jej pamięci. Ma mnóstwo zajęć w domu, czyli ładnej willi z czterema sypialniami w Guyancourt, dwadzieścia kilometrów od centrum Paryża. Mieszkają na małym wzgórzu niedaleko parku ze ścieżkami spacerowymi i jeziorkami. Eric nie tylko uczy, ale też pisze sztuki teatralne. Jedna z nich, lekka farsa polityczna, jesienią zostanie wystawiona w niewielkim teatrze w pobliżu Hôtel de Ville w Paryżu, a Eric dostał już zamówienie na następną.

Isabelle wyrasta na spokojną, ale bystrą i mądrą nastolatkę. Prowadzi dziennik i czyta jedną powieść tygodniowo. Słucha

Sinéad O'Connor. Ma piękne długie palce i uczy się grać na wiolonczeli. Za kilka tygodni zaprezentuje na recitalu *Smutną pieśń* Czajkowskiego. Początkowo niechętnie brała lekcje gry na tym instrumencie i Pari zaczęła uczyć się razem z nią, w ramach solidarności. Okazało się to jednak niekonieczne i niewykonalne. Niekonieczne, bo Isabelle szybko przekonała się do wiolonczeli, a niewykonalne, ponieważ Pari zaczęły boleć ręce. Od roku co rano, przez pół godziny, a nawet godzinę, ma zesztywniałe ręce i nadgarstki. Eric przestał ją przekonywać, żeby poszła z tym do lekarza, i teraz już nalega.

— Masz dopiero czterdzieści trzy lata, Pari. To nie jest normalne — tłumaczy.

Więc umówiła się na wizytę u lekarza.

Alain, ich drugie dziecko, jest małym czarującym łobuziakiem. Fascynują go sztuki walki. Urodził się jako wcześniak i jak na jedenaście lat jest dość drobny, ale braki fizyczne nadrabia zapałem i odwagą. Zawsze zwodzi przeciwników niepozorną budową ciała i szczupłymi nogami. Nie doceniają go. Pari i Eric, leżąc wieczorem w łóżku, często nie mogą się nadziwić jego silnej woli i wielkiej energii. Pari nie martwi się ani o niego, ani o Isabelle.

Niepokoi ją Thierry, który być może na jakimś mrocznym pierwotnym poziomie czuje, że był nieoczekiwany, niezamierzony, nieproszony. Milknie nieprzyjemnie i patrzy z ukosa, manifestuje niechęć za każdym razem, gdy Pari o coś go prosi. Jej zdaniem buntuje się bez powodu, dla samego buntu. W niektóre dni zbierają się nad nim chmury. Pari to czuje. Niemal widzi. Zbierają się i nabrzmiewają, aż w końcu dochodzi do wyładowania, wybuchu gniewu, z drżeniem policzków i tupaniem. Pari jest przerażona, a Eric mruga gwałtownie i uśmiecha się blado. Pari wie, że Thierry będzie dla niej jak ból stawów, wiecznym cierpieniem.

Często się zastanawia, jaką babcią byłaby *maman*. Zwłaszcza dla Thierry'ego. Intuicyjnie wyczuwa, że matka mogłaby być pomocna w jego wychowaniu. Może dostrzegłaby w nim siebie — choć, oczywiście, nie w sensie biologicznym, tego Pari od jakiegoś czasu jest pewna. Dzieci wiedzą o *maman*. Szczególnie interesuje się nią Isabelle. Czytała wiele jej wierszy.

— Szkoda, że nie poznałam babci — mówi. — Wydaje się, że była wspaniała. — Chyba byśmy się zaprzyjaźniły, ona i ja. Jak myślisz? Czytałybyśmy te same książki. Grałabym dla niej na wiolonczeli.

— Na pewno byłaby zachwycona — odpowiada Pari. — Tego jestem pewna.

Nie powiedziała dzieciom o samobójstwie. Może któregoś dnia się dowiedzą, pewnie tak. Ale nie od niej. Nie zasieje w ich umysłach tego ziarna — że rodzic jest w stanie opuścić swoje dzieci, rzucić im w twarz: „Nie wystarczacie mi". Jej samej dzieci i Eric wystarczają w zupełności. I to się nigdy nie zmieni.

Latem 1994 roku Pari i Eric jadą z dziećmi na Majorkę. Te wakacje organizuje im Collette, przez swoje biuro podróży. Ona i Didier spotykają się z nimi na wyspie i wszyscy razem mieszkają przez dwa tygodnie w wynajętym domku przy plaży. Collette i Didier nie mają dzieci, nie z powodów biologicznych, ale dlatego że nie chcą. Dla Pari to dobry czas. Ma już gościec pod kontrolą. Bierze raz na tydzień methotrexat w zastrzykach, który toleruje. Na szczęście ostatnio nie musiała zażywać sterydów, które powodują u niej bezsenność.

— Nie mówiąc o tyciu — zwierza się w rozmowie z Collette. — Zwłaszcza że na Majorce będę musiała wbić się w kostium kąpielowy. — Śmieje się. — Och, ta próżność.

Podczas urlopu zwiedzają wyspę, jeżdżą po górach Serra de Tramuntana na północnym zachodzie, zatrzymując się tu i tam, żeby pochodzić po gajach oliwnych i sosnowych lasach. Jedzą wieprzowinę nazywaną porcella, pyszne danie z okonia morskiego — lubina — oraz potrawkę z bakłażana i cukinii o nazwie tumbet. Thierry grymasi i w każdej restauracji Pari musi prosić kucharza, żeby przyrządził dla niego spaghetti ze zwykłym sosem pomidorowym, bez mięsa i sera. Na prośbę Isabelle — która ostatnio odkryła operę — pewnego wieczoru wybierają się na *Toscę* Pucciniego. Żeby jakoś przetrwać przedstawienie, Collette i Pari ukradkiem przekazują sobie srebrną piersiówkę z tanią wódką. W połowie drugiego aktu są już wstawione i chichoczą jak uczennice, gdy śpiewak grający barona Scarpię rozpacza na scenie.

Któregoś dnia Pari, Collette, Isabelle i Thierry pakują lunch i idą na plażę. Didier, Alain i Eric pojechali z samego rana na wyprawę wzdłuż zatoki Sóller. W drodze nad morze wstępują do sklepu, żeby kupić dla Isabelle kostium kąpielowy, który wpadł jej w oko. Wchodząc do środka, Pari dostrzega swoje odbicie w szybie. Zazwyczaj, szczególnie ostatnio, gdy staje przed lustrem, automatycznie włącza się u niej proces racjonalizacji, który przygotowuje ją na widok siebie starszej. Chroni ją, łagodzi szok. Ale w tej wystawie sklepowej Pari widzi się zupełnie niespodziewanie i musi stawić czoło nieznieksztalconej przez złudzenia rzeczywistości. Dostrzega kobietę w średnim wieku, w burej rozciągniętej bluzce i plażowej spódnicy, która nie zakrywa fałdów zwiotczałej skóry nad kolanami. Słońce wydobywa siwiznę w jej włosach. I mimo kreski wokół oczu i szminki, jej twarz wygląda tak, że przechodzień, spojrzawszy na nią przelotnie, odwróciłby wzrok jak od znaku drogowego czy numeru skrzynki pocztowej. To krótki moment, trwa zaledwie jedno uderzenie serca, ale wystarczająco długo, aby jej iluzoryczne wyobrażenie siebie samej dogoniło rzeczywisty obraz kobiety patrzącej na nią w szybie. To trochę dobijające. A więc to jest starzenie się, myśli, idąc za Isabelle w głąb sklepu, te przypadkowe przykre chwile, które cię dopadają, gdy najmniej się tego spodziewasz.

Po powrocie z plaży zastają panów w domku.

— Tata się starzeje — mówi Alain.

Eric, który przyrządza za barem sangrię, przewraca oczami i dobrotliwie wzrusza ramionami.

— Już myślałem, że będę musiał cię nieść, tato.

— Daj mi rok. Przyjedziemy tu następnego lata i wtedy przegonię cię po wyspie, *mon pote*.

Ale już nigdy nie wrócą na Majorkę. Tydzień po powrocie do Paryża Eric dostaje zawału serca. Dzieje się to w pracy, podczas rozmowy z oświetleniowcem. Wychodzi z tego, ale w ciągu następnych dwóch lat ma drugi i trzeci, śmiertelny, jak się okazuje, zawał. Tak więc w wieku czterdziestu ośmiu lat Pari zostaje wdową, jak *maman*.

Pewnego dnia, wczesną wiosną 2010 roku, odbiera telefon z zagranicy. Spodziewa się go. Przygotowywała się do niego przez cały ranek. Przedtem czyni wysiłki, żeby zostać w domu sama. To oznacza, że musi prosić Isabelle, aby wyszła wcześniej niż zwykle. Isabelle i jej mąż Albert mieszkają na północ od Île Saint-Denis, kilka przecznic od małego mieszkania Pari. Isabelle przychodzi do niej codziennie przed południem, gdy odwiezie dzieci do szkół. Przywozi jej bagietkę i świeże owoce. Pari nie jest jeszcze przykuta do wózka, ale przygotowuje się do tego. Choć choroba zmusiła ją przed rokiem do przejścia na wcześniejszą emeryturę, wciąż może pójść na targ i pospacerować po okolicy. Najbardziej dokuczają jej ręce — brzydkie i powykręcane. W gorsze dni ma wrażenie, jakby w jej stawach tkwiły odłamki szkła. Gdy wychodzi z domu, zakłada rękawiczki, żeby trzymać dłonie w cieple, ale też dlatego, że wstydzi się guzowatych knykci, zdeformowanych palców, wykręconych esowato, jak mówi jej lekarz, i na stałe zgiętego małego palca.

— Ach, próżność — wzdycha Collette.

Tego ranka Isabelle przyniosła jej figi, kilka kostek mydła, pastę do zębów i zupę kasztanową w plastikowym pojemniku. Albert chce zaproponować ją na przystawkę w nowym menu właścicielom restauracji, w której pracuje jako *sous--chef*. Wypakowując torby, Isabelle opowiada Pari o nowym zamówieniu, które dostała. Pisze muzykę do programów telewizyjnych i reklam. I ma nadzieję kiedyś skomponować muzykę do filmu. Mówi, że będzie pisała ścieżkę dźwiękową do miniserialu kręconego obecnie w Madrycie.

— Pojedziesz tam? — pyta Pari. — Do Madrytu?

— *Non*. Budżet jest za mały. Nie pokryliby kosztów podróży.

— Szkoda. Mogłabyś zatrzymać się u Alaina.

— Och, jak to sobie wyobrażasz, *maman*? Biedny Alain. Nie ma miejsca, żeby wyciągnąć nogi.

Alain jest doradcą finansowym. Z żoną i czwórką dzieci wynajmuje w Madrycie małe mieszkanko. Regularnie przysyła Pari e-mailem ich zdjęcia i krótkie filmy.

Pari pyta Isabelle, czy ma wiadomości od Thierry'ego, i córka odpowiada, że nie. Thierry jest w Afryce, we wschodniej części Czadu, gdzie pracuje w obozie dla uchodźców z Darfuru. Pari wie o tym, bo Thierry od czasu do czasu kontaktuje się z Isabelle. Rozmawia tylko z nią. Dzięki temu Pari wie coś o życiu syna — na przykład to, że przez jakiś czas przebywał w Wietnamie. Albo że był krótko mężem Wietnamki, z którą się ożenił, gdy miał dwadzieścia lat.

Isabelle stawia czajnik na gazie i wyjmuje z szafki dwie filiżanki.

— Nie dziś, Isabelle. Muszę cię prosić, żeby wyszła wcześniej.

Isabelle patrzy na nią z urazą i Pari wyrzuca sobie, że źle się wyraziła. Córka zawsze była delikatna.

— Spodziewam się telefonu i muszę być sama.

— Telefonu? Od kogo?

— Później ci powiem.

Isabelle krzyżuje ramiona na piersi i uśmiecha się szeroko.

— Masz kochanka, *maman*?

— Kochanka? Czy ty jesteś ślepa? Patrzyłaś na mnie ostatnio?

— Niczego ci nie brakuje.

— Musisz już iść. Wyjaśnię ci kiedy indziej, obiecuję.

— *D'accord, d'accord.* — Isabelle zakłada torebkę na ramię, bierze płaszcz i klucze. — Ale muszę ci powiedzieć, że jestem zaintrygowana.

Mężczyzna, który dzwoni o wpół do dziesiątej, nazywa

się Markos Varvaris. Skontaktował się z Pari przez Facebooka, napisał do niej: *Czy jest Pani córką poetki Nili Wahdati? Jeśli tak, chciałbym porozmawiać z Panią o czymś, co Panią zainteresuje.* Pari wpisała jego nazwisko do wyszukiwarki i dowiedziała się, że to chirurg plastyczny, który pracuje dla organizacji non profit w Kabulu. Teraz, przez telefon, wita się z nią w farsi i zamierza rozmawiać w tym języku, więc Pari musi mu przerwać.

— *Monsieur* Varvaris, przepraszam, ale czy możemy rozmawiać po angielsku?

— Och, oczywiście. Proszę mi wybaczyć. Przypuszczałem... Choć naturalnie to zrozumiałe, wyjechała pani z Afganistanu jako dziecko, prawda?

— Tak, rzeczywiście.

— Ja nauczyłem się farsi tam, na miejscu. To znaczy mówię jako tako. Mieszkam w Kabulu od dwa tysiące drugiego roku, przyjechałem niedługo po odejściu talibów. To były czasy optymizmu. Tak, wszyscy wtedy chcieli przebudowy, demokracji i tak dalej. Nie to co teraz. Oczywiście przygotowujemy się do wyborów prezydenckich, ale to zupełnie inna historia. Niestety.

Pari słucha cierpliwie, jak Markos Varvaris opowiada, trochę zbyt rozwlekle, o logistycznym wyzwaniu, jakim są wybory w Afganistanie, które jego zdaniem wygra Karzaj, a potem przechodzi do ataków talibów na północy i nasilających się zamachów islamistów na stacje informacyjne, rozwodzi się nad przeludnieniem w Kabulu, kosztach wynajmu mieszkań, aż w końcu wraca do tematu i mówi:

— Mieszkam w tym domu od kilku lat. Rozumiem, że i pani w nim mieszkała.

— Słucham?

— To był dom pani rodziców. W każdym razie tak mi powiedziano.

— Czy mogę zapytać, kto to panu powiedział?

— Właściciel. Nazywa się Nabi. Właściwie się nazywał. Niestety niedawno zmarł. Pamięta go pani?

To imię przywołuje przed oczy Pari obraz przystojnej młodej twarzy, bokobrodów, zaczesanych od tyłu ciemnych włosów.

— Tak. Trochę. Głównie imię. Był u nas kucharzem. I szoferem.

— Zgadza się, jednym i drugim. Mieszkał w tym domu od czterdziestego siódmego roku. Sześćdziesiąt trzy lata. To wręcz niewiarygodne, prawda? Ale, jak powiedziałem, zmarł. W zeszłym miesiącu. Bardzo go lubiłem. Wszyscy go lubili.

— Rozumiem.

— Nabi powierzył mi pewien dokument — ciągnie Markos Varvaris — który miałem przeczytać dopiero po jego śmierci. Gdy zmarł, poprosiłem kolegę Afgańczyka, żeby przetłumaczył mi go na angielski. To właściwie list. List, i to niezwykły. Nabi wyznaje w nim pewne rzeczy. Część z tego dotyczy pani, a poza tym Nabi prosił, żebym panią odnalazł i przekazał pani ten list. Kosztowało mnie to trochę trudu, ale udało się. Dzięki internetowi. — Śmieje się krótko.

Pari gdzieś w głębi duszy ma ochotę się rozłączyć. Intuicyjnie nie wątpi, że wyznania tego starego człowieka — kogoś z dalekiej przeszłości — spisane na papierze, na drugiej półkuli, są prawdziwe. Od dawna wie, że *maman* ją okłamywała, jeśli chodzi o dzieciństwo. Ale choć jej życie wyrosło na kłamstwie, to, co Pari w tej glebie zasadziła, jest prawdziwe, mocne i niewzruszone jak wielki dąb. Eric, dzieci, wnuki, praca zawodowa, Collette. Więc po co to? Po tym całym czasie po co to wszystko? Może powinna odłożyć słuchawkę?

Ale nie robi tego. Z bijącym sercem, czując, że pocą jej się ręce, pyta:

— Co on pisze w tym liście-wyznaniu?

— Przede wszystkim twierdzi, że jest pani wujem.

— Moim wujem?

— Mówiąc dokładnie, bratem pani macochy. Ale to nie wszystko. Ma do powiedzenia znacznie więcej.

— *Monsieur* Varvaris, ma go pan? Ten list albo jego tłumaczenie? Ma pan przy sobie jedno albo drugie?

— Tak.

— A może mi pan przeczytać? Byłby pan tak dobry?

— Teraz?

— Jeśli ma pan czas. Mogę do pana zadzwonić, żeby pan nie musiał płacić.

— Nie, nie ma potrzeby. Ale czy jest pani pewna?

— *Oui*, jestem pewna, *monsieur* Varvaris.

On czyta jej list. Cały. Trwa to jakiś czas. Kiedy kończy, Pari mu dziękuje i obiecuje, że zadzwoni.

Po zakończeniu rozmowy stawia na gazie ekspres do kawy i podchodzi do okna. Rozciąga się za nim znajomy widok: wąska brukowana alejka, apteka za skrzyżowaniem, na rogu knajpka, w której sprzedają falafele, bar prowadzony przez rodzinę Basków.

Drżą jej ręce. Dzieje się z nią coś dziwnego. Coś naprawdę niezwykłego. Przed oczami staje jej obraz spadającego na ziemię topora i gęstej czarnej cieczy tryskającej ze szczeliny.

Coś takiego właśnie przeżywa — ożywają w niej wspomnienia i wydobywają się z głębin. Patrzy przez okno na bar, ale pod markizą nie widzi chudego kelnera przewiązanego w pasie czarnym fartuchem, strzepującego obrus nad stolikiem. Widzi czarny wóz ze skrzypiącym kołem, podskakujący na drodze pod zbierającymi się na niebie chmurami, które przewalają się nad pasmami gór i wyschniętymi dolinami rzek, nad wznoszącymi się i opadającymi wzgórzami w kolorze ochry. Widzi kępy drzewek owocowych, z liśćmi poruszanymi wiatrem, i rzędy krzewów winorośli, łączące małe domki o płaskich dachach. Widzi sznury do suszenia prania, kobiety kucające nad potokiem, huśtawkę na trzeszczących linach pod wielkim drzewem, dużego psa uciekającego przed wiejskimi chłopcami, mężczyznę z nosem jak dziób jastrzębia, w przepoconej koszuli przyklejonej do pleców, który kopie dół, i kobietę w chuście na głowie, pochyloną nad ogniskiem.

Ale na obrzeżach tego wszystkiego, na skraju pola widzenia jest coś jeszcze, ulotny cień — i to przyciąga ją najbardziej. Jakaś postać. Jednocześnie twarda i delikatna. Miękkość dłoni, która trzymała ją za rękę. Twardość kolana, na którym kiedyś opierała policzek. Szuka twarzy, ale ta umyka. Pari czuje, że powstaje w niej jakaś wyrwa. W jej życiu od zawsze kogoś brakowało. I zawsze to czuła.

— Bracie — mówi bezwiednie. Bezwiednie też wybucha płaczem.

Nagle ma na końcu języka fragment piosenki w farsi:

Znam smutną małą wróżkę,
którą pewnej nocy uniósł wiatr.

Jest jeszcze inny, może wcześniejszy kawałek, jest tego pewna, ale on też jej umyka.

Pari siada. Nie może ustać na nogach. Czeka, aż kawa się zaparzy, i myśli, że chętnie się jej napije, i może zapali papierosa, a potem zadzwoni do Lyonu, do Collette, żeby zapytać, czy stara przyjaciółka zorganizuje jej wyjazd do Kabulu.

Ale na razie siedzi. Zamyka oczy, gdy ekspres zaczyna gulgotać, i za opuszczonymi powiekami odnajduje łagodne wzgórza, niebo wysokie i błękitne, słońce zachodzące za wiatrakiem, i wszędzie, wszędzie zamglone łańcuchy gór ciągnące się aż po horyzont.

7

Lato 2009

Twój ojciec to wspaniały człowiek.

Adel podniósł głowę. To nauczycielka, pani Malalaj, pochyliła się nad nim i szepnęła mu do ucha. Pulchna kobieta w średnim wieku, w fioletowym szalu na ramionach, uśmiechnęła się do niego z przymkniętymi oczami.

— Masz szczęście, chłopcze.

— Wiem — odpowiedział szeptem.

— To dobrze — odparła bezgłośnie, samym tylko ruchem warg.

Stali na schodach przed wejściem do nowej szkoły dla dziewcząt, prostopadłościennego jasnozielonego budynku z płaskim dachem i szerokimi oknami, podczas gdy ojciec Adela, jego *baba jan*, zmówił krótką modlitwę, a potem wygłosił żarliwe przemówienie. Przed nim, w ostrym południowym słońcu, stał tłum mrużących oczy dzieci, rodziców i starszych ludzi, około setki mieszkańców miasteczka Szadbagh-e-Nau, nowego Szadbagh.

— Afganistan to nasza matka — powiedział ojciec Adela,

wznosząc do nieba gruby palec. Od jego sygnetu z agatem odbiło się słońce. — Ale jest chora i cierpi od dłuższego czasu. To prawda, że matka potrzebuje synów, żeby dojść do zdrowia. Ale tak samo potrzebuje córek... A może nawet bardziej.

To wywołało głośne oklaski i kilka okrzyków aprobaty. Adel przesunął wzrokiem po twarzach w tłumie. Ludzie słuchali jego ojca jak urzeczeni. Przed nimi stał *baba jan*, z krzaczastymi czarnymi brwiami i gęstą brodą — wysoki, potężny, silny, o tak szerokich ramionach, że prawie zasłaniał wejście do szkoły, które miał za plecami.

Ojciec przemawiał, a Adel spojrzał na Kabira, jednego z dwóch ochroniarzy *baby jana*, którzy stali nieruchomo po obu jego stronach z kałasznikowami w rękach. W ciemnych lustrzankach Kabira odbijał się zgromadzony tłum. Kabir był niski, szczupły, drobny i nosił kolorowe garnitury — lawendowe, turkusowe, pomarańczowe — ale *baba jan* mówi, że ten człowiek jest jak jastrząb i byłoby poważnym błędem go nie doceniać.

— A więc mówię wam, młode córy Afganistanu — zakończył *baba jan*, rozkładając grube ręce w geście powitania — teraz czeka was ciężka praca. Musicie się uczyć, i to pilnie, doskonalić w nauce, aby być dumą nie tylko rodziców, ale także naszej wspólnej ojczyzny. Jej przyszłość spoczywa w waszych rękach, nie moich. Proszę więc, żebyście nie myślały o tej szkole jako moim darze dla was. To tylko budynek, który pomieści prawdziwy dar, czyli was. Bo tym darem jesteście wy, młode siostry, nie tylko dla mnie i społeczności Szadbagh-e-Nau, ale dla całego Afganistanu! Niech Bóg was błogosławi.

Znowu rozległy się oklaski. Kilka osób wykrzyknęło:

— Niech Bóg błogosławi ciebie, komendancie!

Baba jan z szerokim uśmiechem podniósł pięść. Adel był tak dumny, że łzy napłynęły mu do oczu.

Pani Malalaj wręczyła *babie janowi* nożyczki. W drzwiach szkoły rozciągnięto czerwoną wstęgę. Zebrani zbliżyli się o krok, żeby lepiej widzieć, i Kabir gestem kazał odsunąć się kilku osobom, a parę z nich odepchnął. Nad tłumem uniosły się ręce z telefonami komórkowymi, żeby sfilmować przecięcie wstęgi. *Baba jan* podniósł nożyczki, zatrzymał się i odwrócił do Adela.

— Chodź, synu, ty czyń honory — powiedział i podał chłopcu nożyczki.

Adel zamrugał.

— Ja?

— No, dalej. — *Baba jan* puścił do niego oko.

Adel przeciął wstęgę. Nagrodzono go oklaskami. Usłyszał pstrykanie aparatów fotograficznych i okrzyki:

— *Allahu akbar!**

Baba jan stanął przy drzwiach, podczas gdy uczennice jedna za drugą wchodziły do budynku. Były to młode dziewczęta, między ósmym a piętnastym rokiem życia, wszystkie w białych chustach i szaro-czarnych prążkowanych mundurkach, które sprawił im *baba jan*. Adel patrzył, jak każda z nich, wchodząc, nieśmiało przedstawia się jego ojcu. *Baba jan* uśmiechał się ciepło, klepał je po głowach i wypowiadał kilka słów zachęty.

— Życzę ci powodzenia, *bibi* Mariam. Ucz się pilnie, *bibi*

---

* Allahu akbar (arab.) — Bóg jest wielki.

Homajra. Postaraj się, żebyśmy byli z ciebie dumni, *bibi* Ilham.

Później Adel, spocony od upału, stanął przy ojcu obok czarnego landcruisera i patrzył, jak *baba jan* ściska ręce mieszkańcom miasteczka. Przesuwając paciorki modlitewne w wolnej ręce, lekko pochylony, ze ściągniętymi brwiami, słuchał cierpliwie i kiwał głową, skupiony na każdej osobie, która podchodziła do niego, żeby mu podziękować, zaoferować modlitwę, złożyć wyrazy szacunku, a czasami, przy okazji, poprosić o przysługę. Matka, której chore dziecko musiało przejść operację w Kabulu, mężczyzna potrzebujący pożyczki, żeby otworzyć zakład szewski, mechanik proszący o nowy zestaw narzędzi.

— Panie komendancie, jeśli byłbyś taki łaskawy...

— Nie mam do kogo się zwrócić, panie komendancie...

Adel nigdy nie słyszał, żeby ktoś spoza najbliższej rodziny mówił do jego ojca inaczej niż „panie komendancie", mimo że Rosjanie już dawno odeszli, a *baba jan* nie wystrzelił z broni od ponad dziesięciu lat. W domu, w salonie, wszędzie znajdowały się oprawione w ramki zdjęcia ojca z czasów dżihadu. Adel miał je wszystkie przed oczami: ojciec oparty o maskę zakurzonego starego jeepa, kucający na wieżyczce osmalonego czołgu, pozujący dumnie ze swoimi ludźmi, w pasie z amunicją na piersi, przy helikopterze, który zestrzelili. Na jednym zdjęciu, w kamizelce i z bandolierem, klęczał na suchej pustynnej ziemi i się modlił. W tamtych czasach był o wiele chudszy, a na tych fotografiach zawsze miał za plecami góry i piasek.

Baba jan został dwukrotnie postrzelony przez Rosjan. Pokazywał Adelowi blizny, jedną tuż pod żebrami, po lewej stronie — mówił, że ta kosztowała go śledzionę — i drugą, na długość kciuka od pępka. Twierdził, że w sumie miał szczęście. Jego przyjaciele stracili ręce, nogi, oczy, niektórzy mieli poparzone twarze. Ale walczyli za ojczyznę, mówił, i w imię Boga. Na tym właśnie polega dżihad. To ofiara. Poświęcasz siebie i swoje ciało, wzrok — czasami nawet życie — i robisz to z ochotą. Dżihad jednak daje ci pewne prawa i przywileje, ciągnął, bo Bóg pamięta o tych, którzy poświęcają najwięcej, i dba, żeby spotkała ich nagroda.

— Zarówno w tym, jak i przyszłym życiu — kończył, wskazując grubym palcem najpierw w dół, a potem w górę.

Patrząc na te zdjęcia, Adel żałował, że nie mógł walczyć u boku ojca w awanturniczych czasach dżihadu. Lubił wyobrażać sobie siebie i *babę jana*, jak ostrzeliwują rosyjski helikopter, wysadzają czołgi, uciekają przed pociskami, żyją w górach, śpią w jaskiniach. Ojciec i syn, wojenni bohaterowie.

Było także duże zdjęcie *baby jana* stojącego z uśmiechem obok prezydenta Karzaja w Argu, pałacu prezydenckim w Kabulu — jedno z ostatnich; zrobiono je podczas skromnej uroczystości, kiedy *baba jan* odbierał nagrodę za działalność dobroczynną w Szadbagh-e-Nau. Zasłużył na nią jak mało kto. Nowa szkoła dla dziewcząt stanowiła jego ostatni projekt. Adel wiedział, że wiele kobiet w miasteczku umarło w trakcie porodu. Ale to już się skończyło, bo ojciec otworzył tu dużą klinikę, prowadzoną przez dwóch lekarzy i trzy położne, których opłacał z własnej kieszeni. Wszyscy mieszkańcy mogli leczyć się tam za darmo; nie było w Szadbagh-e-Nau dziecka, które nie zostałoby zaszczepione. *Baba jan* wysyłał zespoły mające szukać żył wodnych i kopać studnie. To on pomógł ostatecznie zelektryfikować miasteczko. Wreszcie dzięki pożyczkom, które jak Adel dowiedział się od Kabira, rzadko spłacano, otwarto tu kilkanaście warsztatów i sklepów.

Adel naprawdę był dumny z ojca, tak jak powiedział nauczycielce. Wiedział, że jest szczęściarzem.

Gdy uściski rąk wreszcie się skończyły, do *baby jana* podszedł drobny starszy mężczyzna. Miał okrągłe okularki w cienkich oprawkach, krótką siwą brodę i małe zęby, przypominające główki spalonych zapałek. Ciągnął za sobą chłopca mniej więcej w wieku Adela, w dziurawych trampkach, z których wystawały duże palce. Chłopak miał matowe włosy, tworzące nieruchomą gęstwinę, i aż sztywne od brudu przykrótkie dżinsy. Dla odmiany koszulka sięgała mu prawie do kolan.

Między starszego mężczyznę a *babę jana* natychmiast wkroczył Kabir.

— Już ci mówiłem, że to nie jest odpowiednia pora — warknął.

— Chcę tylko zamienić słówko z komendantem — rzekł tamten.

Baba jan wziął Adela pod ramię i zaprowadził go na tylne siedzenie landcruisera.

— Jedźmy już, synu. Matka na ciebie czeka.

Wsiadł za nim do samochodu i zatrzasnął drzwi.

Za zasuwającą się przyciemnioną szybą Adel widział, że Kabir powiedział coś do starego. Potem obszedł SUV-a i zajął miejsce za kierownicą. Odłożył kałasznikowa na siedzenie obok, a następnie przekręcił kluczyk w stacyjce.

— O co chodziło? — zapytał Adel.

— O nic ważnego — mruknął Kabir.

Skręcili na drogę. Kilku stojących w tłumie chłopców rzuciło się w pogoń za samochodem i biegło za nim przez chwilę. Kabir jechał ruchliwą szosą przecinającą miasteczko i często trąbił, klucząc między innymi autami. Wszyscy ustępowali mu miejsca. Niektórzy machali. Adel patrzył na zatłoczone chodniki po obu stronach, obejmując wzrokiem znajome widoki — tusze wiszące u rzeźnika; kowali obracających drewniane koła i naciskających stopami miechy, handlarzy owoców, odganiających muchy od winogron i wiśni; ulicznego golibrodę na wiklinowym krześle, ostrzącego brzytwę. Mijali herbaciarnie i knajpki z kebabami, przejechali obok warsztatu samochodowego i meczetu, aż Kabir skręcił ostro na największym placu w miasteczku, na którego środku stała niebieska fontanna i czarny, wysoki na trzy metry kamienny pomnik mudżahedina patrzącego na wschód, we wdzięcznie zawiązanym turbanie, z granatnikiem RPG na ramieniu. *Baba jan* osobiście sprowadził z Kabulu rzeźbiarza, który wykonał tę rzeźbę.

Na północ od szosy znajdowało się kilka kwartałów dzielnicy mieszkalnej, z wąskimi niebrukowanymi ulicami i domkami o płaskich dachach pomalowanymi na biało, żółto albo niebiesko. Kilka z nich miało anteny satelitarne, w wielu oknach wisiały afgańskie flagi. *Baba jan* powiedział kiedyś Adelowi, że większość domów i zakładów w Szadbagh-e-Nau zbudowano w ciągu ostatnich piętnastu lat. Sam przyłożył do tego rękę. Wielu tutejszych uważało go za założyciela miasteczka, a starszyzna proponowała nawet, żeby nazwać je jego imieniem, ale nie chciał tego zaszczytu.

Główna droga biegła jeszcze ponad trzy kilometry na północ i dochodziła do Szadbagh-e-Kohna, czyli starej wioski

Szadbagh. Adel nie wiedział, jak wyglądała przed laty. Gdy *baba jan* wyprowadził się z nim i jego matką z Kabulu i przeniósł do Szadbagh, osada prawie zniknęła z powierzchni ziemi. Wszystkie domy się zawaliły. Jedynym reliktem przeszłości był niszczejący wiatrak. W Szadbagh-e-Kohna Kabir skręcił z głównej szosy w lewo, w szeroką, długą, półkilometrową bitą drogę, prowadzącą do posiadłości otoczonej grubym, czterometrowym murem, gdzie mieszkał z rodzicami Adel. Był to jedyny duży budynek w Szadbagh-e-Kohna, nie licząc wiatraka. Adel widział już biały mur, gdy SUV kiwał się i podskakiwał na drodze. Nad murem biegły zwoje drutu kolczastego.

Umundurowany wartownik, który zawsze stał na straży przy głównym wjeździe, zasalutował i otworzył bramę. Kabir wjechał przez nią i skierował się żwirowym podjazdem w stronę domu.

Dom miał dwa piętra i był pomalowany na różowo i turkusowo. Miał strzeliste kolumny, szpiczaste okapy oraz lustrzane szyby w oknach, w których odbijało się słońce, a także wystające parapety, werandę z błyszczącą mozaiką i szerokie balkony z ozdobnymi barierkami z żelaza. W środku znajdowało się dziewięć sypialni i siedem łazienek, więc czasami, gdy Adel bawił się z ojcem w chowanego, chodził po domu przez godzinę i dłużej, zanim go znalazł. Blaty w łazienkach i kuchni były zrobione z granitu i marmuru. Ostatnio, ku wielkiej radości Adela, *baba jan* wspominał o budowie basenu w piwnicy.

Kabir zajechał na półkolisty podjazd przed wysokimi frontowymi drzwiami i zgasił silnik.

— Dasz nam chwilę? — zapytał *baba jan*.

Kabir skinął głową i wysiadł z samochodu. Wszedł po marmurowych stopniach i zadzwonił do drzwi. Otworzył je Azmaraj, drugi z ochroniarzy, niski, przysadzisty, szorstki facet. Mężczyźni zamienili kilka słów, po czym stanęli na schodach i zapalili papierosy.

— Naprawdę musisz jechać? — spytał Adel.

Ojciec wyjeżdżał następnego ranka na południe, żeby skontrolować swoje pola bawełny w Helmandzie i spotkać się z robotnikami z fabryki, którą tam wybudował. Miało go nie być dwa tygodnie, dla chłopca — niewyobrażalnie długo.

Baba jan spojrzał na niego. Górował nad nim, zajmując ponad połowę tylnego siedzenia.

— Żałuję, ale tak, synu.

Adel pokiwał głową.

— Byłem dziś bardzo dumny. Dumny z ciebie.

Baba jan położył ciężką rękę na ramieniu chłopca.

— Dziękuję ci, Adelu. Doceniam to. Ale zabieram cię na takie uroczystości, żebyś się uczył, żebyś zrozumiał, że tacy szczęśliwcy jak my powinni brać na siebie odpowiedzialność za innych.

— Chciałbym tylko, żebyś nie zostawiał mnie tak często.

— Ja też, synu. Ja też. Ale wyjeżdżam dopiero jutro. Wieczorem wrócę jeszcze do domu.

Adel skinął głową, opuszczając wzrok na swoje ręce.

— Posłuchaj — odezwał się ojciec łagodnie — ludzie z miasteczka mnie potrzebują. Potrzebują mojej pomocy, żeby mieć dom, pracę, pieniądze na życie. Kabul ma swoje problemy, tam nie mogę pomóc. A tu, jeśli ja nie pomogę, nikt inny tego nie zrobi. I ludzie będą cierpieli.

— Wiem — wymamrotał Adel.

Baba jan lekko ścisnął jego kolano.

— Tęsknisz za Kabulem i za przyjaciółmi, wiem. Trudno wam się przystosować do tutejszego życia, tobie i twojej matce. Zdaję sobie sprawę, że ciągle mnie nie ma, że wyjeżdżam na spotkania i że mnóstwo ludzi zabiera mi czas. Ale... Popatrz na mnie, synu.

Adel podniósł wzrok i napotkał spojrzenie *baby jana*. Spod gęstych brwi patrzyły łagodnie błyszczące oczy.

— Nie ma na świecie nikogo, kto byłby dla mnie ważniejszy niż ty, Adelu. Jesteś moim synem. Chętnie zrezygnowałbym z tego wszystkiego dla ciebie. Oddałbym za ciebie życie.

Adel pokiwał głową i w jego oczach błysnęły łzy. Czasami, gdy *baba jan* mówił w taki sposób, chłopiec czuł, że serce mu rośnie, prawie nie mógł zaczerpnąć powietrza.

— Rozumiesz mnie?

— Tak, *baba jan*.

— Wierzysz mi?

— Tak.

— To dobrze. A teraz pocałuj ojca.

Adel zarzucił *babie janowi* ręce na szyję, a ten objął go i mocno przytulił. Chłopiec pamiętał, że kiedy był mały i w środku nocy klepał ojca w ramię, przerażony złym snem, ten odrzucał koc i pozwalał mu wejść do swojego łóżka, przytulał go i cmokał w czubek głowy, aż Adel przestawał się trząść i zasypiał.

— Może przywiozę ci jakiś drobiazg z Helmandu — obiecał.

— Nie musisz — odparł Adel cicho.

Miał już tyle zabawek, że nie wiedział, co z nimi robić. A nie było takiej, która zrekompensowałaby mu nieobecność ojca.

Tego samego dnia Adel usiadł w połowie schodów i podglądał scenę, która rozgrywała się w holu. Przed chwilą rozległ się dzwonek i Kabir otworzył drzwi. Teraz stał oparty o framugę ze skrzyżowanymi na piersi rękami i blokował wejście, rozmawiając z kimś na dworze. Tym kimś, jak się okazało, był tamten stary mężczyzna sprzed szkoły, w okularkach, z zębami jak główki spalonych zapałek. Obok niego stał chłopiec w dziurawych butach.

— Dokąd wyjechał? — spytał stary.

— W interesach. Na południe — odparł Kabir.

— Słyszałem, że wyjeżdża dopiero jutro.

Kabir tylko wzruszył ramionami.

— Jak długo go nie będzie?

— Dwa, może trzy miesiące. Kto to może wiedzieć?

— Słyszałem co innego.

— Wystawiasz moją cierpliwość na próbę, stary człowieku — powiedział ochroniarz, opuszczając ręce.

— Poczekam na niego.

— Nie tutaj, nie ma mowy.

— To znaczy przy drodze.

Zniecierpliwiony przestąpił z nogi na nogę.

— Proszę bardzo — prychnął Kabir. — Ale komendant to bardzo zajęty człowiek. Nie wiadomo, kiedy wróci.

Stary mężczyzna pokiwał głową i odszedł, a chłopiec za nim.

Kabir zamknął drzwi.

Adel podszedł do okna w salonie i odsunąwszy zasłonę, patrzył, jak stary człowiek i chłopiec idą w stronę szosy.

— Okłamałeś go — powiedział do ochroniarza.

— Za to między innymi mi płacą: mam chronić twojego ojca przed sępami.

— A czego on chciał, pracy?

— Coś w tym rodzaju.

Kabir usiadł na kanapie i zdjął buty. Spojrzał na chłopca i puścił do niego oko. Adel go lubił, o wiele bardziej niż Azmaraja, który był niemiły i rzadko się do niego odzywał. Kabir grał z Adelem w karty i proponował mu wspólne oglądanie filmów na DVD. Uwielbiał filmy. Miał ich całą kolekcję, kupował je na czarnym rynku i oglądał po dziesięć, dwanaście tygodniowo: irackie, francuskie, amerykańskie i oczywiście bollywoodzkie, jak leci. A czasami, gdy matka była w innym pokoju, a Adel obiecał, że nie powie ojcu, Kabir opróżniał magazynek kałasznikowa i pozwalał chłopcu potrzymać broń, jak mudżahedinowi. Teraz kałasznikow stał oparty o ścianę przy frontowych drzwiach.

Kabir położył się na kanapie i oparł nogi o jej poręcz. Zaczął przeglądać gazetę.

— Wyglądają na niegroźnych — zauważył Adel, puszczając zasłonę i odwracając się do ochroniarza.

— Może wobec tego trzeba ich było zaprosić na herbatę — mruknął Kabir. — I poczęstować ciastkiem.

— Nie żartuj sobie.

— Oni wszyscy wyglądają na niegroźnych.

— Czy *baba jan* im pomoże?

— Pewnie tak. — Kabir westchnął. — Twój ojciec jest dla tych ludzi jak rzeka. — Opuścił gazetę i uśmiechnął się szeroko. — Skąd ten cytat? No, Adelu, widzieliśmy ten film w zeszłym miesiącu.

Chłopiec wzruszył ramionami i zaczął wchodzić po schodach.

— Z *Lawrence'a*! — krzyknął Kabir z kanapy. — Z *Lawrence'a z Arabii*. Anthony Queen. — I gdy Adel był już na górze, dodał: — To sępy, Adelu. Nie daj się zwieść pozorom. Oskubaliby twojego ojca, gdyby tylko mogli.

Pewnego ranka, kilka dni po wyjeździe ojca do Helmandu, Adel poszedł na górę do sypialni rodziców. Zza drzwi dochodziła głośna, dudniąca muzyka. Wszedł do pokoju i zastał matkę w szortach i bawełnianej koszulce przed wielkim płaskim telewizorem, naśladującą ruchy trzech spoconych blondynek w serii podskoków, przysiadów, wypadów i skłonów. Zauważyła go w dużym lustrze przy toaletce.

— Chcesz się do mnie przyłączyć?! — wysapała, przekrzykując muzykę.

— Posiedzę sobie tutaj — odrzekł Adel.

Usiadł na dywanie i patrzył, jak matka, która miała na imię Aria, skacze na drugi koniec pokoju i z powrotem.

Matka Adela miała delikatne dłonie i stopy, mały zadarty nos i ładną twarz, jak aktorka z bollywoodzkiego filmu, które tak lubił Kabir. Była szczupła, zwinna i młoda — wyszła za mąż za *babę jana* w wieku zaledwie czternastu lat. Adel miał też drugą, starszą matkę, i trzech starszych przyrodnich braci, ale *baba jan* umieścił ich na wschodzie, w Dżalalabadzie, więc chłopiec widywał się z nimi tylko raz w miesiącu, gdy ojciec zabierał go do nich z wizytą. W przeciwieństwie do matki i macochy, które się nie lubiły, Adel i jego bracia przyrodni dobrze się z sobą dogadywali. Kiedy odwiedzał ich w Dżalalabadzie, zabierali go do parku, na bazary, do kina i na buzkaszi. Grali z nim w *Resident Evil*, zabijali zombie w *Call of Duty* i zawsze wybierali go do swojej drużyny na mecze piłki nożnej rozgrywane w sąsiedztwie. Adel bardzo żałował, że nie mieszkają tutaj, bliżej niego.

Teraz patrzył, jak matka kładzie się na plecach i podnosi wyprostowane nogi, a następnie opuszcza je, trzymając między kostkami niebieską piłkę.

Nie dało się ukryć, że nuda w Szadbagh była przytłaczająca. Adel od dwóch lat, odkąd tu mieszkali, nie znalazł w okolicy żadnego kolegi. Nie mógł jeździć do miasteczka na rowerze, a już na pewno nie sam, bo region nawiedziła istna plaga porwań. I choć od czasu do czasu wymykał się na krótko z domu, nigdy nie wychodził poza mury posiadłości. Nie miał kolegów z klasy, ponieważ *baba jan* nie pozwalał mu chodzić do miejscowej szkoły — „ze względów bezpieczeństwa", jak mówił — i zatrudnił dla niego prywatnego nauczyciela, przychodzącego codziennie na lekcje do domu. Adel głównie czytał, sam kopał piłkę na dziedzińcu albo oglądał filmy z Kabirem, w kółko te same. Wędrował apatycznie po szerokich, wysokich korytarzach wielkiego domu, przez wielkie puste pokoje, albo siedział w swoim pokoju na górze i wyglądał przez okno. Mieszkał we wspaniałej rezydencji, ale w małym świecie. W niektóre dni tak się nudził, że miał ochotę wbić zęby w drewno.

Wiedział, że matka też czuje się tu bardzo samotna. Próbowała wynajdować sobie różne zajęcia, przed południem ćwiczyła, brała prysznic, jadła śniadanie, potem czytała, pracowała w ogrodzie, a po południu oglądała w telewizji hinduskie opery mydlane. Kiedy *baby jana* nie było, a zdarzało się to często, wkładała szary dres i tenisówki, nie malowała się, a włosy upinała w kok na karku. Rzadko otwierała szkatułkę z biżuterią, w której trzymała wszystkie pierścionki, naszyjniki i kolczyki, przywiezione przez *babę jana* z Dubaju. Całymi godzinami rozmawiała przez telefon z rodziną w Kabulu. Ożywiała się dopiero wtedy, gdy co dwa, trzy miesiące jej siostra i rodzice przyjeżdżali na kilka dni. Wkładała sukienkę w kwiaty i pantofle na wysokich obcasach, malowała się. W całym domu słuchać było jej śmiech. I wtedy Adel widział osobę, którą kiedyś była.

Kiedy *baba jan* wyjeżdżał, Adel i jego matka pomagali sobie nawzajem wypełniać czas. Układali razem puzzle, grali w golfa i tenisa na konsoli Wii. Ale chłopiec najbardziej lubił budować z nią domki z wykałaczek. Matka rysowała na kartce rzut domku, uwzględniając ganek, dwuspadowy dach i schody, a także ściany dzielące poszczególne pomieszczenia. Najpierw budowali fundamenty, potem wewnętrzne ściany i schody, dla zabicia czasu starannie smarując klejem wykałaczki i czekając, aż zaschną poszczególne części. Matka mówiła, że gdy była młodsza, zanim wyszła za ojca Adela, marzyła, że zostanie architektem.

Kiedyś, gdy budowali wieżowiec, opowiedziała Adelowi, jak ona i *baba jan* się pobrali.

— Właściwie miał się ożenić z moją starszą siostrą — wyznała.

— Z ciocią Nargis?

— Tak. To było w Kabulu. Któregoś dnia zobaczył ją na ulicy i to było to. Poczuł, że musi pojąć ją za żonę. Następnego dnia zjawił się w naszym domu z piątką swoich ludzi. W pewnym sensie się wprosili. Wszyscy mieli na nogach wysokie buty. — Pokręciła głową i zaśmiała się, jakby to była najzabawniejsza rzecz, jaką zrobił *baba jan*, ale nie brzmiało to tak jak wtedy, gdy coś naprawdę ją bawiło. — Powinieneś zobaczyć miny swoich dziadków.

Usiedli w salonie: *baba jan*, jego ludzie i jej rodzice. Ona podczas rozmowy była w kuchni, parzyła herbatę. Okazało się, że jest pewien problem, bo jej siostra Nargis była już zaręczona z mieszkającym w Amsterdamie kuzynem, który studiował inżynierię. „Mają zerwać zaręczyny?" — pytali rodzice.

— I wtedy weszłam ja, niosąc na tacy herbatę i słodycze. Nalałam im herbaty i postawiłam na stole talerz ze słodyczami. Twój ojciec na mnie spojrzał i kiedy odwróciłam się, by wyjść, powiedział: „Może i racja. Nie można zrywać zaręczyn. Ale jeśli mi powiecie, że i ta jest zaręczona, pomyślę, niestety, że chcecie mnie zbyć". Potem się zaśmiał. I w ten sposób wyszłam za mąż.

Wzięła tubkę z klejem.

— Spodobał ci się? — spytał Adel.

Matka wzruszyła lekko ramionami.

— Szczerze mówiąc, byłam zbyt wystraszona, żeby czuć cokolwiek innego.

— Ale spodobał ci się, prawda? Kochasz go?

— Oczywiście, że go kocham — odparła matka Adela. — Co za pytanie.

278

— Nie żałujesz, że za niego wyszłaś?

Odłożyła klej i przez chwilę milczała.

— Spójrz, jak żyjemy, Adelu — odpowiedziała powoli. — Rozejrzyj się. Czego tu żałować? — Uśmiechnęła się i pociągnęła go lekko za ucho. — Poza tym nie miałabym ciebie.

Matka wyłączyła telewizor i zdyszana usiadła na podłodze, wycierając ręcznikiem spocony kark.

— Może dziś rano pobawisz się sam — powiedziała, przeciągając się. — Muszę wziąć prysznic i zjeść śniadanie. Myślałam o tym, żeby zadzwonić do twoich dziadków. Nie rozmawiałam z nimi od kilku dni.

Adel westchnął i wstał.

Ze swojego pokoju, piętro niżej i w innym skrzydle domu, wziął piłkę i włożył koszulkę Zidane'a, którą *baba jan* podarował mu na ostatnie urodziny, dwunaste. Zszedł po schodach i zobaczył, że Kabir drzemie z gazetą rozłożoną na piersi jak pod kapą. Chłopiec wyjął z lodówki sok jabłkowy i wyszedł z domu.

Ruszył żwirową drogą w stronę bramy wjazdowej. Budka strażnika była pusta. Adel znał pory zmian wartowników. Ostrożnie otworzył bramę, wyszedł i zamknął ją za sobą. Gdy znalazł się za murem, miał wrażenie, że swobodniej mu się oddycha. Czasami czuł się na terenie posiadłości jak w więzieniu.

Powędrował w szerokim cieniu muru na tył posiadłości, oddalając się od szosy. Tam, za domem, znajdowały się sady, z których *baba jan* był bardzo dumny. Kilka akrów z długimi rzędami grusz i jabłoni, moreli, wiśni, fig i nieśplików japońskich. Kiedy spacerowali między nimi, ojciec sadzał go sobie na ramionach i chłopiec zrywał kilka dojrzałych jabłek.

Między posiadłością a sadami znajdowała się polana z szopą, w której ogrodnicy trzymali narzędzia. Oprócz niej był tam tylko płaski pień, pozostałość po jakimś wielkim drzewie. *Baba jan* policzył kiedyś jego słoje i stwierdził, że drzewo musiało być świadkiem przemarszu armii Dżyngis-chana. Kręcąc ze smutkiem głową, dodał, że ktokolwiek je ściął, był głupcem.

Był gorący dzień, słońce świeciło na nieskazitelnie błękitnym niebie jak na obrazkach, które Adel rysował, gdy był mały. Odstawił szklankę z sokiem jabłkowym na pień i zaczął ćwiczyć żonglowanie piłką. Jego dotychczasowym rekordem było sześćdziesiąt osiem podrzuceń, zanim piłka spadła na ziemię. Ustanowił go wiosną, a teraz była połowa lata i próbował go pobić. Doliczył do dwudziestu ośmiu, gdy uświadomił sobie, że ktoś go obserwuje. Był to chłopiec towarzyszący staremu mężczyźnie, który próbował zbliżyć się do *baby jana* podczas uroczystego otwarcia szkoły. Teraz kucał w cieniu ceglanej szopy.

— Co tu robisz? — zapytał Adel, starając się mówić ostrym tonem, jak Kabir, gdy zwracał się do obcych.

— Odpoczywam w cieniu — odparł chłopak. — Nie donieś na mnie.

— Nie powinno cię tu być.

— Ani ciebie.

— Co?

Chłopak parsknął śmiechem.

— Nieważne. — Rozłożył szeroko ramiona i wstał.

Adel próbować dojrzeć, czy chłopak ma pełne kieszenie. Może przyszedł kraść owoce. Ten jednak zbliżył się do niego, przysunął sobie stopą piłkę, kopnął ją kilka razy w powietrzu, a potem podał piętą do Adela. Adel złapał ją i włożył sobie pod pachę.

— Wiesz, gdzie ten wasz zbir kazał nam czekać, mnie i mojemu ojcu? Przy drodze. Tam nie ma żadnego cienia, a na niebie ani jednej chmurki.

Adel poczuł się w obowiązku stanąć w obronie Kabira.

— To nie żaden zbir.

— Hm, postarał się, żebyśmy dobrze przyjrzeli się jego kałasznikowowi, mówię ci. — Chłopak spojrzał na Adela z leniwym uśmieszkiem i splunął pod nogi. — Widzę, że lubisz mistrza w waleniu z byka.

Adel dopiero po chwili zorientował się, o kim chłopak mówi.

— Nie można osądzać człowieka po jednym błędzie — powiedział. — Był najlepszy. To prawdziwy artysta środkowego pola.

— Widziałem lepszych.

— Tak? A kogo?

— Choćby Maradonę.

— Maradonę? — prychnął oburzony Adel. Już kiedyś dyskutował o tym z jednym ze swoich przyrodnich braci w Dżalalabadzie. — Maradona był oszustem! „Ręka Boga", pamiętasz?

— Wszyscy oszukują i wszyscy kłamią.

Chłopak ziewnął i zamierzał odejść. Był mniej więcej tego samego wzrostu co Adel, może odrobinę wyższy, i prawdopodobnie w tym samym wieku. Ale chodził jak ktoś starszy, bez pośpiechu i z taką miną, jakby widział już wszystko i nic nie mogło go zdziwić.

— Nazywam się Adel.

— Gholam. — Podali sobie ręce. Uścisk Gholama był mocny, a dłoń sucha i szorstka.

— A ile masz lat?

Gholam wzruszył ramionami.

— Chyba trzynaście. Może już czternaście.

— Nie znasz swojej daty urodzin?

Gholam się skrzywił.

— Założę się, że ty swoją znasz. I że odliczasz do niej dni.

— Wcale nie — zaprotestował Adel. — Nieprawda, to znaczy wcale nie odliczam.

— Muszę już iść. Ojciec czeka sam.

— Myślałem, że to twój dziadek.

— To źle myślałeś.

— Chcesz postrzelać do bramki? — zapytał Adel.

— Czyli tak jak karne?

— Po pięć strzałów... popisowych.

Gholam splunął, spojrzał na drogę, a potem na Adela. Miał trochę za małą brodę w stosunku do twarzy i dodatkowe, zachodzące na siebie kły, jeden ułamany i nadpsuty. Jego lewa brew była przecięta w połowie krótką wąską blizną. Poza tym śmierdział. Lecz jeśli nie liczyć comiesięcznych wizyt w Dżalalabadzie, Adel od dwóch lat nie miał okazji rozmawiać z rówieśnikiem — nie mówiąc o grze w piłkę. Był przygotowany, że spotka go odmowa, Gholam jednak w końcu wzruszył ramionami i rzucił:

— Cholera, czemu nie? Ale ja strzelam pierwszy.

Bramkę wyznaczały dwa kamienie, które ustawili w odległości ośmiu kroków. Gholam wykonał pięć strzałów. Zdobył jednego gola, dwa razy posłał piłkę w niebo, a Adel dwa razy obronił bramkę. Gholam był jeszcze gorszym strzelcem od niego. Adelowi udało się strzelić cztery gole, bo za każdym razem udawał, że kopie piłkę w przeciwną stronę, ale raz stracił bramkę.

— Dupek — mruknął Gholam pochylony, z dłońmi opartymi o kolana.

— Rewanż? — Adel próbował nie triumfować, ale nie było to łatwe. Aż pękał z dumy.

Gholam się zgodził i rezultat był jeszcze bardziej nierówny. Chłopak zdobył tylko jednego gola, podczas gdy Adel pięć.

— Koniec na tym, mam dość — oświadczył Gholam i wyrzucił ręce w górę. Powlókł się do pniaka i usiadł na nim, stękając ze zmęczenia. Adel wziął piłkę i usiadł obok niego.

— To też mi pewnie nie pomaga — zauważył Gholam, wyjmując z przedniej kieszeni dżinsów paczkę papierosów. Został mu tylko jeden. Zapalił go od jednej zapałki, z zadowoleniem zaciągnął się dymem, i zaproponował sztacha Adelowi. Ten miał ochotę wziąć papierosa, choćby tylko po to, żeby zrobić wrażenie na Gholamie, ale odmówił, bo bał się, że Kabir albo matką poczują od niego dym.

— Mądrze — skwitował Gholam, odchylając głowę.

Przez chwilę rozmawiali od niechcenia o piłce nożnej i ku miłemu zaskoczeniu Adela, Gholam całkiem sporo o niej wiedział. Jeden powiedział drugiemu, który mecz najbardziej lubi i które gole najbardziej mu się podobały. Wymienili pięciu swoich ulubionych graczy; listy się pokrywały z tym wyjątkiem, że wśród faworytów Gholama był Ronaldo Brazylijczyk, a Adela Ronaldo Portugalczyk. W sposób nieunikniony doszli do finałów w 2006 roku i przykrego dla Adela wspomnienia, czyli incydentu z udziałem Zidane'a, który zaatakował głową przeciwnika. Gholam powiedział, że oglądał mecz, stojąc w tłumie przed witryną sklepu z telewizorami niedaleko obozu.

— Obozu? — zdziwił się Adel.

— Tego, w którym dorastałem. W Pakistanie.

Wyznał Adelowi, że przyjechał do Afganistanu niedawno, że jest tu pierwszy raz. Całe życie mieszkał w Pakistanie, w obozie dla uchodźców Dżalozaj, gdzie się urodził. Mówił, że Dżalozaj był jak miasto, wielki labirynt namiotów, chat z błota i domków z plastiku i aluminium wśród wąskich przejść, zaśmieconych i zasranych. Miasto w brzuchu większego miasta. On i jego bracia — był najstarszy — wychowali się tam. Mieszkali w małej chacie z matką, ojcem, który miał na imię Ighbal, i babką ze strony ojca, Parwaną. Na tych uliczkach on i bracia uczyli się chodzić i mówić. Uczęszczali do szkoły. Bawili się patykami i zardzewiałymi kołami od rowerów, biegając w pyle z innymi dziećmi aż do zachodu słońca, kiedy babka wołała ich do domu.

— Podobało mi się tam — podsumował. — Miałem kumpli. Dobrze nam się wiodło. Mam stryja w Ameryce, to brat przyrodni ojca, Abdullah. Nigdy go nie widziałem. Ale co kilka miesięcy przysyłał nam forsę. To pomagało. Bardzo pomagało.

— Dlaczego stamtąd wyjechaliście?

— Musieliśmy. Pakistańczycy zamknęli obóz. Powiedzieli, że Afgańczycy powinni mieszkać w Afganistanie. A potem przestały przychodzić pieniądze od stryja, więc ojciec uznał, że równie dobrze możemy wrócić do domu i zacząć od nowa, zwłaszcza że talibowie wynieśli się za granicę z Pakistanem. Mówił, że jesteśmy w Pakistanie gośćmi, którzy się zasiedzieli i nie są mile widziani. Byłem naprawdę przybity.

To miejsce — machnął ręką — to dla mnie obcy kraj. A chło-
paki z obozu, ci, którzy byli w Afganistanie? Żaden nie miał
o nim dobrego zdania.

Adel chciał wyznać, że wie, co czuje Gholam, powiedzieć,
jak bardzo tęskni za Kabulem, kolegami, przyrodnimi braćmi
w Dżalalabadzie. Ale miał przeczucie, że Gholam może go
wyśmiać. Rzucił więc:

— Tak, tu rzeczywiście jest dość nudno.

Gholam i tak się zaśmiał.

— Chyba nie to mieli na myśli — powiedział.

Adel zrozumiał, że to ma być kpina.

Gholam zaciągnął się papierosem i wydmuchnął kółka
dymu. Razem patrzyli, jak unoszą się w powietrzu i roz-
wiewają.

— Ojciec powiedział do mnie i moich braci: „Poczekajcie,
chłopcy... poczekajcie, aż odetchniecie powietrzem w Szadbagh i spróbujecie tamtejszej wody". Urodził się tutaj, to
znaczy mój ojciec, i tu się wychował. Mówił: „Nigdy nie
piliście takiej zimnej i słodkiej wody". Stale opowiadał nam
o Szadbagh, które w czasach, kiedy tu mieszkał, było małą
wioską. Twierdził, że tylko tu i nigdzie indziej na świecie
rośnie pewien gatunek winogron. Można by pomyśleć, że
opisuje raj.

Adel spytał go, gdzie teraz mieszka. Gholam rzucił niedopałek papierosa na ziemię i spojrzał w niebo, mrużąc oczy
przed słońcem.

— Znasz pole za wiatrakiem?

— Tak.

Adel czekał na dalszy ciąg, ale daremnie.

— Mieszkasz na polu? — zapytał.

— Na razie tak — mruknął Gholam. — Mamy namiot.

— Nie macie tu rodziny?

— Nie. Albo już nie żyją, albo wyjechali. Ojciec ma wuja w Kabulu. A może miał. Kto wie, czy gość jeszcze żyje. To był brat mojej babki, pracował tam u bogatych państwa. Ale Nabi i babka nie mieli ze sobą kontaktu... przez pięćdziesiąt lat albo i więcej. Praktycznie to nieznajomi. Ojciec, gdyby musiał, chybaby się do niego zwrócił. Ale wolałby poradzić sobie sam. Tu jest jego dom.

Przez chwilę siedzieli w milczeniu na pniaku i patrzyli na liście drzew w sadzie, poruszane powiewami ciepłego wiatru. Adel myślał o Gholamie i jego rodzinie — jak śpią w namiocie na polu, wśród skorpionów i węży.

Nie wiedział dokładnie, jak to się stało, że powiedział Gholamowi, z jakiego powodu jego rodzice przenieśli się tu z Kabulu. Nie był pewny, czy zrobił to, aby rozwiać wrażenie, że skoro mieszka w wielkim domu, wiedzie beztroskie życie. Aby nawiązać porozumienie, jak to między kolegami z podwórka. Prosić o zrozumienie. Albo zasypać przepaść między sobą a Gholamem. Nie miał pojęcia. Może ze wszystkich tych powodów. Nie wiedział też, dlaczego to dla niego takie ważne, żeby Gholam go polubił — czuł tylko, że przyczyną nie jest wyłącznie samotność i pragnienie, aby mieć przyjaciela.

— Przeprowadziliśmy się do Szadbagh, bo ktoś w Kabulu próbować nas zabić — oznajmił. — Pewnego dnia podjechał pod dom motocyklista i ostrzelał okna. Nie złapano go. Ale, dzięki Bogu, nikt z nas nie został ranny.

Nie wiedział, jakiej reakcji się spodziewał, ale zdziwił się, że Gholam w ogóle nie zareagował. Wciąż mrużąc oczy, mruknął:

— Mhm, wiem.

— Jak to wiesz?

— Twój ojciec zadziera nosa i ludzie gadają.

Zmiął w kulkę pustą paczkę po papierosach i włożył ją do przedniej kieszeni dżinsów.

— Ma wrogów, ten twój ojciec. — Gholam westchnął.

Adel był tego świadomy. *Baba jan* wytłumaczył mu, że pewni ludzie, którzy w latach osiemdziesiątych walczyli razem z nim przeciwko Rosjanom, stali się potężni i skorumpowani. Zagubili się, jak mówił. A ponieważ nie chciał przyłączyć się do nich i ich matactw, stale próbowali kopać pod nim dołki i oczerniać go, rozsiewając o nim fałszywe, krzywdzące plotki. Dlatego właśnie *baba jan* próbował chronić Adela: nie pozwalał przynosić do domu gazet, nie chciał, żeby syn oglądał wiadomości w telewizji czy surfował po internecie.

Gholam pochylił się i powiedział:

— Słyszałem też, że ma dużo ziemi.

Adel wzruszył ramionami.

— Sam widzisz. Tylko tych kilka akrów sadu. No i pola bawełny w Helmandzie, chyba ze względu na fabrykę.

Gholam spojrzał mu w oczy i uśmiechnął się szeroko, odsłaniając zepsuty ząb.

— Bawełna. Ty to jesteś. Nie wiem, co powiedzieć.

Adel naprawdę nie rozumiał, o co mu chodzi. Wstał i podrzucił piłkę.

— Możesz powiedzieć: „Rewanż!".

— Rewanż!

— No to chodźmy.

— Tylko tym razem nie strzelisz ani jednego gola, założę się — rzekł Gholam.

Adel uśmiechnął się szeroko.

— O co się zakładamy?

— To łatwe. O Zidane'a.

— A jeśli ja wygram... nie, gdy wygram?

— To takie nieprawdopodobne, że na twoim miejscu nawet nie zawracałbym sobie głowy.

To był błyskotliwy pojedynek. Gholam rzucał się w lewo i w prawo i obronił wszystkie bramki. Zdejmując koszulkę, Adel czuł się głupio, że dał się zwieść i stracił swój skarb. Przerażony poczuł pod powiekami łzy i próbował je powstrzymać.

Gholam miał przynajmniej tyle taktu, że nie włożył przy nim koszulki. Odchodząc, uśmiechnął się do niego przez ramię.

— Twój ojciec nie wyjechał na trzy miesiące, prawda?!

— Jutro się odegram i ją odzyskam! — krzyknął Adel. — To znaczy koszulkę.

— Zastanowię się nad tym.

Chłopak ruszył w stronę szosy. W połowie drogi przystanął, wyjął z kieszeni zgniecioną paczkę papierosów i rzucił ją za mur otaczający dom Adela.

Przez tydzień codziennie, po zakończeniu porannych lekcji, Adel brał piłkę i wychodził poza mury posiadłości. Dwa razy udało mu się wymknąć za bramę dzięki temu, że znał rozkład zmian uzbrojonych wartowników. Ale za trzecim razem został zatrzymany. Poszedł więc do domu i wrócił z iPodem i zegarkiem. Od tamtej pory wartownik wypuszczał go ukradkiem, pod warunkiem że Adel nie przekroczy granicy sadów. Kabir i matka nawet nie zauważyli, że znikał na godzinę albo dwie. Była to jedna z korzyści mieszkania w tak wielkim domu.

Adel bawił się sam za posiadłością przy pniu starego drzewa na polanie, każdego dnia licząc, że pojawi się Gholam. Zerkał na drogę prowadzącą do szosy, gdy podrzucał piłkę albo siedział na pniaku, obserwując mknące po niebie odrzutowce i rzucając kamykami w nie wiadomo co. Potem brał piłkę pod pachę i wracał do domu.

Któregoś dnia Gholam się zjawił. Niósł papierową torbę.

— Gdzie byłeś?

— Pracowałem — odparł chłopak.

Jak powiedział, zostali z ojcem zatrudnieni na kilka dni przy wyrobie cegieł. Jego zadaniem było mieszanie zaprawy murarskiej. Taszczył wiadra wody tam i z powrotem, ciągnął worki cementu i piasku cięższe niż on sam. Wytłumaczył Adelowi, jak się miesza zaprawę na taczkach, przewraca ją motyką w wodzie, potem dodaje piasek, aż mieszanka osiągnie gładką konsystencję, która się nie kruszy. Wtedy pcha się taczki do murarza i wraca, żeby przygotować następną partię. Pokazał odciski na rękach.

— O rany — powiedział na to Adel, głupio, zdawał sobie z tego sprawę, ale żaden inny komentarz nie przyszedł mu do głowy. Pewnego popołudnia przed trzema laty pomagał ogrodnikowi sadzić jabłonie na podwórku za domem w Kabulu, i to w jego przypadku było wszystko, jeśli chodzi o pracę fizyczną.

— Mam dla ciebie niespodziankę. — Gholam sięgnął do torby, wyjął z niej koszulkę Zidane'a i rzucił Adelowi.

— Nie rozumiem. — Adel był zaskoczony i uradowany, choć niepewny.

— Kilka dni temu zobaczyłem w niej chłopaka z miasteczka — wyjaśnił Gholam i gestem poprosił o piłkę. Adel kopnął ją w jego stronę i chłopak, podrzucając ją, opowiedział całą historię: — Masz pojęcie? Podchodzę do niego i mówię: „Hej, masz na sobie koszulkę mojego kumpla". On popatrzył na mnie spode łba. Żeby nie wdawać się w szczegóły: rozstrzygnęliśmy sprawę w bocznej uliczce. Na koniec błagał mnie, żebym wziął tę koszulkę! — Złapał piłkę, splunął na ziemię i uśmiechnął się do Adela. — No dobra, może sprzedałem mu ją kilka dni wcześniej.

— To nie w porządku. Jeśli mu ją sprzedałeś, była jego.

— Co, nie chcesz jej z powrotem? Po tym wszystkim, przez co przeszedłem, żeby ją dla ciebie odzyskać? To nie był jednostronny łomot. Chłopak zadał mi kilka porządnych ciosów.

— Ale mimo to...

— Poza tym wykiwałem cię i miałem z tego powodu wyrzuty sumienia. Weź koszulkę. Jeśli chodzi o mnie... — Wskazał swoje stopy i Adel zobaczył, że ma nich nowe biało-niebieskie trampki.

— Nic mu się nie stało, to znaczy, tamtemu? — zapytał.

— Przeżyje. To co, będziemy tak stali i gadali czy zagramy?

— Jesteś z ojcem?

— Dziś przyszedłem sam. Ojciec jest w sądzie w Kabulu. Chodźmy.

Grali przez jakiś czas, kopiąc piłkę tam i z powrotem, biegając za nią. Potem poszli na spacer i Adel złamał daną strażnikowi obietnicę, bo zaprowadził Gholama do sadu. Jedli tam owoce z drzew nieśpliku i popijali fantą z puszek, które Adel ukradkiem wyniósł z kuchni.

Wkrótce zaczęli spotykać się prawie codziennie. Grali w piłkę, gonili się między rzędami drzew owocowych. Rozmawiali o sporcie i filmach, a kiedy nie mieli nic do powiedzenia, patrzyli na Szadbagh-e-Nau, łagodne wzgórza w oddali, zamglone łańcuchy górskie jeszcze dalej, i też było fajnie.

Adel budził się teraz codziennie podniecony myślą, że zobaczy Gholama idącego drogą, usłyszy jego pewny siebie, donośny głos. Podczas porannych lekcji był często roztargniony, nie mógł się skupić, bo myślał już o przyszłych zabawach i historiach, które sobie opowiedzą. Bał się, że straci Gholama. Że jego ojciec, Ighbal, nie znajdzie stałej pracy w miasteczku i Gholam przeniesie się do innej części kraju. Próbował oswoić się z taką możliwością, przygotować na rozstanie, które by wtedy nastąpiło.

Pewnego dnia, gdy siedzieli na pniu drzewa, Gholam zagadnął:

— Byłeś już kiedyś z dziewczyną, Adelu?

— Chodzi ci o to, czy...

— Mhm, o to mi właśnie chodzi.

Adel poczuł, że palą go uszy. Przez chwilę zastanawiał się, czy nie skłamać, ale wiedział, że Gholam by go przejrzał.

Wymamrotał więc:

— A ty?

Chłopak zapalił papierosa i poczęstował nim Adela. Tym razem Adel go przyjął, obejrzawszy się przez ramię, czy wartownik nie wygląda za róg albo czy Kabir nie postanowił wyjść za bramę. Zaciągnął się dymem i natychmiast dostał ataku kaszlu, na co Gholam uśmiechnął się z wyższością i walnął go w plecy.

— Więc tak czy nie? — wykrztusił Adel ze łzami w oczach.

— Kumpel z obozu, starszy ode mnie — zaczął Gholam konspiracyjnie — zabrał mnie kiedyś do burdelu w Peszawarze. Opowiedział, jak to było. Obskurny pokoik. Pomarańczowe zasłony, popękane ściany, pojedyncza żarówka pod sufitem, szczur przebiegający po podłodze. Turkot riksz kursujących po ulicy za oknem, warkot silników samochodowych. Młoda dziewczyna na materacu, kończąca właśnie jeść birjani, która patrzyła na niego z obojętną miną. Widział, nawet w przyćmionym świetle, że miała ładną twarz i nie była starsza od niego. Złożonym kawałkiem placka nabrała ostatnie ziarnka ryżu, odsunęła talerz, położyła się i ściągając spodnie, wytarła o nie palce.

Adel słuchał jak urzeczony, był podekscytowany. Nigdy nie miał takiego przyjaciela. Gholam wiedział o świecie znacznie więcej niż przyrodni bracia Adela, kilka lat od niego starsi. A koledzy z Kabulu? To wszystko byli synowie technokratów, urzędników, ministrów. Żyli mniej więcej tak jak on. A to, o czym od czasu do czasu opowiadał Gholam, ukazywało życie pełne problemów, nieprzewidywalnych komplikacji, trudu, ale także przygód, zupełnie inne od życia Adela, choć toczące się tuż obok. Gdy tak słuchał opowieści Gholama, jego własna egzystencja wydawała mu się beznadziejnie nudna.

— I zrobiłeś to? — zapytał. — Zrobiłeś? No wiesz, wsadziłeś jej?

— Nie. Piliśmy herbatę i rozmawialiśmy o Rumim. A co myślałeś?

Adel się zaczerwienił.

— I jak było?

Ale Gholam przeszedł już do innego tematu. Tak właśnie przebiegały ich rozmowy, to on decydował, o czym będą rozmawiali, z zapałem podejmował opowieść, wciągając w nią Adela, a chwilę później nagle tracił dla niej zainteresowanie, milkł i Adel nie poznawał zakończenia.

Teraz, zamiast zakończyć tamtą historię, powiedział:

— Moja babka mówi, że jej mąż, dziadek Sabur, opowiedział jej kiedyś o tym drzewie. Oczywiście to było dawno temu, wiele lat przed tym, jak je ściął. Gdy oboje byli jeszcze dziećmi. Historia jest taka: jeśli miało się jakieś życzenie, należało uklęknąć przy dębie i wypowiedzieć je szeptem. Jeśli drzewo zgodziło się je spełnić, sypało liśćmi.

— Nigdy o czymś takim nie słyszałem — odparł Adel.

— A gdzie miałeś słyszeć?

Dopiero wtedy do Adela dotarło, co powiedział Gholam.

— Poczekaj. To twój dziadek ściął nasze drzewo?

Gholam spojrzał na niego uważnie.

— Wasze drzewo? Nie należało do was.

Adel zamrugał.

— Co to znaczy?

Gholam spojrzał na niego jeszcze bardziej przenikliwie. Po raz pierwszy Adel nie widział u niego śladów zwykłej drwiny ani dobrotliwego szelmostwa. Twarz chłopaka się zmieniła, zrobiła się poważna, dziwnie dorosła.

— To drzewo było własnością mojej rodziny. A to była nasza ziemia. Należała do nas od pokoleń. Twój ojciec zbudował na niej dom bezprawnie, gdy byliśmy podczas wojny w Pakistanie. — Wskazał sady. — A one? Tam kiedyś stały domy naszych sąsiadów. Twój ojciec kazał je zburzyć buldożerami. Tak jak zburzył dom, w którym urodził się i wychował mój ojciec.

Adel znowu zamrugał.

— Zajął naszą ziemię i zbudował na niej to... — Gholam, prychając, wskazał kciukiem posiadłość. — To coś.

Czując, że robi mu się niedobrze, z mocno bijącym sercem, Adel wykrztusił:

— Myślałem, że jesteśmy przyjaciółmi. Dlaczego wygadujesz te okropne kłamstwa?

— Pamiętasz, kiedy cię nabrałem i wygrałem od ciebie koszulkę? — zapytał Gholam, rumieniąc się. — Prawie się rozryczałeś. Nie zaprzeczaj, widziałem. A to była tylko koszulka. Zwykła koszulka. Wyobraź sobie, jak czuła się moja rodzina, gdy przyjechaliśmy tu z Pakistanu, wysiedliśmy z autobusu i zobaczyliśmy to coś na naszej ziemi. A potem ten wasz zbir w czerwonym garniturze kazał nam się wynieść.

— Mój ojciec nie jest złodziejem! — wykrzyknął Adel. — Zapytaj kogokolwiek w Szadbagh-e-Nau, zapytaj, co zrobił dla tego miasteczka. — Przypomniał sobie, jak *baba jan* przyjmował ludzi w meczecie, leżąc na poduszkach, z filiżanką herbaty przed sobą, paciorkami modlitewnymi w ręku. Długą kolejkę petentów, ciągnącą się do frontowych drzwi, mężczyzn o brudnych rękach, bezzębne stare kobiety, młode wdowy z dziećmi. Wszyscy byli w potrzebie, czekali na swoją kolej, aby poprosić o pomoc, pracę, małą pożyczkę na naprawę dachu, wykopanie rowu irygacyjnego czy kupno mleka w proszku. Ojciec kiwał głową, słuchał z niewyczerpaną cierpliwością, jakby każda z tych osób była dla niego ważna niczym ktoś z rodziny.

— Tak? To skąd mój ojciec ma akt własności? — spytał Gholam. — Ten, który pokazał w sądzie.

— Gdyby twój ojciec porozmawiał z *babą*, na pewno...

— Twój *baba* nie chce z nim rozmawiać. Nie zamierza się

przyznać, co zrobił. Opędza się od przeszłości jak od zbłą-kanych psów.

— Nie jesteście psami — odparł Adel. Z trudem panował nad głosem. — Jesteście sępami. Tak jak mówił Kabir. Powinienem był go posłuchać.

Gholam wstał, zrobił dwa kroki i przystanął.

— Chcę, żebyś wiedział, że nie mam nic przeciwko tobie — rzekł. — Jesteś smarkaczem i nic nie wiesz. Ale gdy następnym razem twój *baba* pojedzie do Helmandu, poproś go, żeby zabrał cię z sobą do tej swojej fabryki. Zobaczysz, co tam produkuje. Podpowiem ci: nie bawełnę.

Tamtego wieczoru przed kolacją Adel leżał w wannie, w ciepłej wodzie z pianą. Słyszał dochodzące z dołu dźwięki telewizora — Kabir oglądał stary film o piratach. Adel kipiał gniewem przez całe popołudnie; już się uspokoił i teraz myślał, że zbyt ostro potraktował Gholama. *Baba jan* powiedział mu kiedyś, że choćby bogaci dawali z siebie wszystko, biedni zawsze będę mówili o nich źle, dlatego że są rozczarowani swoim życiem. I nic się na to nie poradzi. „Nie możemy ich za to winić, Adelu", zakończył.

Adel nie był aż tak naiwny, by nie wiedzieć, że na świecie nie ma sprawiedliwości; wystarczyło tylko wyjrzeć przez okno. Teraz pomyślał, że takim jak Gholam stwierdzenie tej prawdy nie przynosi satysfakcji. Muszą zwalić na kogoś winę, znaleźć obiekt z krwi i kości, który mogliby wskazać jako sprawcę zła, oskarżyć o to, co ich spotkało, obwinić. I być może *baba jan* miał rację, gdy mówił, że prawdziwa odpowiedzialność polega na tym, że człowiek wykazuje zrozumienie, wstrzymuje się z oceną. A nawet odpowiada dobrocią. Obserwując bańki mydlane wypływające na powierzchnię wody i pękające, Adel pomyślał, że ojciec przecież buduje szkoły i szpitale, choć wie, że niektórzy w miasteczku źle o nim mówią.

Kiedy się wycierał, do łazienki zajrzała matka.

— Zejdziesz na kolację?

— Nie jestem głodny.

— Och. — Weszła do środka i zdjęła ręcznik z wieszaka. — Usiądź. Wysuszę ci włosy.

— Sam sobie poradzę — burknął.

Stanęła za nim i uważnie przyjrzała mu się w lustrze.

— Wszystko w porządku, Adelu?

Wzruszył ramionami. Matka położyła mu dłoń na ramieniu i spojrzała na niego, jakby oczekiwała, że syn przytuli do niej policzek. Ale on tego nie zrobił.

— Mamo, widziałaś kiedyś fabrykę *baby jana*?

Zauważył, że matka na chwilę znieruchomiała.

— Oczywiście — odpowiedziała. — Ty też widziałeś.

— Nie chodzi mi o zdjęcia. Czy widziałaś ją na własne oczy? Byłaś tam?

— Jak mogłabym być? — zapytała, przechylając głowę w lustrze. — W Helmandzie jest niebezpiecznie. Twój ojciec nie naraziłby ani mnie, ani ciebie na takie ryzyko.

Adel pokiwał głową.

Na dole rozległ się huk dział i piraci wznieśli bojowe okrzyki.

Trzy dni później Gholam znowu się pojawił. Podszedł do Adela szybkim krokiem i stanął przed nim.

— Cieszę się, że przyszedłeś — przywitał go Adel. — Mam coś dla ciebie.

Wziął z pniaka płaszcz, który przynosił codziennie od dnia kłótni. Był ze skóry w czekoladowym kolorze, podbity kożuszkiem, i miał przypinany na suwak kaptur. Podał go Gholamowi.

— Miałem go na sobie tylko kilka razy. Jest dla mnie trochę za duży. Na ciebie będzie akurat.

Gholam stał nieruchomo.

— Wczoraj pojechaliśmy autobusem do Kabulu i poszliśmy do sądu — odezwał się bezbarwnym głosem. — Wiesz, co powiedział nam sędzia? Że ma złą wiadomość. Zdarzył się wypadek. Mały pożar. Nasz akt własności ziemi spłonął. Przepadł. Nie istnieje.

Adel opuścił rękę, w której trzymał płaszcz.

— A wiesz, co miał na nadgarstku, gdy nam mówił, że bez tego dokumentu nic nie da się zrobić? Nowiutki złoty zegarek, którego ojciec nie widział ostatnim razem, kiedy u niego był.

Adel zamrugał.

Gholam spojrzał na płaszcz. Było to ostre, potępiające spojrzenie, które miało zawstydzić ofiarodawcę. I zawstydziło. Adel się skulił. Poczuł, że płaszcz w jego ręku zamienia się z daru pokoju w łapówkę.

Gholam obrócił się na pięcie i pospiesznie odszedł w stronę szosy.

Wieczorem w dniu swojego powrotu *baba jan* wydał w domu przyjęcie. Adel siedział obok niego przy węższym boku obrusa, który rozłożono na podłodze na czas posiłku. *Baba jan* czasami wolał siedzieć po turecku i jeść palcami, zwłaszcza gdy spotykał się z przyjaciółmi z okresu dżihadu. „To mi przypomina dawne czasy, kiedy nocowaliśmy w jaskiniach", żartował. Kobiety jadły łyżkami i widelcami przy stole w jadalni, u którego szczytu siedziała matka Adela. Chłopiec słyszał ich głosy, odbijały się echem od marmurowych ścian. Jedna z nich, kobieta o szerokich biodrach i długich włosach farbowanych na rudo henną, była zaręczona z przyjacielem *baby jana*. Wcześniej tego wieczoru pokazała matce Adela zdjęcia sklepu dla narzeczonych w Dubaju, w którym byli.

Przy herbacie *baba jan* opowiedział historię o tym, jak jego oddział urządził zasadzkę na kolumnę wojsk sowieckich, żeby powstrzymać je przed wkroczeniem do doliny na północy kraju. Wszyscy słuchali z uwagą.

— Kiedy zbliżyły się na odległość strzału — mówił *baba jan*, z roztargnieniem głaszcząc Adela po włosach — otworzyliśmy ogień. Trafiliśmy w jadący na czele pojazd, a potem w kilka jeepów. Myślałem, że albo się wycofają, albo spróbują się przedrzeć. A te sukinsyny stanęły, wysiadły i zaczęły do nas strzelać. Możecie w to uwierzyć?

W pokoju rozległy się pomruki. Kręcono głowami. Adel wiedział, że co najmniej połowa zebranych należała kiedyś do mudżahedinów.

— Przewyższaliśmy ich liczebnie, może w stosunku trzech do jednego, ale oni mieli ciężką broń i niebawem na nas ruszyli. Zaatakowali nasze pozycje w sadach, musieliśmy się więc rozproszyć. Zaczęliśmy uciekać, ja i ten facet, Mohammad jakiś tam, biegliśmy razem. Wpadliśmy ramię przy ramieniu na pole winorośli, nie z tych, które rosną na słupkach i drutach, ale takich płożących się po ziemi. Wokół śmigały kule, musieliśmy się ratować, aż tu nagle obaj się potknęliśmy i upadliśmy. W jednej chwili zerwałem się na nogi, a tego Mohammada nie ma. Więc odwracam się i krzyczę: „Wstawaj, do cholery, ty ośla dupo!".

Baba jan dla efektu zawiesił głos. Przyłożył rękę do ust, żeby stłumić śmiech.

— A wtedy on zrywa się na nogi i rzuca do ucieczki. Ale czy uwierzycie? Ten szurnięty sukinsyn trzyma w łapach kiście winogron! Po jednej w każdej ręce!

Rozległy się wybuchy śmiechu. Adel też się roześmiał. Ojciec pogładził go po plecach i przyciągnął do siebie. Ktoś zaczął opowiadać inną historię i *baba jan* sięgnął po papierosa, który leżał przy jego talerzu. Ale zanim zdążył go zapalić, nagle gdzieś w domu posypało się rozbite szkło.

Z jadalni dobiegły krzyki kobiet. Na marmur spadło z brzękiem coś metalowego, może widelec albo nóż do masła. Mężczyźni zerwali się z miejsc. Azmaraj i Kabir wpadli do pokoju, wyciągając pistolety.

— To gdzieś przy wejściu! — rzucił Kabir. I gdy to mówił, znowu rozległ się brzęk tłuczonego szkła.

— Czekaj tu, komendancie, sprawdzimy to! — rzucił Azmaraj.

— Nie ma mowy, do cholery — warknął *baba jan*, wstając. — Nie dam się zastraszyć we własnym domu.

Ruszył do holu, a za nim Adel, Azmaraj, Kabir i pozostali mężczyźni. Chłopiec zauważył, że Kabir bierze pogrzebacz, którego używali zimą do podsycania ognia w piecu. Zobaczył też, że biegnie do nich matka z pobladłą i ściągniętą twarzą. Kiedy dotarli do holu, przez okno wpadł kamień i na podłogę posypało się szkło. Kobieta o rudych włosach, przyszła panna młoda, krzyknęła ze strachu. Na dworze ktoś wrzeszczał na całe gardło.

— Jak, do licha, udało im się dostać za bramę? — zapytał ktoś stojący za Adelem.

— Panie komendancie, nie! — krzyknął Kabir. Jednak ojciec Adela już otworzył frontowe drzwi.

Zapadał zmrok, ale było lato i na niebie widniała jeszcze żółta łuna. Adel widział w oddali skupiska świateł, mieszkańcy Szadbagh-e-Nau przygotowywali się do kolacji. Wzgórza na horyzoncie pogrążały się w mroku i niebawem miała nadejść noc. Ale nie było jeszcze na tyle ciemno, żeby stary mężczyzna, stojący z kamieniami w ręku u stóp schodów, pozostał niewidoczny.

— Zabierz go na górę — nakazał przez ramię *baba jan* matce Adela. — Natychmiast!

Matka otoczyła chłopca ramieniem i zaprowadziła go po schodach na górę, do sypialni, którą dzieliła z *babą janem*. Zamknęła drzwi, przekręciła klucz, zaciągnęła zasłony i włączyła telewizor. Pociągnęła Adela w stronę łóżka i usiadła razem z nim. Na ekranie dwaj Arabowie, ubrani w długie kurty i dzianinowe czapki, majstrowali przy wielkiej ciężarówce.

— Co będzie z tym starym człowiekiem? — spytał Adel. Nie mógł opanować drżenia. — Mamo, co ojciec z nim zrobi?

Spojrzał na matkę i zobaczył, że spochmurniała. Nagle zrozumiał, że cokolwiek wyjdzie z jej ust, nie będzie wiarygodne.

— Porozmawia z nim — powiedziała, wzdrygając się. — Przemówi mu do rozsądku. Twój ojciec zawsze tak robi. Próbuje przemówić ludziom do rozsądku.

Adel pokręcił głową. Płakał, nawet szlochał.

— Co on mu zrobi, mamo? Co zrobi temu staremu człowiekowi?

Matka wciąż powtarzała to samo: że wszystko będzie dobrze, wszystko się ułoży, nic się nikomu nie stanie. Ale im dłużej to mówiła, tym głośniej chłopiec szlochał, aż się zmęczył i w końcu zasnął na jej kolanach.

Były komendant uchodzi cało z zamachu.
Adel przeczytał tę relację w gabinecie ojca, na ekranie komputera. Opisywany w niej atak określano jako „brutalny", a napastnika jako byłego uchodźcę „podejrzanego o związki z talibami". W połowie artykułu cytowano ojca Adela, który powiedział, że bał się o bezpieczeństwo swojej rodziny. *A zwłaszcza mojego niewinnego synka.* Nie podano nazwiska zamachowca, nie wspomniano też, co się z nim stało.

Adel wyłączył komputer. Nie wolno mu było go używać, zresztą wchodząc do gabinetu ojca, też popełnił wykroczenie. Jeszcze miesiąc wcześniej nie ośmieliłby się zrobić ani jednego, ani drugiego. Powlókł się do swojego pokoju, położył na łóżku i zaczął odbijać starą piłkę tenisową o ścianę. Bum! Bum! Bum! Po jakimś czasie w progu stanęła matka i najpierw poprosiła, a później poleciła, żeby przestał, ale bezskutecznie. Stała więc przez chwilę w drzwiach, aż wreszcie odeszła.

Bum! Bum! Bum!

Z pozoru nic się nie zmieniło. Relacja z codziennych poczynań chłopca wykazałaby, że wrócił do zwykłego rytmu dnia. Wstawał o tej samej porze, mył się, jadł z rodzicami śniadanie, odbywał lekcje z nauczycielem. Później zjadał lunch, a po południu odpoczywał, oglądał filmy z Kabirem albo grał na komputerze.

Ale tak naprawdę wszystko się zmieniło. Gholam być może uchylił przed nim drzwi, ale to *baba jan* go za nie pchnął. Trybiki w głowie chłopca zaczęły się obracać. Adel miał wrażenie, jakby w ciągu jednej nocy zyskał nowy dodatkowy zmysł, pozwalający dostrzegać rzeczy, na które do tej pory nie zwracał uwagi, a które od lat miał przed oczami. Zauważył na przykład, że matka ma swoje sekrety. Kiedy na nią patrzył, czytał to z jej twarzy. Widział, jak stara się ukrywać przed nim wszystko, co wie, tajemnice, które zamyka na klucz, chowa, pilnie strzeże, tak jak oni sami byli zamknięci, ukrywani i strzeżeni w wielkim domu. Uświadomił sobie, że rezydencja ojca to dla innych okropieństwo, zniewaga, pomnik niesprawiedliwości. W wysiłkach ludzi, aby zadowolić jego ojca, zobaczył lęk, którym podszyte były oznaki szacunku i poważania. Wydawało mu się, że Gholam byłby z niego dumny z powodu tych refleksji. Po raz pierwszy bowiem Adel zaczął zdawać sobie sprawę z istnienia potężniejszych sił rządzących jego życiem.

I ze sprzeczności tkwiących w każdym człowieku. Nie tylko w jego ojcu, matce czy Kabirze.

Ale także w nim samym.

To ostatnie odkrycie było dla niego pod pewnymi względami najbardziej zaskakujące. Pojąwszy, co robi jego ojciec — najpierw w imię dżihadu, a potem, jak to mówił, „w ramach nagrody za poświęcenie" — nie mógł dojść do siebie. Przynajmniej przez jakiś czas. Przez wiele dni po tym, jak przez okna wleciały kamienie, kiedy ojciec wchodził do pokoju, chłopca bolał brzuch. Gdy szczekał do telefonu komórkowego albo nawet nucił w kąpieli, Adelowi przechodziły po plecach ciarki i boleśnie zasychało mu w gardle. Ojciec całował go na dobranoc, a on instynktownie się kulił. Zaczęły go nawiedzać koszmary. Śniło mu się, że stoi na skraju sadu i widzi między drzewami błysk metalowego pogrzebacza, który wznosi się i opada, że słyszy odgłos metalu gruchoczącego czyjeś kości. Budził się z takiego snu z krzykiem. Od czasu do czasu dostawał ataków płaczu.

A mimo to...

Mimo to...

Działo się z nim coś jeszcze. Ta nowa wiedza nie zniknęła, ale powoli zyskała towarzystwo. Zrodziła się w nim inna, przeciwstawna świadomość, która nie wyparła tamtej, lecz zajęła miejsce obok niej. Adel czuł, że kształtuje się w nim drugie, kłopotliwe „ja", które z czasem, prawie niezauważalnie, godzi się na tę nową tożsamość, początkowo kłującą jak mokry wełniany sweter na plecach. Wreszcie zrozumiał, że pewnie zaakceptuje ten stan rzeczy tak jak matka. Adel najpierw był na nią zły, teraz stał się bardziej wyrozumiały. Być może godziła się na wszystko ze strachu przed mężem. Albo była to cena, jaką płaciła za życie w luksusie. Adel przypuszczał jednak, że powód był taki sam jak w jego przypadku: bo musiała. Jakie mieli wyjście? On, tak jak Gholam, nie mógł uciec ze swojego życia. Ludzie przystoso-wywali się do bytowania w niewyobrażalnych warunkach. I on musiał się przystosować. To jego życie. Jego matka. Ojciec. I to on, nawet jeśli nie zawsze miał tego świadomość.

Adel wiedział, że już nigdy nie będzie kochał ojca tak jak przedtem, gdy spał spokojnie zwinięty w kłębek w jego potężnych ramionach. Teraz to było niemożliwe. Ale wiedział, że nauczy się go kochać takiego, jaki jest, nawet jeśli było to teraz trudniejsze, bardziej skomplikowane, i nie tak czyste.

Niemal czuł, jak dokonuje skoku z dzieciństwa w przyszłość. Wkrótce stanie się dorosły. A kiedy to nastąpi, nie będzie powrotu, bo z dorosłością, jak powiedział kiedyś ojciec, jest tak samo jak z bohaterstwem: kiedy człowiek zostaje bohaterem wojennym, to już nim umiera.

Leżąc nocą w łóżku, Adel myślał, że któregoś dnia — może jutro, pojutrze albo za tydzień — wyjdzie z domu i powędruje na pole przy wiatraku, gdzie koczował Gholam z rodziną. Jednak pewnie nikogo tam nie zastanie. Zatrzyma się wtedy przy drodze, wyobrażając sobie Gholama, jego matkę, braci i babę, jak taszczą powiązany sznurami dobytek, wędrują wiejskimi drogami, szukając miejsca do osiedlenia się. Gholam jest teraz głową rodziny. Spędzi młodość, czyszcząc kanały, kopiąc rowy, wyrabiając cegły i pracując przy żniwach. Stopniowo zamieni się w jednego z tych zgarbionych mężczyzn o ogorzałych pomarszczonych twarzach, których Adel widywał za pługiem.

Adel będzie stał przez jakiś czas na polu i patrzył na wzgórza oraz góry wznoszące się nad nowym Szadbagh. Potem sięgnie do kieszeni po coś, co znalazł pewnego dnia w sadzie: połowę okularów, złamanych pośrodku, z rozbitym szkłem przypominającym pajęczynę, z zaschniętą krwią na oprawkach. Wrzuci je do dołu. A gdy się odwróci i ruszy do domu, odczuje przede wszystkim ulgę.

8

Jesień 2010

Tego wieczoru po powrocie ze szpitala na automatycznej sekretarce zastaję wiadomość od Thalii. Odsłuchuję ją, zdejmując buty i siadając za biurkiem. Thalia informuje, że ma katar, pewnie zaraziła się od mojej matki, a potem pyta o mnie, jak praca w Kabulu. Na zakończenie, przed odłożeniem słuchawki, dorzuca: „Odie wciąż mówi, że nie dzwonisz. Oczywiście sama by ci tego nie powiedziała, więc robię to za nią, Markosie. Na miłość boską. Zadzwoń do matki, ty dupku".

Uśmiecham się.

Cała Thalia.

Trzymam na biurku jej zdjęcie, to, które zrobiłem przed laty nad morzem na Tinos — siedzi na skale odwrócona plecami do obiektywu. Oprawiłem je w ramkę, choć jeśli przyjrzeć się bliżej, w lewym dolnym roku można zobaczyć ciemnobrązową plamę, dzieło tej zwariowanej młodej Włoszkę, która chciała je kiedyś spalić.

Włączam laptop i zaczynam spisywać notatki z operacji

przeprowadzonych poprzedniego dnia. Mój pokój znajduje się na górze — to jedna z trzech sypialni na piętrze domu, w którym mieszkam od przyjazdu do Kabulu w 2002 roku — a biurko stoi pod oknem wychodzącym na ogród. Widzę nieśpliki japońskie, które mój dawny gospodarz, Nabi, zasadził kilka lat temu. Widzę też dawną kwaterę Nabiego, pod murem, teraz odmalowaną. Po jego śmierci oddałem ją do użytku młodemu Duńczykowi, który pomaga miejscowym szkołom średnim w informatyce. A po prawej stronie stoi chevrolet z 1940 roku, należący kiedyś do Solejmana Wahdatiego, nieruszany od dziesięcioleci, pokryty rdzą jak kamień mchem, a teraz jeszcze warstewką wczorajszego śniegu, który tego roku spadł zaskakująco wcześnie. Po śmierci Nabiego zastanawiałem się przez krótki czas, czy kazać odholować ten samochód na jedno z kabulskich złomowisk, ale nie miałem serca. Wydaje mi się nieodłączną częścią przeszłości, historii tego domu.

Kończę notatki i spoglądam na zegarek. Już dwudziesta pierwsza trzydzieści. W Grecji jest siódma rano.

„Zadzwoń do matki, ty dupku".

Jeśli mam zadzwonić do niej jeszcze dziś, nie mogę tego odkładać. Thalia pisała w jednym z e-maili, że mama kładzie się spać coraz wcześniej. Oddycham głęboko i zbieram się w sobie. Podnoszę słuchawkę i wystukuję numer.

Poznałem Thalię latem 1967 roku, gdy miałem dwanaście lat. Przyjechała na Tinos z matką, Madaline, żeby odwiedzić mamę i mnie. Mama, która ma na imię Odelia, mówiła, że minęły lata — a dokładnie piętnaście — odkąd ona i Madaline widziały się po raz ostatni. Madaline opuściła wyspę jako siedemnastolatka, wyjechała do Aten i tam została dość znaną aktorką.

— Gdy usłyszałam, że gra, nie byłam zdziwiona — powiedziała mama. — A to z powodu jej urody. Zawsze wszystkich urzekała. Sam zobaczysz, kiedy ją poznasz.

Zapytałem mamę, dlaczego nigdy wcześniej o niej nie wspominała.

— Nie wspominałam? Na pewno?

— Na pewno.

— Mogłabym przysiąc, że tak. — A potem dodała: — A jeśli chodzi o jej córkę... Thalię. Musisz być delikatny, bo miała wypadek. Pogryzł ją pies. I została jej po tym blizna.

Mama nie chciała powiedzieć nic więcej i wiedziałem, że lepiej jej nie wypytywać. Ale ta uwaga zaintrygowała mnie bardziej niż filmowa i sceniczna przeszłość Madaline, a moją ciekawość podsycało jeszcze podejrzenie, że ta blizna musi być widoczna, skoro mam się obchodzić z dziewczyną delikatnie. Z niezdrową niecierpliwością czekałem, kiedy ją zobaczę.

— Madaline i ja poznałyśmy się na mszy, kiedy byłyśmy małe — powiedziała mama. Podobno od razu stały się nierozłącznymi przyjaciółkami. Trzymały się za ręce: pod ławką na lekcjach, podczas przerw, w kościele i gdy szły wzdłuż pól jęczmienia. Obiecały sobie, że zamieszkają niedaleko siebie, nawet gdy wyjdą za mąż. Będą sąsiadkami, a gdyby mąż jednej albo drugiej chciał przenieść się gdzieś indziej, zażądają rozwodu. Pamiętam, że mama, kiedy to mówiła, uśmiechała się lekko, z ironią, jakby chciała się zdystansować do tej młodzieńczej fanfaronady i głupoty, wszystkich tych żarliwych, entuzjastycznych przysiąg. Ale jednocześnie widziałem na jej twarzy milczącą urazę, cień zawodu, do którego nie chciała się przyznać, bo była zbyt dumna.

Madaline była wówczas żoną zamożnego i znacznie starszego mężczyzny, niejakiego Andreasa Gianakosa, który przed laty wyprodukował jej drugi i, jak się okazało, ostatni film. Obecnie pracował w branży budowlanej i był właścicielem jakiejś dużej firmy w Atenach. Ostatnio się pokłócili — Madaline i pan Gianakos. Mama nie wspomniała mi o tym, sam się dowiedziałem, przeczytawszy ukradkiem urywki listu, w którym Madaline zawiadamiała matkę o swoim przyjeździe.

Mówię Ci, to staje się męczące, przebywanie w towarzystwie Andreasa i jego prawicowych przyjaciół, z tą ich wojskową muzyką. Cały czas muszę gryźć się w język. Milczę, gdy wychwalają tych zbirów w mundurach, którzy szydzą sobie z naszej demokracji. Gdybym wypowiedziała choćby słowo sprzeciwu, na pewno uznaliby mnie za lewicową anarchistkę i nawet wpływy Andreasa nie uratowałyby mnie przed wrzuceniem do lochu. Ale może on nawet by z nich nie skorzystał, to znaczy ze swoich wpływów. Czasami mam wrażenie, że specjalnie mnie prowokuje, żebym się podłożyła. Och, jak mi Ciebie brak, moja droga Odie. Brakuje mi Twojego towarzystwa...

W dniu przyjazdu gości mama wstała wcześnie, żeby posprzątać. Mieszkaliśmy w domu na wzgórzu. Jak większość budynków na Tinos był zbudowany z bielonego kamienia i miał płaski dach z czerwonych gontów w kształcie rombów. Pokoik na górze, który dzieliłem z matką, nie miał nawet drzwi — wchodziło się do niego wprost z wąskich schodów — ale za to było w nim półkoliste okno i wąski balkon z balustradą z żelaza, z którego rozciągał się widok na inne domy, drzewa oliwne, zagrody dla kóz, kręte kamienne uliczki oraz łuki, no i oczywiście Morze Egejskie, w letnie ranki niebieskie i spokojne, a po południu, gdy z północy wiał meltemi, wzburzone.

Skończywszy sprzątanie, mama ubrała się w odświętny strój, ten, który wkładała zawsze piętnastego sierpnia, czyli na uroczystości Wniebowzięcia Matki Boskiej w kościele Panagia Ewangelistria, kiedy to na Tinos przybywają pielgrzymi z całego rejonu Morza Śródziemnego, żeby pomodlić się przed sławną ikoną znajdującą się w tym przybytku. Mam zdjęcie matki tak ubranej — to długa sukienka w kolorze starego złota z zaokrąglonym wycięciem pod szyją, przymały biały sweterek, pończochy i niezgrabne czarne buty. Matka wygląda w każdym calu jak posępna wdowa, z surową twarzą, krzaczastymi brwiami i zadartym nosem, gdy tak stoi sztywno, świątobliwie poważna, jakby sama była pielgrzymem. Ja mam na sobie białą koszulę, białe spodenki i białe podkolanówki. Po mojej minie widać, że kazano mi stać prosto, bez uśmiechu, i że wbrew mojej woli, mimo moich protestów, wcześniej wyszorowano mi buzię i zaczesano na mokro włosy. Można też wyczuć, że żywimy do siebie nawzajem urazę. Wyraża to sztywna postawa i to, że nasze ciała prawie się nie stykają.

A może wcale się tego nie czuje? Choć ja widzę to za każdym razem, gdy patrzę na zdjęcie; ostatnio było to dwa lata temu. Nic nie poradzę, ale zawsze dostrzegam na nim zmęczenie, wysiłek, zniecierpliwienie. Dwoje ludzi, związanych poczuciem genetycznego obowiązku, ale skazanych na to, aby się nawzajem nieprzyjemnie zaskakiwać i rozczarowywać, walczyć ze sobą z powodów honorowych.

Z pokoju na górze patrzyłem, jak mama przekracza próg domu, aby pójść do portu w miasteczku Tinos, gdzie przybija prom. W zawiązanej pod brodą chustce wychodzi na słońce. Była wtedy szczupłą, drobną kobietą o ciele dziecka, ale kiedy się zbliżała, lepiej było zejść jej z drogi. Pamiętam, jak co rano odprowadzała mnie do szkoły — jest już na emeryturze, ale kiedyś była nauczycielką. Gdy szliśmy, nigdy nie trzymała mnie za rękę. Inne matki tak, ale nie ona. Mówiła, że musi mnie traktować jak wszystkich innych uczniów. Maszerowała więc pierwsza, z zaciśniętą dłonią w kieszeni swetra, a ja próbowałem za nią nadążyć, trzymając pod pachą pudełko z drugim śniadaniem i drobiąc szybko. W klasie zawsze siadałem w ostatniej ławce. Pamiętam matkę przy tablicy — potrafiła przyszpilić niegrzecznego ucznia jednym karcącym spojrzeniem, niczym kamieniem wystrzelonym z procy, który trafia w cel z chirurgiczną precyzją. Umiała też rozłupać kogoś na pół ponurym wzrokiem albo nagłym milczeniem.

Mama nade wszystko ceniła lojalność, nawet jeśli jej ceną miało być wyrzeczenie. Szczególnie wtedy. Uważała także, że zawsze należy mówić prawdę, wyraźnie, bez pompy, a jeśli to prawda nieprzyjemna, im szybciej, tym lepiej. Nie miała cierpliwości do ludzi bez moralnego kręgosłupa. Była — i jest — kobietą o wielkiej sile woli, kobietą, która nie przeprasza i z którą lepiej nie dyskutować; chociaż nigdy nie rozumiałem, i nie rozumiem do dziś, czy taki charakter dostała do Boga, czy go sobie wyrobiła z konieczności, bo co innego mogła zrobić, gdy jej mąż zmarł zaledwie rok po ślubie i została sama z dzieckiem, czyli mną.

Po wyjściu matki przysnąłem na górze. Obudził mnie kobiecy głos, wysoki i przenikliwy. Usiadłem na łóżku i ujrzałem ją przed sobą — szminka, puder, smukłe kształty, uśmiech rodem z reklamy linii lotniczych zza cienkiej woalki przy toczku. Stała pośrodku pokoju w neonowozielonej minisukience, pachnąca, ze skórzaną walizką u stóp, z długimi kasztanowatymi włosami i długimi nogami, uśmiechając się do mnie promiennie i mówiąc głosem przepełnionym pewnością siebie i energią.

— Więc to ty jesteś mały Markos! Odie nie mówiła mi, że taki z ciebie przystojniak! Ach, i widzę, że jesteś do niej podobny, masz takie same oczy, ale na pewno wszyscy ci to mówią. Bardzo chciałam cię poznać. Twoja matka i ja... my... och, Odie na pewno ci o nas opowiadała, więc wyobrażasz sobie, rozumiesz, jakie to dla mnie ekscytujące, zobaczyć was dwoje. Markos Varvaris! Hm, ja jestem Madaline Gianakos, i bardzo się cieszę z naszego spotkania, jeśli wolno mi tak powiedzieć.

Zdjęła kremową, długą do łokcia satynową rękawiczkę, taką, jakie widywałem tylko w czasopismach na rękach trzymających papierosa, na szerokich schodach przed operą albo wyłaniających się ze lśniącej czarnej limuzyny, tuż przed twarzą rozświetlaną blaskami fleszy. Żeby ją zdjąć, musiała pociągnąć za każdy palec, a potem schyliła się lekko i podała mi rękę.

— Jestem oczarowana — powiedziała. Dłoń miała miękką i zimną, mimo rękawiczki. — A to moja córka Thalia. Kochanie, przywitaj się z Markosem.

W drzwiach, obok mojej matki, stała dziewczynka o jasnej cerze i lekko kręconych włosach, która patrzyła na mnie pustym wzrokiem. Nie mógłbym powiedzieć o niej nic więcej. Nie pamiętam koloru sukienki, w którą była wtedy ubrana — jeśli to w ogóle była sukienka — ani fasonu butów, czy miała skarpetki, naszyjnik, pierścionek, kolczyki. Nie potrafię tego powiedzieć, bo gdybyście byli w restauracji i ktoś nagle by się rozebrał, wskoczył na stół i zaczął żonglować łyżeczkami deserowymi, nie moglibyście patrzeć na nic innego. Właśnie czymś takim była maska zakrywająca dolną część jej twarzy. Nie mogłem patrzeć na nic innego.

— Thalio, przywitaj się, kochanie. Nie bądź niegrzeczna.

Wydało mi się, że dostrzegłem lekkie skinienie głowy.

— Cześć — powiedziałem, choć nagle zaschło mi w gardle. Powietrze drgnęło. Pojawił się w nim jakiś prąd. Poczułem, że przepełnia mnie coś jak podniecenie i jednocześnie przerażenie, co wezbrało we mnie i się skłębiło. Gapiłem się i nie mogłem przestać, nie potrafiłem oderwać wzroku od niebieskiego materiału, dwóch równoległych tasiemek, którymi był zawiązany z tyłu głowy, wąskiego poziomego wycięcia na usta. Od razu zrozumiałem, że nie zniosę widoku tego, co się pod tą maską kryje. I jednocześnie nie mogłem się doczekać, kiedy to ujrzę. Wiedziałem, że nic w moim życiu nie może już biec zwykłym trybem, w normalnym rytmie i porządku, dopóki nie zobaczę na własne oczy, co jest tam takiego strasznego, że trzeba nas przed tym chronić.

Druga możliwość, że maska ma może chronić Thalię przed nami, jakoś nie przyszła mi do głowy. W każdym razie nie w pierwszej chwili oszołomienia, gdy się poznaliśmy.

Madaline i Thalia zostały na górze, żeby rozpakować bagaże, gdy tymczasem mama zabrała się w kuchni do panierowana filetów z soli, które miały być na kolację. Poprosiła, żebym zrobił Madaline *ellinikós kafé*, a potem kazała mi zanieść ją w filiżance na tacy, z talerzykiem pastelli.

Po tych wszystkich latach wciąż ogarnia mnie wstyd, zalewa niczym fala ciepłej lepkiej cieczy, na wspomnienie tego, co się wtedy wydarzyło. Do dziś pamiętam tamtą scenę, jakby to była fotografia. Madaline paliła papierosa, stojąc przy oknie z ręką na biodrze i skrzyżowanymi w kostkach nogami. Patrzyła na morze przez okulary w kolorze herbaty, z żółtymi szkłami. Jej toczek leżał na komodzie. Nad toaletką wisiało lustro, a w tym lustrze odbijała się Thalia, siedziała na brzegu łóżka, odwrócona do mnie plecami. Pochyliła się, robiąc coś, może rozwiązując sznurowadła, i zobaczyłem, że zdążyła zdjąć maskę, położyła ją obok siebie na łóżku. Po plecach przebiegł mi zimny dreszcz, próbowałem się opanować, ale ręce mi zadrżały i porcelanowa filiżanka brzęknęła o spodek, a wtedy Madaline odwróciła się od okna, a Thalia uniosła głowę. Zobaczyłem jej twarz w lustrze.

Taca wypadła mi z rąk. Porcelana się rozbiła. Gorący płyn się wylał, a taca zleciała po schodach. Zapanował zamęt, osunąłem się na kolana i zacząłem wymiotować na kawałki stłuczonej porcelany. Madaline powtarzała: „Ojej, ojej", a mama biegła na górę, krzycząc:

— Co się stało?! Co zrobiłeś, Markosie?!

„Pogryzł ją pies", powiedziała mi matka tytułem ostrzeżenia. „Pozostała jej po tym blizna". Ten pies Thalii nie pogryzł, on zjadł jej połowę twarzy. Być może istnieją słowa, aby określić to, co tamtego dnia zobaczyłem w lustrze, ale „blizna" do nich nie należała.

Pamiętam, że mama chwyciła mnie za ramiona, pociągnęła w górę i obróciła, mówiąc:

— Co z tobą? Co się z tobą dzieje?

Wtedy podniosła wzrok nad moją głowę. I skamieniała. Głos uwiązł jej w gardle. Zbladła. Zdjęła ręce z moich ramion i je opuściła. A potem zobaczyłem coś niezwykłego, prędzej spodziewałbym się zobaczyć samego króla Konstantyna przebranego za klauna w naszych progach. W kąciku prawego oka matki błysnęła łza.

 — To jaka ona jest? — pyta mama.

— Kto taki?

— Jak to kto? Ta Francuzka. Siostrzenica twojego gospodarza, profesorka z Paryża.

Przykładam słuchawkę do drugiego ucha. Dziwi mnie, że matka pamięta. Przez całe życie mam wrażenie, że to, co jej mówię, znika nieusłyszane gdzieś w przestrzeni, jakby były między nami zakłócenia w eterze, zła łączność. Czasami, kiedy dzwonię do niej z Kabulu, tak jak teraz, wydaje mi się, że po cichu odkłada słuchawkę i odchodzi od telefonu, a ja mówię w transkontynentalną pustkę, chociaż czuję obecność matki na linii i słyszę jej oddech. Kiedy indziej opowiadam jej o czymś, co widziałem w szpitalu — na przykład o przyniesionym przez ojca krwawiącym chłopcu ze szrapnelem wbitym głęboko w policzek i z oderwanym uchem, kolejnej ofierze zabawy nie na tej ulicy, nie o tej porze i nie tego dnia — gdy nagle, bez uprzedzenia, rozlega się głośne łupnięcie i głos matki staje się odległy i stłumiony, wznosi się i opada, potem słyszę echo kroków, szuranie, jakby coś ciągnięto po podłodze, więc milknę, czekam, aż wróci, co w końcu robi, i zawsze zdyszana wyjaśnia:

— Mówiłam jej, że mogę stać. Powiedziałam jej, i to wyraźnie: „Thalio, chciałabym podczas rozmowy z Markosem postać przy oknie i popatrzeć na morze". A ona na to: „Zmęczysz się, Odie, musisz usiąść". A później, zanim się zorientuję, przyciąga fotel... ten wielki skórzany fotel, który sprowadziła mi w zeszłym roku... więc przyciąga go do okna. Mój Boże, ależ ona silna. Naturalnie nie widziałeś tego fotela. No, naturalnie.

Później wzdycha z teatralnym zniecierpliwieniem i prosi, żebym mówił dalej, ale wtedy jestem już zbyt wytrącony z równowagi. W efekcie czuję się przez nią skarcony, i to zasłużenie, jakbym wyrządził jej jakąś niewypowiedzianą krzywdę, dopuścił się obrazy, której mi głośno nie wypomniano. Nawet jeśli podejmuję opowieść, brzmi w moich uszach nieciekawie. Nie dorównuje matczynemu dramatowi z fotelem i Thalią.

— Jak ona się nazywa, bo nie pamiętam? — pyta mama. — Pari jakaś tam, mam rację?

Opowiadałem jej o Nabim, który był mi bliski. Zna więc w zarysie historię jego życia. Wie, że w testamencie zostawił kabulski dom swojej siostrzenicy Pari, która wychowała się we Francji. Nie mówiłem jednak matce o Nili Wahdati, jej ucieczce do Paryża, o tym, że Nabi przez kilkadziesiąt lat opiekował się Solejmanem. Tę część pominąłem. Za dużo analogii, które wracają potem niczym bumerang. To jakby czytać głośno własny akt oskarżenia.

— Pari. Tak. Była miła — odpowiadam. — I serdeczna. Zwłaszcza jak na naukowca.

— Kim ona jest? Mówiłeś... Chemiczką?

— Matematyczką — poprawiam matkę, zamykając laptop.

Znowu zaczął padać śnieg, drobne płatki wirują w mroku, zasypują okno.

Opowiadam o wizycie Pari Wahdati minionego lata. Była naprawdę urocza. Delikatna, smukła, siwawe włosy, długa szyja z niebieskimi żyłami po bokach, ciepły uśmiech odsłaniający szparę między zębami. Wydała mi się krucha, starsza, niż wskazywałby jej wiek. Bardzo zaawansowany gościec. Zniekształcone dłonie, wciąż sprawne, ale już niedługo, i ona o tym wie. Pomyślałem o matce i czasie, który jej pozostał.

Pari Wahdati mieszkała przez tydzień ze mną w kabulskim domu. Po przyjeździe oprowadziłem ją po nim. Ostatni raz widziała go w 1955 roku i sprawiała wrażenie zaskoczonej, że tak dobrze go pamięta, jego rozkład, dwa stopnie między salonem a jadalnią, na których, jak mówi, siadała w słoneczne ranki i czytała książeczki. Uderzyło ją, że dom w rzeczywistości jest znacznie mniejszy niż w jej pamięci. Kiedy zaprowadziłem ją na górę, wiedziała, który pokój należał kiedyś do niej, choć obecnie zajmuje go mój kolega Niemiec, pracujący dla World Food Program. Pamiętam, że zaparło jej dech w piersiach, gdy zobaczyła niską szafę w kącie — jedną z nielicznych pozostałości z jej dzieciństwa. Wiedziałem o niej z listu, który Nabi zostawił mi przed śmiercią. Przykucnęła przy niej i przesunęła palcami po łuszczącej się żółtej farbie, niknącej żyrafie i małpach z długimi ogonami namalowanych na drzwiach. Kiedy na mnie spojrzała, zobaczyłem w jej oczach ślady łez. Zapytała nieśmiało, przepraszająco, czy można by wysłać szafę do Paryża. Zaoferowała się, że zapłaci za nową. Nic innego z domu nie chciała. Opowiedziałem, że z przyjemnością wyekspediuję szafę.

W końcu, oprócz szafy, którą nadałem kilka dni po jej wyjeździe, Pari Wahdati zabrała do Francji tylko szkicownik Solejmana, list Nabiego i kilka wierszy Nili, które zachował Nabi. Podczas pobytu w Kabulu poprosiła mnie tylko, żebym zawiózł ją do Szadbagh, do wioski, w której się urodziła. Miała nadzieję spotkać tam swojego przyrodniego brata Ighbala.

— Pewnie sprzeda dom — mówi mama. — Teraz należy do niej.

— Powiedziała, że mogę w nim zostać, jak długo zechcę — wyjaśniam. — Bezpłatnie.

Niemal widzę, jak matka sceptycznie zaciska usta. Jest wyspiarką. Nie ma zaufania do mieszkańców stałego lądu, odnosi się podejrzliwie do wszelkich aktów dobrej woli z ich strony. Był to jeden z powodów, dla których już jako chłopiec chciałem opuścić Tinos, gdy tylko nadarzy się okazja. Zawsze ogarniała mnie rozpacz, gdy słyszałem, jak tamtejsi ludzie wypowiadali takie uwagi.

— A jak budowa gołębnika? — pytam, żeby zmienić temat.

— Musiałam ją przerwać. Zmęczyła mnie.

Choroba matki została zdiagnozowana pół roku temu przez neurologa, do którego ją wysłałem, gdy Thalia napisała mi, że mama ma tiki i stale coś upuszcza. To Thalia ją do niego zawiozła. Od czasu wizyty u lekarza matka jest pobudzona. Wiem to z e-maili, które dostaję od Thalii. Odmalowuje dom, naprawia cieknące rury, namawia Thalię, żeby pomogła jej zainstalować ubikację na górze, nawet zaczęła wymieniać pęknięte gonty na dachu, choć na szczęście Thalia położyła temu kres. A teraz gołębnik. Wyobrażam sobie matkę z zakasanymi rękawami, młotkiem w ręku i mokrymi od potu plecami, wbijającą gwoździe i przecierającą papierem ściernym drewniane deski. Walczącą z własnymi zawodzącymi neuronami. Wykorzystującą je do końca, dopóki jeszcze może.

— Kiedy przyjedziesz do domu? — pyta mama.

— Niedługo — odpowiadam. To samo powiedziałem przed rokiem, gdy mnie o to zapytała. Od mojej ostatniej wizyty na Tinos minęły dwa lata.

Chwila ciszy.

— Nie zwlekaj z tym za długo. Chcę cię zobaczyć, zanim podłączą mnie do żelaznego płuca. — Śmieje się. To jej stary zwyczaj, żarty i bufonada w obliczu nieszczęścia, żadnego użalania się nad sobą, tym pogardza. Odnosi to paradoksalny i wiem, że zamierzony skutek: zmniejsza nieszczęście i jednocześnie je podkreśla.

— Przyjedź na Boże Narodzenie, jeśli możesz — prosi. — W każdym razie przed czwartym stycznia. Thalia mówi, że tego dnia będzie nad Grecją zaćmienie Słońca. Czytałam o tym w internecie. Moglibyśmy obejrzeć je razem.

— Postaram się, mamo — mówię.

To było tak, jakby obudzić się pewnego ranka i zastać w swoim domu dzikie zwierzę. Nigdzie nie czułem się bezpieczny. Była za każdym rogiem i w każdym kącie, krążyła, skradała się, stale ocierając strużkę, która sączyła jej się z ust. Nasz dom był mały, więc nie dało się w nim przed nią ukryć. Bałem się zwłaszcza pór posiłków i przedstawienia, jakie urządzała Thalia, unosząc dół maski i wkładając łyżkę z jedzeniem do ust. Na ten widok i towarzyszący temu dźwięk wywracał mi się żołądek. Jadła głośno, a na talerz, na stół albo na podłogę spadały na wpół przeżute kęsy. Wszystkie płyny, nawet zupę, musiała pić przez słomkę, jej matka stale nosiła zapas w torebce. Siorbała i gulgotała, wciągając rosół przez słomkę, i zawsze plamiła sobie przy tym maskę, brudziła z boku brodę i szyję. Za pierwszym razem przeprosiłem towarzystwo i wstałem od stołu, a wtedy mama rzuciła mi ciężkie spojrzenie, więc potem starałem się odwracać wzrok i nie słuchać, ale to nie było łatwe. Wchodziłem do kuchni i natykałem się tam na nią, siedziała spokojnie, podczas gdy Madaline wcierała jej w policzek maść, żeby zapobiec podrażnieniom. Zacząłem prowadzić w głowie kalendarz, odliczając kolejne dni z tych czterech tygodni, które, jak powiedziała mama, miały u nas spędzić.

Wolałbym, żeby Madaline przyjechała sama. Lubiłem ją. Siadywaliśmy we czwórkę na małym kwadratowym podwórku przed frontowymi drzwiami, a ona piła kawę i paliła papierosy, jednego za drugim, z twarzą ocienioną drzewkiem oliwnym i w złotym słomkowym kapeluszu w kształcie hełmu, który na kimś innym wyglądałby absurdalnie — na przykład na matce. Ale Madaline należała do ludzi, którym elegancja przychodziła bez trudu, jakby była czymś wrodzonym, jak umiejętność zwijania języka w trąbkę. Rozmowa z Madaline nigdy nie była nudna, zawsze miała w zanadrzu jakieś historie. Któregoś dnia opowiedziała nam o swoich podróżach — choćby do Ankary, gdzie wędrowała brzegami Enguri Su i piła zieloną herbatę z raki, albo do Kenii, z panem Gianakosem, gdzie jeździli na słoniach wśród ciernistych akacji, a nawet zasiedli do posiłku z miejscową ludnością i jedli kaszę kukurydzianą i ryż z mlekiem kokosowym.

Opowieści Madaline obudziły we mnie dawny niepokój, pragnienie, żeby wyrwać się w świat, podejmować wyzwania. Moje życie na Tinos wydawało mi się przytłaczająco zwyczajne. Bałem się, że nigdy nic się w nim nie wydarzy, i przez całe dzieciństwo czułem się jak własny zastępca, sobowtór, jakby moje prawdziwe „ja" przebywało gdzieś indziej i tylko czekało, żeby pewnego dnia połączyć się z tym mniej wyrazistym, nieciekawym chłopcem.

Madaline powiedziała, że w Ankarze poszła do parku Kugulu i patrzyła na pływające po stawie łabędzie. Woda była olśniewająca.

— Chyba mnie ponosi — zauważyła ze śmiechem.

— Wcale nie — odparła mama.

— Stary nawyk. Za dużo mówię. Zawsze tak było. Pamiętasz, jakie kłopoty na nas ściągałam, gdy gadałam na lekcjach? Nigdy nie było w tym twojej winy, Odie. Ty zawsze byłaś odpowiedzialna i pilna.

— Twoje opowieści są interesujące. Miałaś ciekawe życie.

Madaline przewróciła oczami.

— Znasz to chińskie przekleństwo.

— Podobało ci się w Afryce? — spytała mama Thalię.

Dziewczynka przycisnęła chusteczkę do policzka i nie odpowiedziała. Byłem z tego zadowolony. Mówiła dziwnie, sepleniąc, gulgocząc i jakby mlaskając.

— Och, Thalia nie lubi podróżować — stwierdziła Madaline, gasząc papierosa. Zabrzmiało to jak jakaś niepodważalna prawda. Nie spojrzała na córkę, aby uzyskać potwierdzenie albo zaprzeczenie. — Nie ma do tego upodobania.

— Ja też nie mam — powiedziała mama, znowu zwracając się do Thalii. — Lubię siedzieć w domu. Chyba nic nie skłoniłoby mnie do wyjazdu z Tinos.

— A mnie do pozostania — odrzekła Madaline. — Chyba że ty, oczywiście. — Dotknęła ręki matki. — Wiesz, czego najbardziej się bałam, gdy stąd wyjeżdżałam? To było moje największe zmartwienie. Jak sobie poradzę bez Odie? Przysięgam, że ta myśl mnie paraliżowała.

— Wygląda na to, że jakoś sobie poradziłaś — odpowiedziała mama powoli, odrywając spojrzenie od Thalii.

— Nie rozumiesz. — Uświadomiłem sobie, że Madaline mówi do mnie. — Nie dałabym sobie rady z tym wszystkim, gdyby nie twoja matka. Uratowała mnie.

— Teraz to już rzeczywiście przesadzasz — skwitowała mama.

Thalia zwróciła twarz ku niebu. Zmrużyła oczy. W górze przelatywał odrzutowiec, który wyznaczał swoją trajektorię, zostawiając za sobą długi ślad.

— Chodzi o mojego ojca — wyjaśniła Madaline. — To przed nim Odie mnie uratowała. — Nie byłem pewny, czy wciąż mówi do mnie, czy już nie. — Należał do ludzi, którzy rodzą się źli. Miał wyłupiaste oczy i krótką grubą szyję z pieprzykiem na karku. I pięści. Pięści jak kamienie. Wracał do domu i nic nie musiał robić, już same jego kroki w ciężkich butach na korytarzu, brzęk kluczy, nucenie... to mi wystarczało. Kiedy był wściekły, zawsze sapał przez nos i mrużył oczy, jakby pogrążał się w myślach, a potem przecierał twarz i mówił: „No, dobra, mała, dobra", i wiadomo było, co nastąpi... że będzie burza... i nic nie mogło temu zapobiec. Znikąd pomocy. Czasami, gdy tylko przecierał twarz albo sapał pod wąsem, robiło mi się szaro przed oczami.

Później też spotykałam takich mężczyzn. Szkoda, że tak było. Ale niestety. I przekonałam się, że jeśli pogrzebać głębiej, zawsze są tacy sami. Niektórzy mają większą ogładę, owszem. Potrafią czarować... mniej lub bardziej... i to może zmylić. Ale tak naprawdę są jak niezadowoleni chłopcy, którzy miotają się ze złości. Czują się krzywdzeni. Niesprawiedliwie osądzani. Nie kochani wystarczająco mocno. I oczywiście oczekują miłości. Chcą być przytulani, kołysani, uspokajani. Ale błędem jest im to dawać. Nie potrafią tego przyjąć. Nie potrafią przyjąć czegoś, czego potrzebują. I wreszcie zaczynają nas za to nienawidzić. To się nigdy nie kończy, bo nienawidzą coraz bardziej. Nieszczęściu, przeprosinom, przysięgom, złamanym obietnicom, całej tej ohydzie nie ma końca. Mój pierwszy mąż był taki.

Słuchałem zdumiony. Nikt nigdy w mojej obecności nie mówił tak otwarcie, nawet mama. Nikt nigdy w ten sposób nie opowiadał o tym, co przeżył. Wstydziłem się za nią i jednocześnie podziwiałem jej szczerość.

Zauważyłem, że kiedy wspomniała o pierwszym mężu, po raz pierwszy, odkąd ją znałem, jej twarz spochmurniała, jakby padł na nią cień czegoś mrocznego i otrzeźwiającego. Kontrastowało to z jej śmiechem, przekomarzankami, luźną pomarańczową, kwiecistą sukienką, którą miała na sobie. Pamiętam, że doszedłem do wniosku, iż musi być świetną aktorką, skoro tak dobrze udaje jej się pod maską pogody ukryć rozczarowania i urazy. Bo to jest jak maska, pomyślałem i byłem bardzo z siebie zadowolony, że poczyniłem tak wnikliwe spostrzeżenie.

Później, gdy byłem starszy, nie wydawało mi się to już takie proste. Gdy teraz o tym myślę, mam wrażenie, że było coś sztucznego w tym, jak zamilkła po wzmiance o pierwszym mężu i spuściła wzrok, w głośnym przełykaniu śliny i lekkim, ale widocznym drżeniu ust, tak samo jak w jej energii, żartach, żywiołowym, mało subtelnym uroku, tym, że nawet jej złośliwości nie raniły, bo łagodziły je uspokajające puszczenie oka i śmiech. Może i było to udawane, a może nie. Nie mogłem się zorientować, co w tym jest grą, a co nie, więc zacząłem myśleć, że jest doskonałą aktorką.

— Ile razy przybiegałam do tego domu, Odie? — zapytała Madaline. Znowu się uśmiechała, a nawet śmiała. — Twoi biedni rodzice. Ale ten dom był dla mnie jak raj. Mój azyl. Tak było. Wysepka na wyspie.

— Zawsze byłaś tu mile widziana — zapewniła mama.

— To twoja matka położyła kres temu biciu, Markosie — powiedziała Madaline. — Mówiła ci o tym?

Zaprzeczyłem.

— To mnie nie dziwi. Cała Odelia Varvaris.

Mama z nieobecnym wyrazem twarzy zwijała i rozwijała rąbek fartucha.

— Przyszłam tu pewnego wieczoru z krwawiącym językiem i oderwanym kawałkiem skóry z włosami, na skroni. Od ciosu wciąż dzwoniło mi w uchu. Naprawdę dobrał się wtedy do mnie. Byłam w okropnym stanie. Okropnym! — Madaline mówiła to w taki sposób, jakby opisywała wspaniały posiłek albo dobrą powieść. — Twoja matka o nic nie pyta, bo wie. Oczywiście, że wie. Patrzy tylko na mnie przez dłuższą chwilę... a ja stoję przed nią drżąca... i mówi... Wciąż to pamiętam. Więc mówi: „Hm, koniec z tym, Maddie.

Złożymy twojemu ojcu wizytę". Zaczęłam ją błagać. Bałam się, że zabije nas obie. Ale wiesz, jaka potrafi być twoja matka.

Przytaknąłem, a mama spojrzała na mnie z ukosa.

— Nie chciała mnie słuchać. Zrobiła tę swoją minę. Na pewno wiesz jaką. Wypadła za drzwi, ale wcześniej wzięła myśliwską strzelbę swojego ojca. Przez całą drogę próbowałam ją powstrzymać, mówiłam jej, że nic takiego złego mi się nie stało. Ale nie słuchała. Podeszłyśmy do drzwi i gdy stanął w nich mój ojciec, Odie podniosła lufę, przystawiła mu ją do brody i powiedziała: „Zrób to jeszcze raz, a wrócę i strzelę ci prosto w twarz". Ojciec zamrugał i przez chwilę zapomniał języka w gębie. Nie mógł wykrztusić słowa. A wiesz, co było najlepsze, Markosie? Opuściłam głowę i zobaczyłam małą kałużę, kałużę... hm, chyba wiesz czego... która powoli rozlała się między jego gołymi stopami. — Madaline odgarnęła włosy i pstrykając zapalniczką, zakończyła: — I to jest, mój drogi, prawdziwa historia.

Nie musiała tego mówić, wiedziałem, że jest prawdziwa. Znałem przecież prosto pojmowaną, niezachwianą lojalność matki, jej stanowczość. Chęć, wręcz potrzebę egzekwowania sprawiedliwości, obrony słabszych i poniewieranych. Poza tym potwierdziło to mruknięcie, które wyrwało się z zaciśniętych ust matki na wzmiankę o tym ostatnim szczególe. Jej zdaniem była niepotrzebna. Pewnie uznała ją za niesmaczną, i to nie tylko z oczywistego powodu. Jej zdaniem ludzie, nawet jeśli zachowują się w życiu źle, mają prawo do godności w obliczu śmierci. Zwłaszcza w rodzinie.

Mama poprawiła się na krześle.

— Więc jeśli nie lubisz podróżować, Thalio, to co chciałabyś robić? — spytała.

Popatrzyliśmy na dziewczynkę. Madaline mówiła dość długo i pamiętam, że gdy tak siedzieliśmy na podwórku w plamach słońca, pomyślałem, że to właśnie świadczy o jej zdolności absorbowania uwagi, bo tak wciągnęła nas w wir swojej opowieści, że zupełnie zapomnieliśmy o Thalii. Dopuszczałem także możliwość, że przyjęły taki sposób postępowania z konieczności: cicha córka w cieniu skupiającej na sobie uwagę matki. I że narcyzm Madaline jest być może przejawem dobroci, matczynej opiekuńczości.

Thalia wymamrotała coś w odpowiedzi.

— Trochę głośniej, kochanie — zachęciła ją Madaline.

Thalia odchrząknęła, był to głuchy odgłos, kojarzący się z odcharkiwaniem flegmy.

— Studiować — odpowiedziała krótko.

Po raz pierwszy zauważyłem kolor jej oczu, zielony jak bujne pastwiska. Miała ciemne gęste włosy i nieskazitelną cerę jak matka. Zacząłem się zastanawiać, czy była kiedyś ładna, może nawet tak piękna jak Madaline.

— Opowiedz im o zegarze słonecznym, kochanie — poprosiła Madaline.

Thalia wzruszyła ramionami.

— Zbudowała zegar słoneczny — wyjaśniła jej matka. — Na podwórku. Zeszłego lata. Bez niczyjej pomocy. Ani Andreasa, ani mojej, to już na pewno. — Zachichotała.

— Równikowy czy horyzontalny? — zapytała mama.

W oczach Thalii pojawił się błysk zdziwienia. Było to coś w rodzaju spóźnionej reakcji. Jak u kogoś, kto idzie zatłoczoną ulicą w obcym mieście i nagle słyszy urywek rozmowy w swoim ojczystym języku.

— Horyzontalny — odparła tym swoim dziwnym zaflegmionym głosem.

— Z czego zrobiłaś gnomon?

Thalia spojrzała na moją matkę.

— Wycięłam z pocztówki.

Pierwszy raz zobaczyłem, co może między nimi być.

— Gdy była mała, rozkładała zabawki na części — włączyła się Madaline. — Najbardziej lubiła te mechaniczne, z czymś w środku. Nie żeby się nimi bawiła, prawda, kochanie? Nie, psuła je, te wszystkie drogie zabawki. Gdy tylko je dostawała, dobierała im się do wnętrza. Kiedyś mnie to złościło. Ale Andreas... muszę mu przyznać... Andreas jej na to pozwalał, mówił, że to oznaka dociekliwości.

— Jeśli chcesz, możemy go tu zbudować razem — zaproponowała mama. — To znaczy zegar słoneczny.

— Już wiem, jak to się robi.

— Pamiętaj o manierach, kochanie — powiedziała Madaline, prostując, a następnie zginając nogę, jakby rozgrzewała się przed próbą tańca. — Ciocia Odie chce ci pomóc.

— To może coś innego? — spytała mama. — Zbudujemy coś innego.

— Ale, ale! — wykrzyknęła nagle Madaline i pospiesznie wydmuchnęła dym. — Że też ci jeszcze nie powiedziałam, Odie. Mam nowiny. Zgadnij.

Mama wzruszyła ramionami.

— Wracam do aktorstwa! Zagram w filmie! Zaproponowano mi główną rolę w większej produkcji. Możesz w to uwierzyć?

— Gratulacje — odparła mama cicho.

— Mam ze sobą scenariusz. Dałabym ci go przeczytać, Odie, ale obawiam się, że by ci się nie spodobał. Czy to źle? Nie mogłabym tego przed tobą zataić. Jak potem żyłabym z czymś takim? Na jesieni zaczynamy zdjęcia.

 Następnego ranka po śniadaniu mama odciągnęła mnie na bok.

— Dobrze, o co chodzi? Co się z tobą dzieje?

Odparłem, że nie wiem, o czym mówi.

— Przestań. Zachowujesz się głupio. To do ciebie nie pasuje — stwierdziła.

Miała zwyczaj mrużyć oczy i lekko przechylać głowę. Tamtego dnia to na mnie podziałało.

— Nie mogę, mamo. Nie daję rady.

— Właściwie dlaczego?

Odpowiedź wyrwała mi się, zanim zdążyłem ugryźć się w język.

— Ta dziewczyna to potwór.

Matka zacisnęła usta w wąską kreskę. Popatrzyła na mnie nie z gniewem, ale ze zniechęceniem, jakbym pozbawił ją wszystkich soków życiowych. W jej spojrzeniu były stanowczość i rezygnacja. Jak u rzeźbiarza, który w końcu odkłada młotek i dłuto, porzucając oporny blok kamienia, bo wie, że nie wydobędzie z niego pożądanego kształtu.

— Przydarzyło jej się coś strasznego. Nazwij ją tak jeszcze raz, to zobaczysz. Zobaczysz, co się stanie.

Jakiś czas później Thalia i ja szliśmy brukowaną uliczką otoczoną kamiennymi murami. Starałem się iść kilka kroków przed nią, żeby przechodnie — albo, broń Boże, jacyś koledzy ze szkoły — nie pomyśleli przypadkiem, że jesteśmy razem, co i tak było nieuniknione. Co można by innego pomyśleć? Liczyłem jednak, że ten dystans przynajmniej będzie wyrazem mojego niezadowolenia i niechęci. Zauważyłem jednak z ulgą, że Thalia wcale nie próbuje dotrzymać mi kroku. Minęliśmy opalonych, zmęczonych chłopów, którzy wracali do domu z targu. Ich osły, stukając kopytami o bruk, uginały się pod ciężarem wiklinowych koszy z niesprzedanym towarem. Znałem większość tych ludzi, ale szedłem ze spuszczoną głową i odwracałem wzrok.

Zaprowadziłem Thalię na plażę. Wybrałem tę kamienistą, na którą czasami chadzałem, bo nie była tak uczęszczana jak inne, na przykład w Agios Romanos. Podwinąłem spodnie i przeskakiwałem z jednego kamienia na drugi, zmierzając na skałę, o którą rozbijały się fale. Zdjąłem buty i spuściłem nogi do małej płytkiej zatoczki pomiędzy kamieniami. Spod moich palców umknął krab pustelnik. Zobaczyłem, że Thalia sadowi się na skale po mojej prawej stronie.

Siedzieliśmy w milczeniu przez dłuższą chwilę i patrzyliśmy na morze, które rozbijało się o kamienisty brzeg. Rześki wiatr owiewał mi uszy, spryskując twarz słoną wodą. Nad niebiesko-zieloną tonią unosił się pelikan. Dwie kobiety stały obok siebie po kolana w morzu, trzymając podwinięte spódnice. Na zachodzie widać było wyspę, białe domy i wiatraki, zielone pola jęczmienia, ciemnobrązowe szczyty gór, zza których co roku nadchodziła wiosna. W tych górach zginął mój ojciec. Pracował w kamieniołomie, w którym wydobywano zielony marmur, i pewnego dnia, gdy mama była w szóstym miesiącu ciąży, poślizgnął się na klifie i spadł z wysokości trzydziestu metrów. Matka mówiła, że zapomniał założyć pasy bezpieczeństwa.

— Lepiej przestań — odezwała się Thalia.

Rzucałem kamykami do starego cynkowanego wiadra, które stało niedaleko, i mnie przestraszyła. Nie mogłem trafić.

— O co ci chodzi?

— O to, żebyś sobie nie pochlebiał. Nie chcę tego tak samo jak ty.

Wiatr rozwiewał jej włosy, więc przytrzymywała maskę. Byłem ciekaw, czy strach towarzyszy jej codziennie: że powiew wiatru zerwie kawałek materiału z jej twarzy i narażona na spojrzenia ludzi będzie musiała go gonić. Nie odpowiedziałem. Rzuciłem kolejny kamyk do wiadra i znowu nie trafiłem.

— Jesteś dupkiem — powiedziała.

Gdy wstała, udałem, że zostaję. Potem obejrzałem się przez ramię i zobaczyłem, że ruszyła plażą w stronę drogi, więc włożyłem buty i poszedłem za nią.

W domu mama siekała okrę w kuchni, a Madaline siedziała obok, lakierowała paznokcie i jednocześnie paliła papierosa, strzepując popiół na spodek. Wzdrygnąłem się z przerażenia, kiedy zobaczyłem, że spodek należy do porcelanowej zastawy, którą matka odziedziczyła po swojej babci. Była to jedyna wartościowa rzecz, jaką mama miała, ten komplet, i prawie nigdy nie zdejmowała go z półki pod sufitem, gdzie zwykle stał.

Madaline dmuchała na paznokcie pomiędzy kolejnymi sztachnięciami i mówiła o Pattakosie, Papadopulosie i Makarezosie, trzech pułkownikach, którzy przed rokiem dokonali w Atenach zamachu stanu, generalskiego puczu, jak go wtedy nazywano. Znała dramaturga — „kochany, kochany człowiek", jak powiedziała — którego uwięziono pod zarzutem komunistycznej działalności wywrotowej.

— Co było, oczywiście, absurdem! Po prostu absurdem. Wiesz, co wojskowa policja robi z ludźmi, żeby skłonić ich do zeznań? — Mówiła to przyciszonym głosem, jakby gdzieś w domu czaili się policjanci. — Wsadzają im szlauch w tyłki i odkręcają wodę. To prawda, Odie. Przysięgam. Moczą szmaty w najgorszych świństwach... ludzkich odchodach... i wpychają im je do ust.

— To okropne — powiedziała mama bezbarwnie.

Zacząłem się zastanawiać, czy jest już zmęczona Madaline. Ten niekończący się potok napuszonych politycznych opinii, opowieści o przyjęciach, na których Madaline bywała z mężem, o poetach, intelektualistach i muzykach, z którymi piła szampana, lista niepotrzebnych, bezsensownych podróży do obcych miast. I powtarzane w kółko poglądy na temat katastrofy nuklearnej, przeludnienia, zanieczyszczenia środowiska. Mama odnosiła się do niej pobłażliwie, uśmiechała się rozbawiona podczas tych jej wszystkich monologów, ale wiedziałem, że myśli o niej krytycznie. Pewnie uważała, że Madaline się popisuje. I prawdopodobnie się za nią wstydziła.

Właśnie to jest skazą na dobroci mojej matki. Na jej gotowość do spieszenia z pomocą i akty odwagi kładzie się cieniem dług wdzięczności. Wymagania, zobowiązania, które na ciebie nakłada. Wykorzystuje swoje uczynki jak walutę, dzięki której zdobywa lojalność i oddanie. Zrozumiałem, dlaczego przed laty Madaline wyjechała z wyspy. Liny ratunkowe, które ratują cię z powodzi, mogą stać się pętlą na szyi. Ludzie zawsze w końcu matkę zawodzą, łącznie ze mną. Nie potrafią odpłacić za to, co od niej dostali, w każdym razie nie tak, jak mama tego oczekuje. Nagrodą pocieszenia jest więc dla niej ponura satysfakcja, że ma prawo do oceny, może ferować wyroki ze względu na swoją strategiczną przewagę, i dlatego że to ją zawsze ktoś krzywdzi.

To mnie przygnębia, bo dużo mówi o matce, jej potrzebach, lęku przed samotnością, strachem, że będzie zdana na własne siły. I mówi też coś o mnie, skoro wiem o niej to wszystko, mam świadomość, czego potrzebuje, a jednak celowo i niezłomnie jej tego odmawiam, starając się od trzydziestu lat odgradzać od niej oceanem, kontynentem, a najlepiej dwoma.

— To ironia losu, z której nie zdają sobie sprawy, to znaczy junta, tak traktując ludzi — ciągnęła Madaline. — W Grecji! Kolebce demokracji... A, jesteście! No i jak było? Co tam robiliście?

— Bawiliśmy się na plaży — odparła Thalia.

— Było fajnie?

— Och, super, świetna zabawa — potwierdziła dziewczynka.

Mama popatrzyła sceptycznie na mnie i na Thalię, ale Madaline rozpromieniła się i ucieszyła.

— To dobrze! No to już nie muszę się o ciebie martwić, gdy jesteście razem. Odie i ja możemy pobyć trochę we dwie. Co na to powiesz, Odie? Mamy jeszcze tyle do nadrobienia!

Mama uśmiechnęła się z wysiłkiem i wzięła kabaczka.

Od tamtej pory Thalia i ja byliśmy zdani na siebie. Mieliśmy zwiedzać wyspę, bawić się na plaży, wymyślać sobie zajęcia, jak to dzieci. Mama pakowała nam kanapki i po śniadaniu wychodziliśmy z domu.

Kiedy matki już nas nie widziały, często rozchodziliśmy się każde w swoją stronę. Jeśli szliśmy na plażę, ja pływałem i leżałem bez koszuli na skale, a Thalia zbierała muszelki i puszczała kaczki, co jej nie wychodziło, bo fale były zbyt duże. Wędrowaliśmy wijącymi się ścieżkami wśród winnic i pól jęczmienia i patrzyliśmy na nasze cienie, pogrążeni w myślach. Przeważnie spacerowaliśmy. W tamtych czasach na Tinos nie przyjeżdżali jeszcze turyści. Była to rolnicza wyspa, której mieszkańcy żyli z hodowli krów i kóz, uprawy drzew oliwnych i pszenicy. W końcu, znudzeni, jedliśmy w milczeniu kanapki w cieniu drzewa albo wiatraka, patrząc między kolejnymi kęsami na wąwozy, pola ciernistych krzewów, góry i morze.

Pewnego dnia poszedłem do miasteczka. Mieszkaliśmy na południowo-zachodnim krańcu wyspy i miasteczko Tinos znajdowało się kilka kilometrów na południe. Był tam sklepik z bibelotami prowadzony przez wdowca o poważnej twarzy, pana Russosa. Codziennie można było zobaczyć na jego wystawie rozmaite rzeczy, od maszyny do pisania z lat czterdziestych po parę skórzanych robociarskich butów, wiatrowskaz, stary stojak na roślinę doniczkową, wielkie woskowe świece, krzyż albo kopie ikony z Panagia Ewangelistria. A nawet mosiężnego goryla. Sklepikarz był także fotografem amatorem i na tyłach sklepiku urządził ciemnię. Gdy w sierpniu na Tinos przybywali pielgrzymi, pan Russos sprzedawał im filmy i za opłatą wywoływał zdjęcia.

Miesiąc wcześniej zauważyłem na wystawie aparat fotograficzny w wysłużonym skórzanym, rudym futerale. Co kilka dni przychodziłem pod sklepik, patrzyłem na ten aparat i wyobrażałem sobie siebie w Indiach, z futerałem przewieszonym na pasku przez ramię, jak robię zdjęcia pól ryżowych czy plantacji herbaty, które widziałem kiedyś w „National

Geographic". Fotografowałbym szlak Inków. Podróżowałbym na grzbiecie wielbłąda, w jakiejś zakurzonej starej ciężarówce albo pieszo; dzielnie znosiłbym upał, aż wreszcie ujrzałbym Sfinksa i piramidy, i je też bym uwiecznił, a potem oglądał swoje zdjęcia w czasopismach, na błyszczącym papierze. Te wizje przyciągnęły mnie tamtego ranka do witryny pana Russosa — choć sklepik był akurat zamknięty. Przytknąłem czoło do szyby i pogrążyłem się w marzeniach.

— Jaki to model?

Odsunąłem się od wystawy i zobaczyłem w szybie odbicie Thalii. Przykładała chusteczkę do lewego policzka.

— Aparat — wyjaśniła.

Wzruszyłem ramionami.

— Wygląda jak argus C-trzy — orzekła.

— Skąd możesz wiedzieć?

— To najpopularniejszy aparat z trzydziestodwumilimetrowym obiektywem na świecie, i to od trzydziestu lat — wyjaśniła trochę karcąco. — Ale nie ma na co patrzeć. Jest brzydki. Wygląda jak cegłówka. Więc chcesz być fotografem? No wiesz, kiedy dorośniesz? Twoja matka tak mówiła.

Odwróciłem się do niej.

— Mama tak ci powiedziała?

— A co?

Znów wzruszyłem ramionami. Byłem speszony tym, że mama rozmawiała o czymś takim z Thalią. Byłem ciekaw, jak to powiedziała. Potrafiła ze swojego arsenału broni wydobyć drwiąco poważny ton, którym mówiła o sprawach zarówno dla niej ważnych, jak i błahych. Mogła ośmieszyć twoje aspiracje nawet przy tobie. „Markos chce jeździć po świecie i uwieczniać go na zdjęciach".

Thalia usiadła na chodniku i naciągnęła spódnicę na kolana. Był upalny dzień, słońce kąsało skórę, jakby miało zęby. Na ulicy nie było nikogo oprócz pary starszych ludzi, którzy szli powoli. Mąż — Demis jakiś tam — był w szarej płaskiej czapce i brązowej tweedowej marynarce, która wydawała się za gruba na tę pogodę. Pamiętam, że zawsze miał zdziwioną minę, jak często starzy ludzie, jakby byli stale przestraszeni tym, że tak wygląda starość — dopiero wiele lat później, na studiach medycznych, domyśliłem się, że musiał mieć chorobę Parkinsona. Oboje pomachali nam, przechodząc obok, i odpowiedziałem im tym samym gestem. Zauważyłem, że spojrzeli na Thalię, na moment się zatrzymali i znowu ruszyli przed siebie.

— Masz aparat fotograficzny? — spytała Thalia.

— Nie.

— A zrobiłeś kiedykolwiek jakieś zdjęcie?

— Nie.

— I chcesz być fotografem?

— Uważasz, że to dziwne?

— Trochę.

— A gdybym powiedział, że chcę zostać policjantem, też wydałoby ci się to dziwne? Bo nigdy wcześniej nie zakułem nikogo w kajdanki?

Jej wzrok złagodniał i miałem wrażenie, że gdyby mogła, toby się uśmiechnęła.

— Cwaniak z ciebie — stwierdziła. — Dam ci radę. Nie wspominaj o tym aparacie fotograficznym przy mojej matce, bo ci go kupi. Próbuje się wkupić w łaski każdego. — Chusteczka przesunęła się na policzek i z powrotem. — A wątpię, żeby twoja mama wyraziła na to zgodę. Chyba zdajesz sobie z tego sprawę.

Zaimponowała mi i jednocześnie trochę zaniepokoiła tym, że w tak krótkim czasie tak dużo zauważyła. Może to przez tę maskę, zasłonę, która dawała jej swobodę obserwowania i analizowania.

— I pewnie kazałaby ci go oddać — dodała.

Westchnąłem. To była prawda. Mama nie pozwoliłaby na taki gest, a już na pewno nie, gdy w grę wchodziły pieniądze.

Thalia wstała i otrzepała spódnicę z kurzu.

— Mogę zapytać, czy masz w domu pudełko?

Madaline i matka popijały w kuchni wino, a Thalia i ja na górze zamazywaliśmy czarnymi flamastrami pudełko po butach. Należało do Madaline, były w nim nowe pantofle z limonkowozielonej skóry, na wysokich obcasach, wciąż jeszcze zawinięte w bibułkę.

— Gdzie ona zamierzała w nich chodzić? — zastanawiałem się.

Słyszałem głos Madaline — opowiadała na dole o lekcjach aktorstwa, które kiedyś brała, i o tym, jak nauczyciel podczas jednej z nich w ramach ćwiczeń kazał jej zagrać jaszczurkę tkwiącą bez ruchu na skale. Potem rozległ się wybuch śmiechu. Jej śmiechu.

Pomalowaliśmy pudełko dwa razy i Thalia powiedziała, że zrobimy to jeszcze trzeci raz, żeby nie pominąć żadnego kawałka. Czerń musiała być jednolita i głęboka.

— Aparat fotograficzny to nic innego jak to — tłumaczyła. — Czarna skrzynka z otworem, przez który wpada światło, i czymś, co to światło pochłania. Daj mi igłę.

Podałem jej igłę do szycia. Odnosiłem się co najmniej

sceptycznie do perspektywy skonstruowania w domu aparatu fotograficznego. Coś takiego miałoby robić zdjęcia? Pudełko po butach i igła? Ale Thalia podeszła do tego przedsięwzięcia z taką wiarą i pewnością siebie, że musiałem uwzględnić mało prawdopodobną możliwość, że urządzenie będzie działać. Zacząłem podejrzewać, że ona wie więcej niż ja.

— Dokonałam pewnych obliczeń — odezwała się, uważnie przebijając igłą tekturę. — Skoro nie mamy soczewek, nie możemy zrobić dziurki na węższym boku, bo pudełko jest za długie. Ale na szerszym będzie doskonale. Chodzi o to, żeby dziurka miała odpowiednią średnicę. Sądzę, że zero przecinek sześć milimetra wystarczy. Potrzebujemy jeszcze migawki.

Madaline na dole zniżyła głos do szeptu i opowiadała coś z przejęciem. Nie słyszałem co, ale zorientowałem się, że mówi dobitnie i wolniej niż poprzednio. Wyobraziłem sobie, że siedzi pochylona, z łokciami opartymi na kolanach, i patrzy na matkę, nie mrugając. W późniejszych latach miałem dobrze poznać ten ton. Kiedy ludzie mówią w taki sposób, prawdopodobnie zdradzają albo wyznają coś okropnego, przyznają się do tego, błagając rozmówcę o zrozumienie. To ton przedstawicieli wojska pukających do drzwi, żeby powiadomić rodzinę o śmierci żołnierza, adwokatów namawiających klientów, żeby przyznali się do winy, policjantów zatrzymujących samochody o trzeciej w nocy i mężów, którzy zdradzają. Ile razy sam używałem takiego tonu tu, w Kabulu? Ile razy prowadziłem całe rodziny do pustej sali, prosiłem, by usiedli, i przysuwałem sobie krzesło, żeby przekazać im wiadomość, pełen lęku przed rozmową, która potem nastąpi?

— Mówi o Andreasie — spokojnie skomentowała Thalia. — Mogę się założyć. Strasznie się pokłócili. Podaj mi taśmę klejącą i nożyczki.

— Jaki on jest? Poza tym, że ma pieniądze?

— Kto, Andreas? W porządku. Dużo podróżuje. Kiedy jest w domu, wciąż zaprasza gości. Ważnych ludzi... ministrów, generałów, takich tam. Piją drinki przy kominku i rozmawiają do rana, głównie o interesach i polityce. Słyszę ich w moim pokoju. Gdy u Andreasa ktoś jest, mam siedzieć na górze. Nie wolno mi schodzić na parter. Ale kupuje mi różne rzeczy. Płaci prywatnemu nauczycielowi, który przychodzi do domu, żeby mnie uczyć. I jest dla mnie całkiem miły.

Zakleiła dziurkę prostokątnym kawałkiem tektury, również czarnym.

Na dole zapadła cisza. Odtworzyłem w wyobraźni rozgrywającą się tam scenę. Madaline szlocha bezgłośnie, z roztargnieniem mnąc chusteczkę jak kawałek plasteliny, mama niewiele może pomóc, spogląda na nią z wymuszonym uśmiechem, jakby miała pod językiem coś kwaśnego. Nie znosi, gdy ludzie płaczą w jej obecności. Nie może patrzeć na ich zapuchnięte oczy, twarze, na których maluje się błaganie. Uważa płacz za oznakę słabości, histeryczną próbę zwrócenia na siebie uwagi, a czegoś takiego nie toleruje. Nie może zdobyć się na słowo czy gest pocieszenia. Dorastając, przekonałem się, że to nie jest jej mocna strona. Jej zdaniem smutek należy przeżywać w samotności, a nie się z nim obnosić. Raz, gdy byłem mały, spytałem ją, czy kiedy ojciec się zabił, płakała.

— Na pogrzebie? To znaczy gdy go składali do grobu? Płakałaś?

— Nie, nie płakałam.

— Bo nie było ci smutno?

— Jeśli nawet było, to nikogo nie powinno to obchodzić.

— A płakałabyś, gdybym ja umarł, mamo?

— Miejmy nadzieję, że nigdy się tego nie dowiemy — odparła.

Thalia wzięła pudełko z papierem fotograficznym i poleciła:

— Idź po latarkę.

Weszliśmy do szafy, starannie zamknęliśmy za sobą drzwi i zasłoniliśmy ręcznikami szpary, przez które wpadało światło. Gdy znaleźliśmy się w nieprzeniknionej ciemności, Thalia kazała mi włączyć latarkę, którą okleiliśmy kilkoma warstwami czerwonego celofanu. Jedyne, co widziałem w tym świetle, to smukłe palce Thalii, gdy cięła papier fotograficzny i przyklejała go po wewnętrznej stronie pudełka naprzeciwko dziurki. Dzień wcześniej kupiliśmy go w sklepiku pana Russosa. Podeszliśmy do lady, a wtedy pan Russos spojrzał znad okularów na Thalię i zapytał:

— Czy to napad?

Wtedy Thalia wymierzyła w niego palec wskazujący i wykonała kciukiem ruch, jakby odwodziła kurek.

Teraz nałożyła na pudełko pokrywkę i zasłoniła dziurkę migawką.

— Jutro zrobisz pierwsze zdjęcie w swojej karierze — oznajmiła w ciemności.

Postanowiliśmy pójść nad morze. Postawiliśmy pudełko po butach na płaskim kamieniu i mocno przywiązaliśmy je do niego sznurkiem — Thalia powiedziała, że nie może nawet drgnąć, gdy odsuniemy migawkę. Stanęła przy mnie i zerknęła znad pudełka w dal.

— Doskonałe ujęcie — oceniła.

— Prawie. Potrzebny nam obiekt.

Spojrzała na mnie, zrozumiała, co mam na myśli, i odparła:

— Nie. Na mnie nie licz.

Kłóciliśmy się przez chwilę, aż w końcu się zgodziła, ale pod jednym warunkiem: że nie będzie widać jej twarzy. Zdjęła buty i z rozłożonymi na boki rękami, jak akrobata idący po linie, przeszła po kamieniach. Usiadła na jednym z nich, patrząc na zachód, w stronę Syros i Kythos. Zasłoniła włosami wiązanie maski z tyłu głowy, i spojrzała na mnie przez ramię.

— Pamiętaj! Policz do stu dwudziestu! — krzyknęła.

I odwróciła się do morza.

Pochyliłem się i spojrzałem znad pudełka na plecy Thalii, konstelację kamieni wokół niej, wstęgi wodorostów oplatających je niczym węże, małą motorówkę kołyszącą się niedaleko na morzu, fale obmywające skalisty brzeg. Odsłoniłem dziurkę aparatu i zacząłem odliczać:

— Raz... dwa... trzy... cztery... pięć...

Leżeliśmy na łóżku. Na ekranie telewizora dwóch muzyków grających na akordeonach toczy pojedynek, ale Gianna wyłączyła dźwięk. Przez zasłony przesącza się południowe słońce i pada na resztki pizzy margherita, którą zamówiliśmy do pokoju na lunch. Dostarczył ją pracownik obsługi hotelowej, wysoki szczupły mężczyzna z nieskazitelnie gładkimi, zaczesanymi do tyłu włosami, w białej marynarce i czarnym krawacie. Na stoliku, który wtoczył do pokoju, stał smukły wazon z czerwoną różą. Kelner podniósł półokrągłą pokrywę i odsłonił pizzę, wykonując taki gest, jak magik wyjmujący z kapelusza królika, którego wyczarował.

Wokół nas, w zmiętej pościeli, leżą rozsypane zdjęcia

z moich podróży w ostatnim półtoraroczu. Belfast, Montevideo, Tanger, Marsylia, Lima, Teheran. Pokazuję Giannie fotki z komuny, do której dołączyłem na krótko w Kopenhadze. Mieszkałem tam z duńskimi bitnikami, noszącymi podarte podkoszulki i wełniane czapeczki, którzy stworzyli samowystarczalną społeczność w dawnej bazie wojskowej.

— A gdzie ty jesteś? — pyta Gianna. — Nie ma cię na tych zdjęciach.

— Wolę stać za obiektywem — odpowiadam.

To prawda. Zrobiłem setki zdjęć, lecz nie ma mnie na żadnym z nich. Kiedy oddaję filmy do wywołania, zawsze zamawiam dwa komplety odbitek. Jeden zatrzymuję dla siebie, a drugi wysyłam Thalii.

Gianna pyta, skąd mam pieniądze na podróże, więc wyjaśniam, że ze spadku. To nie jest kłamstwo, ale spadek należy do Thalii, nie do mnie. Została uwzględniona w testamencie Andreasa, w przeciwieństwie — z oczywistych powodów — do Madaline. I oddała mi połowę tych pieniędzy. Na studia.

Osiem... dziewięć... dziesięć...

Gianna opiera się na łokciach i przechyla nade mną, muskając małymi piersiami moją skórę. Sięga po paczkę papierosów i zapala jednego. Poznałem ją poprzedniego dnia na Placu Hiszpańskim. Siedziałem na kamiennych schodach prowadzących z kościoła na znajdujący się poniżej plac. Podeszła do mnie i zapytała o coś po włosku. Wyglądała jak inne ładne dziewczyny kręcące się jakby bez celu wokół rzymskich kościołów i placów. Palą papierosy, mówią głośno i dużo się śmieją. Podniosłem głowę i rzuciłem:

— *Sorry?*

Uśmiechnęła się i powiedziała:

— Ach — a potem zapytała po angielsku, z wyraźnym obcym akcentem: — Zapalniczka? Papieros.

Pokręciłem głową i odpowiedziałem, również z wyraźnym akcentem, że nie palę. Uśmiechnęła się szeroko. Miała wesołe żywe oczy. Późnopopołudniowe słońce tworzyło aureolę wokół jej twarzy w kształcie karo.

Przysypiam na chwilę i budzi mnie dźgnięcie w żebra.

— *La tua ragazza?* — pyta. Znalazła zdjęcie Thalii nad morzem, to, które zrobiłem naszym aparatem. — To twoja dziewczyna?

— Nie — odpowiadam.

— Siostra?

— Nie.

— *La tua cugina?* Twoja kuzynka, tak?

Kręcę głową.

Przygląda się uważnie zdjęciu, zaciągając się nerwowo papierosem.

— *No* — ku mojemu zdziwieniu mówi ostro, nawet ze złością. — *Questa è la tua ragazza!* To twoja dziewczyna. Na pewno. Jesteś kłamcą! — A potem, o zgrozo, przykłada do zdjęcia zapalniczkę, żeby je spalić.

Czternaście... piętnaście... szesnaście... siedemnaście...

Mniej więcej w połowie drogi do przystanku autobusowego uświadamiam sobie, że zgubiłem to zdjęcie. Mówię im, że muszę zawrócić. Nie mam wyjścia, muszę. Alfonso, żylasty *huaso* o wąskich ustach, który nieoficjalnie pełni funkcję naszego chilijskiego przewodnika, patrzy pytająco na Gary'ego. Gary jest Amerykaninem. W naszej trójce to samiec alfa. Ma ciemnoblond włosy, a na policzku dzioby po trądziku. To twarz, która świadczy o notorycznie niezdrowym trybie życia. Gary jest w podłym nastroju, który jeszcze pogarszają głód, brak alkoholu i nieładna wysypka na prawej łydce. Nabawił się jej dzień wcześniej, gdy przedzieraliśmy się przez zarośla o nazwie litre. Poznałem ich obu w zatłoczonym barze w Santiago. Po kilku kolejkach piscolas Alfonso zaproponował wspólną wędrówkę do wodospadu w Salto del Apoquindo, dokąd ojciec zabierał go w dzieciństwie. Wyruszyliśmy następnego dnia i noc spędziliśmy przy wodospadzie. Paliliśmy trawkę, woda huczała nam w uszach, nad nami rozciągało się gwiaździste niebo. Teraz szliśmy w stronę San Carlos de Apoquindo, żeby złapać autobus.

Gary zsuwa do tyłu kordobański kapelusz z szerokim rondem i ociera czoło chusteczką.

— To trzy godziny drogi, Markosie — mówi.

— *Tres horas, hágale comprende?* — powtarza jak echo Alfonso.

— Wiem.

— I mimo to chcesz iść?

— Tak.

— *Para una foto?* — pyta Alfonso.

Kiwam głową. Nic nie mówię, bo i tak by nie zrozumieli. Nie jestem pewny, czy sam rozumiem.

— Wiesz, że się zgubisz? — pyta Gary.

— Mhm, pewnie tak.

— No to powodzenia, *amigo*. — Podaje mi rękę.

— *Es un griego loco* — kwituje Alfonso.

Śmieję się. Nie po raz pierwszy ktoś nazywa mnie szalonym Grekiem. Ściskamy sobie dłonie. Gary poprawia paski plecaka i obaj ruszają w dalszą drogę szlakiem wzdłuż górskich stoków. Gary macha do mnie jeszcze, nie oglądając się, gdy ostro skręcają w bok. Wracam drogą, którą przyszliśmy. Zajmuje mi to cztery godziny, bo oczywiście się gubię, jak przepowiedział Gary. Gdy wreszcie docieram do obozowiska, jestem wykończony. Przeszukuję cały teren, zaglądam między krzaki i kamienie, coraz bardziej przestraszony, bo moje poszukiwania nie przynoszą skutku. Wtedy, gdy już mam pogodzić się z najgorszą ewentualnością, w kępie zarośli na niewielkim stoku dostrzegam coś białego. Znajduję zdjęcie — tkwi w jeżynach. Wydobywam je stamtąd i otrzepuję z ziemi. W oczach mam łzy ulgi.

Dwadzieścia trzy... dwadzieścia cztery... dwadzieścia pięć...

W Caracas nocuję pod mostem. W Brukseli w schronisku młodzieżowym. Czasami pozwalam sobie na pokój w ładnym hotelu, biorę długi gorący prysznic, golę się, jem kolację ubrany w szlafrok. Oglądam kolorową telewizję. Miasta, drogi, wiejskie krajobrazy, ludzie, których spotykam — to wszystko zaczyna zacierać mi się w pamięci. Mówię sobie, że czegoś szukam. Ale coraz częściej mam wrażenie, że błądzę, czekając, aż coś się zdarzy, coś, co wszystko zmieni, coś, do czego wiodło całe moje dotychczasowe życie.

Trzydzieści cztery... trzydzieści pięć... trzydzieści sześć...

Mój czwarty dzień w Indiach. Idę chwiejnie bitą drogą wśród zabłąkanej trzody, świat kołysze mi się pod stopami. Rzygam przez cały dzień. Skórę mam żółtą jak sari i czuję się tak, jakby jakieś niewidzialne ręce mnie z niej obdzierały. Kiedy nie mam już siły, kładę się przy drodze. Starszy człowiek po drugiej stronie miesza coś w wielkim żeliwnym garze. Obok niego stoi klatka z papugą o czerwono-niebieskim upierzeniu. Mija mnie ciemnoskóry handlarz pchający wózek z pustymi zielonymi butelkami. To ostatnie, co pamiętam.

Czterdzieści jeden... czterdzieści dwa...

Budzę się w wielkim pomieszczeniu. Gorące powietrze jest przesycone dziwną wonią, jakby gnijącego melona. Leżę na dużym żelaznym łóżku, od którego twardej, pozbawionej sprężyn ramy oddziela mnie tylko cienki materac, nie grubszy od książki w wydaniu kieszonkowym. Wokół widzę chude ręce wyciągnięte na boki, ciemne nogi, chude jak zapałki, wystające spod poplamionych prześcieradeł, otwarte, prawie bezzębne usta. Pod sufitem wolno obracające się wiatraki. Ściany z plamami grzyba. Przez okno tuż obok wpada gorące, wilgotne powietrze i ostre słońce, które razi w oczy. Pielęgniarz — krzepki, nachmurzony muzułmanin o imieniu Gul — mówi, że mam zapalenie wątroby i mogę umrzeć.

Pięćdziesiąt pięć... pięćdziesiąt sześć... pięćdziesiąt siedem...

Proszę o swój plecak.

— Jaki plecak? — pyta Gul obojętnie.

Wszystkie moje rzeczy przepadły — ubranie, pieniądze, książki, aparat fotograficzny.

— Złodziej zostawił tylko to — dodaje chropawą angielszczyzną i wskazuje parapet. A na nim zdjęcie. Biorę je. Thalia z powiewającymi na wietrze włosami, wokół niej spieniona woda, bose stopy na kamieniach, przed nią wzburzone Morze Egejskie. Dławi mnie w gardle. Nie chcę tu umrzeć, wśród obcych, tak daleko od niej. Wsuwam zdjęcie między szybę a ramę okienną.

Sześćdziesiąt sześć... sześćdziesiąt siedem... sześćdziesiąt osiem...

Chłopak na sąsiednim łóżku ma twarz starego człowieka, wymizerowaną, zapadniętą, o ostrych rysach. Dolna część jego brzucha jest wzdęta od guza wielkości kuli do gry w kręgle. Zawsze, gdy pielęgniarz go tam dotyka, on zaciska powieki i otwiera usta w niemym krzyku. Tego ranka jeden z pielęgniarzy, nie Gul, próbuje włożyć mu do ust pigułki, ale chłopak odwraca głowę, a z jego gardła wydobywa się dźwięk przypominający skrobanie po drewnie. W końcu pielęgniarz siłą otwiera mu usta i wpycha lekarstwa. Po jego wyjściu chłopak powoli zwraca głowę w moją stronę. Patrzymy na siebie oddzieleni przestrzenią między łóżkami. Z jego oka spływa mała łza i toczy się po policzku.

Siedemdziesiąt pięć... siedemdziesiąt sześć... siedemdziesiąt siedem...

Cierpienie i rozpacz w tym miejscu są jak fala. Dochodzą z każdego łóżka, rozbijają się o przeżarte grzybem ściany i wracają. Można w nich utonąć. Dużo śpię. A kiedy nie śpię, wszystko mnie swędzi. Łykam leki, które mi dają, i znowu zasypiam. W przerwach patrzę na zatłoczoną ulicę za oknem szpitala, na zalane słońcem namioty na bazarze i herbaciarnie w bocznych uliczkach. Obserwuję dzieciaki grające w szklane kulki na chodnikach, które miękną i zamieniają się w błotniste rynsztoki, na stare kobiety siedzące w progach domów, na ulicznych handlarzy kucających na matach, oskrobujących kokosy, sprzedających wianki z nagietków. Ktoś krzyczy rozdzierająco z drugiej strony sali. Znowu zasypiam.

Osiemdziesiąt trzy... osiemdziesiąt cztery... osiemdziesiąt pięć...

Jak się dowiaduję, chłopak ma na imię Manaar. To znaczy „prowadzący światło". Jego matka jest prostytutką, a ojciec złodziejem. Mieszkał z ciotką i stryjem, którzy go bili. Nikt dokładnie nie wie, na co umiera, ale że umiera — to nie budzi wątpliwości. Nikt go nie odwiedza, a kiedy umrze po tygodniu, nikt się po niego nie zgłosi. Nikt po nim nie zapłacze. Nikt go nie zapamięta. Umrze tam, gdzie żył, w szczelinach. Kiedy śpi, patrzę na niego mimowolnie, na jego zapadnięte policzki, na za dużą w stosunku do ramion głowę, jasną bliznę na dolnej wardze, gdzie, jak powiedział mi Gul, alfons matki miał zwyczaj gasić papierosa. Próbuję mówić do niego po angielsku, albo w tych kilku słowach w urdu, które znam, ale on tylko mruga zmęczony. Czasami składam dłonie i rzucam na ścianę cienie zwierząt, żeby skłonić go do uśmiechu.

Osiemdziesiąt siedem... osiemdziesiąt osiem... osiemdziesiąt dziewięć...

Pewnego dnia Manaar wskazuje coś za oknem. Podążam za jego palcem, podnoszę głowę, ale widzę tylko niebieskie smugi nieba między chmurami, dzieci bawiące się wodą tryskającą z ulicznej pompy, autobus, z którego rury wydechowej wydobywają się spaliny. Potem uświadamiam sobie, że wskazuje zdjęcie Thalii. Wyjmuję je zza szyby i mu podaję. On przysuwa je do twarzy, trzymając za osmalony rożek, i patrzy na mnie przez dłuższy czas. Ciekaw jestem, czy to morze tak go fascynuje. Czy próbował kiedyś słonej wody i czy zakręciło mu się w głowie od patrzenia na fale podpływające do stóp. A może, choć nie widzi jej twarzy, wyczuwa w Thalii kogoś podobnego do siebie, kto wie, co to ból. Oddaje mi zdjęcie. Kręcę głową.

— Zatrzymaj je — mówię.

Przez krótki moment na jego twarzy maluje się podejrzliwość. Uśmiecham się. I choć nie mam pewności, wydaje mi się, że odpowiada tym samym.

Dziewięćdziesiąt dwa... dziewięćdziesiąt trzy... dziewięćdziesiąt cztery...

Wychodzę z zapalenia wątroby. To dziwne, ale nie wiem, czy Gul jest zadowolony, czy zawiedziony, że jego prognozy się nie sprawdziły. Wiem jednak, że go zaskakuję, gdy pytam, czy mogę zostać w szpitalu jako ochotnik. Zadziera głowę, ściąga brwi. Kończy się na tym, że muszę porozmawiać z jednym z przełożonych pielęgniarzy.

Dziewięćdziesiąt siedem... dziewięćdziesiąt osiem... dziewięćdziesiąt dziewięć...

Pod prysznicem cuchnie sikami i siarką. Codziennie zabieram tam Manaara, niosę go nagiego, starając się nim nie potrząsać — widziałem, jak jeden z ochotników niósł go wcześniej, przerzuconego przez ramię jak worek ryżu. Delikatnie sadzam go na ławce i czekam, aż złapie oddech. Polewam jego małe, drobne ciało ciepłą wodą. Chłopak zawsze siedzi spokojnie, cierpliwie, z dłońmi na kolanach i opuszczoną głową. Jest jak wystraszony, kościsty, stary mężczyzna. Przesuwam gąbką po jego żebrach, guzowatym kręgosłupie, sterczących łopatkach, przypominających płetwy rekina. Potem zanoszę go z powrotem do łóżka, daję mu pigułki. Uspokaja go masaż stóp i łydek, więc robię mu go, nie spieszę się. Kiedy zasypia, to zawsze ze zdjęciem Thalii pod poduszką.

Sto jeden... sto dwa...

Gdy tylko mogę wyrwać się ze szpitala, uciec od wyziewów chorych i umierających, chodzę na długie spacery po mieście. Wędruję bez celu o zachodzie słońca zakurzonymi ulicami, między murami ozdobionymi graffiti, mijam kryte blachą falistą stojące ciasno obok siebie stragany, napotykam dziewczynki niosące na głowach kosze ze świeżym łajnem, kobiety pokryte sadzą, które gotują szmaty w wielkich aluminiowych kadziach. Kiedy klucze wąskimi uliczkami, myślę o Manaarze — o Manaarze, który czeka na śmierć w sali pełnej takich samych nieszczęśników jak on. Dużo też myślę o Thalii siedzącej na kamieniu i patrzącej w morze. Czuję, że coś w środku mnie ciągnie, zagarnia jak fala przyboju. Mam ochotę poddać się temu, dać się unieść. Porzucić wszystko, wyjść z siebie.

Nie twierdzę, że Manaar dokonał we mnie przełomu. Tak się nie stało. Włóczę się po świecie jeszcze przez następny rok, aż w końcu ląduję za biurkiem w kącie ateńskiej biblioteki i patrzę na formularz-podanie o przyjęcie na akademię medyczną. Pomiędzy Manaarem a tym podaniem były dwa tygodnie spędzone w Damaszku, z których nie pamiętam dosłownie nic oprócz dwóch uśmiechniętych kobiet z oczami obwiedzionymi na czarno i z jednym złotym zębem z przodu. Trzy miesiące w Kairze, w piwnicy rozpadającego się budynku z kwaterami uzależnionego od haszyszu gospodarza. Wydawałem pieniądze Thalii, tłukąc się autobusami po Islandii, włócząc się z bandą punków w Monachium. W 1977 roku podczas antynuklearnej demonstracji w Bilbao złamałem rękę.

Ale w chwilach spokoju, podczas długich podróży, gdy sterczałem na końcu autobusu albo na platformie ciężarówki, zawsze wracałem myślami do Manaara. Myślałem o nim, o jego okropnych ostatnich dniach życia i mojej bezradności w obliczu jego śmierci. Wtedy wszystko, co robiłem, co chciałem robić, wydawało się tak nieważne, jak obietnice składane sobie przed zaśnięciem, o których rano już się nie pamięta.

Sto dziewiętnaście... sto dwadzieścia.

Opuszczam migawkę.

Któregoś dnia pod koniec lata dowiedziałem się, że Madaline wyjeżdża do Aten i zostawia Thalię u nas, przynajmniej na jakiś czas.

— Tylko na parę tygodni — powiedziała.

Jedliśmy wtedy kolację we czwórkę, zupę z białej fasoli, którą wcześniej ugotowały mama i Madaline. Zerknąłem przez stół na Thalię, żeby zobaczyć, czy tylko mnie Madaline zaskoczyła tą wiadomością. Wyglądało na to, że tak. Thalia spokojnie wsuwała łyżkę do ust, przy każdym jej podniesieniu uchylając maskę. Jej sposób mówienia i jedzenia już mi nie przeszkadzały, a przynajmniej nie bardziej niż widok starszej osoby jedzącej ze źle dopasowaną protezą, jak po latach mama.

Madaline oznajmiła, że przyjedzie po Thalię, gdy tylko zakończy zdjęcia do filmu, czyli przed Bożym Narodzeniem.

— Zabiorę do Aten was wszystkich — zapowiedziała z promiennym uśmiechem. — I wybierzemy się razem na premierę! Czy to nie byłoby wspaniałe, Markosie? Wszyscy czworo, wystrojeni, wchodzący tanecznym krokiem do kina?

Odpowiedziałem, że tak, choć nie umiałem sobie wyobrazić matki w wieczorowym stroju, wchodzącej gdziekolwiek tanecznym krokiem.

Madaline wyjaśniła, że wszystko będzie wspaniale. Za dwa tygodnie, gdy zacznie się rok szkolny, Thalia podejmie naukę — oczywiście w domu, pod okiem matki. Ona sama będzie przysyłała nam kartki pocztowe i listy, no i zdjęcia z planu filmowego. Mówiła długo, ale niewiele z tego słyszałem. Czułem wielką ulgę i kręciło mi się w głowie. Codziennie narastał we mnie lęk przed końcem wakacji, wręcz ściskało mnie w brzuchu, gdy przygotowywałem się na nadchodzące rozstanie. Każdego ranka po przebudzeniu nie mogłem się doczekać, kiedy zobaczę Thalię przy śniadaniu, usłyszę jej dziwny głos. Szybko coś jedliśmy, a potem wspinaliśmy się na drzewa, goniliśmy się po polach jęczmienia, przedzieraliśmy przez nie i wydawaliśmy wojenne okrzyki, a jaszczurki umykały nam spod stóp. Chowaliśmy nasze skarby w grotach, odkrywaliśmy na wyspie miejsca, w których było najlepsze i najgłośniejsze echo. Fotografowaliśmy naszym aparatem wiatraki i gołębniki, a potem wywoływaliśmy zdjęcia u pana Russosa, który wpuszczał nas nawet do ciemni i opowiadał o różnych wywoływaczach, utrwalaczach i płukankach.

Tamtego wieczoru po ogłoszeniu nowiny Madaline i matka otworzyły butelkę wina, które piła w kuchni głównie Madaline, podczas gdy Thalia i ja graliśmy na górze w tavli. Thalia zdobyła już pozycję mana i miała połowę pionków na swojej planszy.

— Ma kochanka — powiedziała, rzucając kostką.

Drgnąłem.

— Kto?

— Jak to kto? A jak myślisz?

W ciągu tamtego lata nauczyłem się odczytywać miny Thalii z wyrazu jej oczu, a teraz patrzyła na mnie, jakbym stał na plaży i pytał, gdzie jest morze. Próbowałem szybko dojść do siebie.

— Przecież wiem kto — odparłem z płonącymi policzkami. — Chodzi mi o to... kto to jest... no, wiesz. — Miałem dwanaście lat. W moim słowniku nie było takiego słowa jak „kochanek".

— Nie domyślasz się? Reżyser.

— Tak myślałem.

— Elias. To jest dopiero numer. Ma przylizane włosy, jak w latach dwudziestych. I cienki wąsik. Chyba wydaje mu się, że wygląda bosko. Jest śmieszny. Oczywiście uważa się za wielkiego artystę. Mama też go za takiego ma. Powinieneś ją przy nim zobaczyć, robi się cicha i potulna, jakby musiała mu ustępować i cackać się z nim, bo jest geniuszem. Nie rozumiem, co ona w nim widzi.

— Czy ciocia Madaline wyjdzie za niego?

Thalia wzruszyła ramionami.

— Ma fatalny gust, jeśli chodzi o mężczyzn. Fatalny. — Thalia potrząsnęła kostkami i jakby się zastanawiała. — Chyba z wyjątkiem Andreasa. On jest fajny. Dość fajny. Ale, oczywiście, mama odejdzie od niego. Zawsze zakochuje się w draniach.

— Tak jak w twoim ojcu?

Lekko ściągnęła brwi.

— Mój ojciec to był nieznajomy facet, którego poznała w drodze do Amsterdamu, na dworcu kolejowym podczas burzy. Spędzili razem jedno popołudnie. Nie mam pojęcia, kim był. Ona zresztą też tego nie wie.

— Ojej. Pamiętam, że mówiła coś o swoim pierwszym mężu. Że pił. Więc myślałem...

— Hm, pewnie miała na myśli Doriana. Ten to dopiero był egzemplarz. — Przeniosła kolejny pionek na swoją planszę. — Bił ją. W jednej chwili z miłego sympatycznego faceta zmieniał się we wściekłą bestię. Jak pogoda. Taki był. Przez całe dnie pił, prawie nic nie robił, tylko leżał w łóżku. Gdy się upijał, tracił świadomość. Na przykład nie zakręcał wody i zalewał dom. Pamiętam, że kiedyś nie wyłączył gazu na kuchence i o mało nas nie spalił.

Ustawiła małą wieżę z pionków i przez chwilę starannie ją prostowała.

— Dorian tak naprawdę kochał tylko Apolla. Bały się go wszystkie dzieciaki z sąsiedztwa... to znaczy Apolla. Mało które z nich go widziało, słyszały tylko jego szczekanie. I to im wystarczało. Dorian trzymał go na łańcuchu za domem i karmił wielkimi kawałkami jagnięciny.

Nic więcej mi nie powiedziała, ale bez trudu dopowiedziałem sobie resztę. Dorian upił się do nieprzytomności, a spuszczony z łańcucha i zapomniany pies szwendał się po podwórku. Otwarte siatkowe drzwi.

— Ile miałaś lat? — zapytałem cicho.

— Pięć.

Potem zadałem pytanie, które nurtowało mnie przez całe lato:

— Czy jest coś, co... to znaczy... czy nie mogą...

Thalia umknęła wzrokiem w bok.

— Proszę, nie pytaj — odrzekła niechętnie, i jak przypuszczałem, z wielkim bólem. — To ponad moje siły.

— Przepraszam.

— Któregoś dnia ci powiem.

I rzeczywiście później mi opowiedziała. Spartaczona operacja i fatalna infekcja, która wdała się w jej wyniku, spowodowały niewydolność nerek i uszkodzenie wątroby, a także zakażenie rany, co zmusiło chirurgów do usunięcia nie tylko zrekonstruowanej części twarzy, ale też pozostałości lewego policzka i części szczęki. Z powodu komplikacji Thalia leżała w szpitalu przez trzy miesiące. Prawie umarła, powinna była umrzeć. Potem już nie pozwoliła się nikomu tknąć.

— Thalio, przepraszam za swoje zachowanie, gdy się poznaliśmy — powiedziałem.

Podniosła na mnie wzrok. W jej oczach pojawił się dawny łobuzerski błysk.

— Masz za co przepraszać. Ale wiedziałam to już wcześniej, zanim padłeś na podłogę.

— Co wiedziałaś?

— Że dupek z ciebie.

Madaline wyjechała dwa dni przed rozpoczęciem roku szkolnego. Miała na sobie jasnożółtą sukienkę bez rękawów, która podkreślała jej szczupłą sylwetkę, biały jedwabny szal osłaniający włosy przed wiatrem i okulary przeciwsłoneczne w rogowych oprawkach. Była ubrana tak, jakby się obawiała, że jej ciało się rozpadnie, dosłownie, i chciała temu zapobiec. Przed wejściem na prom w miasteczku Tinos uściskała nas wszystkich, a Thalię najmocniej i najdłużej, składając na czubku jej głowy długi pocałunek. Nie zdjęła przy tym ciemnych okularów.

— Obejmij mnie — usłyszałem, jak szepcze.

Thalia sztywno odwzajemniła uścisk.

Kiedy prom stęknął i odbił od brzegu, zostawiając za sobą pasmo spienionej wody, pomyślałem, że Madaline będzie stała na rufie, machała do nas i posyłała nam całusy. Ale szybko odeszła na dziób i usiadła. Nawet się nie obejrzała.

Po powrocie do domu mama kazała nam usiąść. Stanęła przed nami i powiedziała:

— Thalio, chcę, żebyś wiedziała, że nie musisz nosić tej maski w domu. Nie ze względu na mnie. Ani na niego. Jeśli sama tego chcesz, proszę bardzo. Nie mam nic więcej do powiedzenia w tej sprawie.

Wtedy nagle, z całą wyrazistością, dotarło do mnie to, co màma zrozumiała już wcześniej: że maska była pomysłem Madaline. I że to jej miała oszczędzić wstydu i zakłopotania.

Thalia nie poruszyła się ani nie odezwała słowem. Potem wolno uniosła ręce i odwiązała maskę. Opuściła ją. Spojrzałem na jej twarz. Odruchowo chciałem się wzdrygnąć, jak wtedy, kiedy słyszy się nagły hałas, ale nie zrobiłem tego. Nie spuściłem wzroku. I zmusiłem się, żeby nawet nie mrugnąć.

Mama zapowiedziała, że dopóki Madaline nie wróci, będzie mnie uczyła w domu, żeby Thalia nie była sama. Udzielała nam lekcji wieczorami, po kolacji, i zadawała pracę domową, którą odrabialiśmy rano, gdy szła do szkoły. Wyglądało to nieźle, przynajmniej w teorii.

Ale nauka, zwłaszcza pod nieobecność matki, zupełnie nam nie szła. Wiadomość o kalectwie Thalii rozeszła się po całej wyspie i ludzie, wiedzeni ciekawością, stale pukali do naszych drzwi. Można by pomyśleć, że na Tinos nagle zabrakło mąki, czosnku, a nawet soli, i nasz dom jest jedynym miejscem, gdzie można to wszystko znaleźć. Prawie nikt nie ukrywał prawdziwych intencji. Stojąc w progu, ludzie zapuszczali żurawia ponad moim ramieniem. Wykręcali szyje, stawali na palcach, żeby zajrzeć do środka. Większość z nich nie była nawet naszymi sąsiadami. Wędrowali całe kilometry, żeby poprosić o szklankę cukru. Oczywiście nie wpuszczałem ich za próg, tylko z pewną satysfakcją zamykałem im drzwi przed nosem. Ale jednocześnie byłem przygnębiony i podłamany, bo zdawałem sobie sprawę, że jeśli zostanę na wyspie, ulegnę wpływowi tych ludzi. I w końcu stanę się jednym z nich.

Dzieci były gorsze i o wiele śmielsze. Codziennie przyłapywałem któreś, gdy próbowało zajrzeć do domu, wspinając się po ścianie. Uczyliśmy się i Thalia nagle dźgała mnie w ramię ołówkiem, unosiła brodę, a ja odwracałem się i widziałem za oknem przytkniętą do szyby twarz, czasami niejedną. Stało się to tak uciążliwe, że przenosiliśmy się na górę i zaciągaliśmy zasłony. Pewnego dnia, otworzywszy drzwi, zobaczyłem chłopaka, którego znałem ze szkoły, Petrosa. Był z trzema kolegami. Zaproponowali mi garść monet za możliwość zerknięcia na Thalię. Odpowiedziałem, że nie ma mowy: myślą, że to cyrk, czy co?

W końcu musiałem powiedzieć o tym wszystkim mamie. Kiedy to usłyszała, poczerwieniała i zacisnęła szczęki.

Następnego rana położyła na stole dwie kanapki i podręczniki. Thalia wcześniej niż ja zrozumiała, co to zwiastuje, i zwinęła się jak liść. Gdy mieliśmy już wychodzić, zaczęła protestować.

— Nie, ciociu Odie.

— Daj mi rękę.

— Nie. Proszę.

— No już. Daj mi ją.

— Nie wyjdę.

— Bo się spóźnimy.

— Nie zmuszaj mnie, ciociu Odie.

Mama pociągnęła ją za ręce i zmusiła do wstania, a potem pochyliła się i utkwiła w niej spojrzenie, które dobrze znałem. Nic nie mogło odwieść jej od powziętego zamiaru.

— Thalio — powiedziała łagodnie, a jednocześnie stanowczo — ja się ciebie nie wstydzę.

Wyszliśmy z domu we troje — mama z zaciśniętymi ustami parła naprzód, jakby szła pod wiatr, stawiając szybkie zdecydowane kroki. Wyobraziłem sobie, że z taką samą determinacją przed wieloma laty szła rozmówić się z ojcem Madaline, niosąc strzelbę.

Ludzie gapili się i wciągali powietrze z wrażenia, gdy przechodziliśmy obok nich krętymi ścieżkami. Zatrzymywali się, żeby popatrzeć. Niektórzy pokazywali nas palcami. Starałem się nie zwracać na nich uwagi. Stanowili zatartą smugę jasnych twarzy i rozdziawionych ust na obrzeżach mojego pola widzenia.

Na szkolnym dziedzińcu dzieci rozstąpiły się, żeby nas przepuścić. Jakaś dziewczynka krzyknęła. Mama posuwała się wśród nich jak kula wśród kręgli, ciągnąc Thalię. Dotarła do rogu podwórka, gdzie stała ławka. Weszła na nią i Thalii kazała zrobić to samo, a potem zagwizdała trzy razy. Dookoła zrobiło się cicho.

— To jest Thalia Gianakos! — oznajmiła mama. — Od dziś... — Urwała na moment. — Ktokolwiek krzyczy, niech zamknie usta, zanim dam mu prawdziwy powód do krzyku. Od dziś Thalia jest uczennicą tej szkoły. Życzę sobie, żebyście odnosili się do niej uprzejmie i życzliwie. Jeśli się dowiem, że ktoś jej dokucza, znajdę winowajcę i gorzko tego pożałuje. Wiecie, że nie rzucam słów na wiatr. To wszystko, co mam do powiedzenia.

Zeszła z ławki, wzięła Thalię za rękę i skierowała się do klasy.

Czwartego dnia Thalia przestała nosić maskę i w domu, i w miejscach publicznych.

Dwa tygodnie przed Bożym Narodzeniem dostaliśmy list od Madaline. Zdjęcia do filmu niespodziewanie się przeciągnęły. Po pierwsze, operator — Madaline napisała w skrócie, KZ, kierownik zdjęć, i Thalia musiała nam to rozszyfrować — spadł z podnośnika na planie i złamał rękę w trzech miejscach. Potem pogoda uniemożliwiła kręcenie w plenerze.

Jesteśmy trochę „w zawieszeniu", jak to się mówi. Nie byłoby to jeszcze takie złe, bo dzięki temu mamy czas, żeby wyszlifować scenariusz, ale opóźnienie oznacza, że nie spotkamy się tak, jak przewidywałam. Jestem niepocieszona, Moi Kochani. Bardzo się za Wami stęskniłam, zwłaszcza za Tobą, Thalio, najdroższa. Mogę tylko odliczać dni do wiosny, kiedy zdjęcia wreszcie się skończą i znowu się spotkamy. Noszę całą Waszą trójkę w sercu przez cały dzień.

— Nie przyjedzie — podsumowała Thalia bezbarwnym tonem, oddając list mamie.

— Oczywiście, że przyjedzie! — odparłem osłupiały. Odwróciłem się do matki, czekając, aż coś powie, choćby słowo pocieszenia. Ale ona tylko złożyła list, rzuciła go na stół i bez

357

słowa poszła zagotować wodę na kawę. Pamiętam, że pomyślałem wtedy, iż to z jej strony bezmyślność, nie podtrzymać
Thalii na duchu, nawet jeśli wiedziała, że Madaline się nie
pojawi. Nie rozumiałem jednak — jeszcze nie — że ona i Thalia
doskonale się rozumieją, lepiej niż ja i każda z nich. Mama zbyt
szanowała Thalię, żeby obchodzić się z nią jak z jajkiem.

Przyszła wiosna, w całej swojej zielonej bujności, i minęła.
Dostaliśmy od Madaline jedną pocztówkę i najwyraźniej
pisany w pośpiechu list, w którym informowała nas o kolejnych kłopotach na planie filmowym, tym razem związanych
z producentami, którzy grozili, że z powodu tych wszystkich
opóźnień wycofają się z całego przedsięwzięcia. Nie napisała,
kiedy przyjedzie.

Pewnego ciepłego popołudnia na początku lata — to musiało być w 1968 roku — Thalia i ja poszliśmy nad morze
z dziewczynką o imieniu Dori. Thalia mieszkała z nami na
Tinos od roku i jej okaleczenie nie wywoływało już szep-
tanych komentarzy ani ciekawskich spojrzeń. Wciąż budziła
ciekawość i tak miało pozostać — ale już mniejszą. Miała
koleżanki — między innymi właśnie Dori — których jej
wygląd nie przerażał. Jadała z nimi drugie śniadanie, plot-
kowała, bawiła się po szkole, odrabiała lekcje. O dziwo, stała
się kimś zupełnie zwyczajnym i nawet podziwiałem mieszkańców wyspy za to, że przyjęli ją jak swoją.

Tamtego popołudnia zamierzaliśmy popływać, ale woda
była jeszcze za zimna, więc w końcu położyliśmy się na
skałach i drzemaliśmy. Gdy Thalia i ja wróciliśmy do domu,
zastaliśmy matkę w kuchni, obierała marchew. Na stole leżał
kolejny nieotwarty list.

— To od twojego ojczyma — powiedziała mama do Thalii.

Thalia wzięła list i poszła z nim na górę. Zeszła dopiero po dłuższym czasie. Rzuciła kartkę na stół, usiadła, wzięła nóż i marchewkę.

— On chce, żebym wróciła do domu.

— Rozumiem — odparła mama. Wydało mi się, że jej głos lekko drżał.

— Właściwie nie do domu. Pisze, że skontaktował się z prywatną szkołą w Londynie. Mogłabym zacząć w niej naukę od jesieni. Chce za nią zapłacić.

— A co z ciocią Madaline? — zapytałem.

— Wyjechała. Z Eliasem. Uciekli razem.

— A film?

Mama i Thalia wymieniły spojrzenia, po czym popatrzyły na mnie. Domyśliłem się, że od samego początku wiedziały, że tak będzie.

Pewnego ranka 2002 roku, ponad trzydzieści lat później, planując przeprowadzkę z Aten do Kabulu, natykam się w gazecie na nekrolog Madaline, która nosi nazwisko Kuris. Jednak rozpoznaję w twarzy starej kobiety znany mi szeroki jasny uśmiech i więcej niż resztki dawnej urody. W krótkim tekście pod zdjęciem piszą, że w młodości przez krótki czas była aktorką, a potem, na początku lat osiemdziesiątych, założyła własny zespół teatralny, który doczekał się pozytywnych recenzji za kilka produkcji, przede wszystkim za wystawiane z powodzeniem w połowie lat dziewięćdziesiątych sztuki *Zmierzch długiego dnia* Eugene'a O'Neilla, *Mewę* Czechowa czy *Arravoniasmata* Dimitriosa Mpogrisa. Według nekrologu była znana w środowisku artystycznym z działalności dobroczynnej, dowcipu, stylu życia, wystawnych przyjęć, gotowości promowania nieznanych dramatopisarzy. Piszą, że zmarła po długiej walce z rozedmą płuc, ale nie ma żadnej wzmianki o mężu ani dzieciach, które zostawiła. Ze zdumieniem dowiaduję się także, że mieszkała w Atenach przez ponad dwadzieścia lat, w domu stojącym zaledwie sześć przecznic od mojego mieszkania przy Kolonaki.

Odkładam gazetę. Ku swojemu zdumieniu czuję cień zniecierpliwienia wobec zmarłej, której nie widziałem przeszło trzydzieści lat. I przypływ niechęci do jej dalszej historii. Zawsze wyobrażałem sobie, że wiodła burzliwe życie, pełne porażek i klęsk — nowych początków, upadków i rozczarowań — a także nierozważnych i desperackich romansów. Że niszczyła samą siebie, prawdopodobnie pijąc, i umarła przedwcześnie, jak to zawsze mówią, tragiczną śmiercią. W głębi duszy dopuszczałem możliwość, że znała samą siebie i że zawiozła Thalię na Tinos, by ją ratować, by oszczędzić jej nieszczęść, które mogłaby na nią ściągnąć. Ale teraz widzę Madaline taką, jaką zawsze musiała ją widzieć mama: jako kartografkę siedzącą przy stole i spokojnie rysującą mapę swojej przyszłości, starannie usuwającą z jej granic córkę, która może być zbyt dużym obciążeniem. I udało jej się to wyjątkowo dobrze, przynajmniej sądząc z nekrologu i tego krótkiego sfabrykowanego życiorysu, godnego szacunku, pięknego, obfitującego w osiągnięcia.

Nie mogę tego zaakceptować. Odniosła sukces, udało jej się. To absurdalne. A gdzie kara, cena, jaką trzeba zapłacić za powodzenie?

Mimo to, gdy składam gazetę, rodzi się we mnie niepokojąca wątpliwość, ulotne przypuszczenie, że oceniam Madaline zbyt surowo, że aż tak bardzo się od niej nie różnię. Czy oboje nie pragnęliśmy uciec, znaleźć nowej tożsamości, narodzić się na nowo? Czy każde z nas w końcu nie zwinęło cum, nie odcięło kotwic, które trzymały nas w porcie? Wzdrygam się na tę myśl, mówię sobie, że nie jesteśmy wcale podobni, chociaż przeczuwam, że pod gniewem, który do niej czuję, być może kryje się zazdrość, że jej się powiodło, a mnie nie.

Odrzucam gazetę. Jeśli Thalia się dowie, to nie ode mnie.

Mama zgarnęła nożem obierki marchewek ze stołu i wrzuciła je do miski. Nie znosiła, gdy jedzenie się marnowało. Z tych obierek zamierzała zrobić marmoladę.

— Hm, przed tobą trudna decyzja, Thalio — powiedziała. Ku mojemu zaskoczeniu, Thalia odwróciła się do mnie.

— A co ty byś zrobił, Markosie? — zapytała.

— Och, dobrze wiem, co by zrobił — rzuciła pospiesznie matka.

— Pojechałbym — odparłem i spojrzałem na nią, z satysfakcją odgrywając buntownika, za którego uważała mnie matka. Ale, oczywiście, mówiłem, co myślę. Nie mieściło mi się w głowie, że Thalia może mieć wątpliwości. Ja od razu skorzystałbym z okazji. Nauka w prywatnej szkole. W Londynie.

— Powinnaś to przemyśleć — odrzekła mama.

— Już przemyślałam — odparła Thalia z wahaniem. Potem, jeszcze bardziej niepewnie, spojrzała matce w oczy. — Ale nie chcę czynić pochopnych założeń.

Mama odłożyła nóż. Usłyszałem, że wypuściła cicho powietrze. Czyżby wstrzymywała oddech? Jeśli tak, jej twarz nie zdradzała ulgi.

— Odpowiedź brzmi „tak" — powiedziała. — Oczywiście, że tak.

Thalia wyciągnęła rękę nad stołem i położyła ją na dłoni matki.

— Dziękuję ci, ciociu Odie.

— Powiem to tylko raz — włączyłem się. — Uważam, że popełniasz błąd. Obie popełniacie błąd.

Odwróciły się i spojrzały na mnie.

— Chcesz, żebym wyjechała, Markosie?

— Tak — odpowiedziałem. — Tęskniłbym za tobą, i to bardzo, dobrze o tym wiesz. Ale nie możesz przepuścić takiej okazji, jaką jest możliwość nauki w prywatnej szkole. Później mogłabyś pójść na studia, zostać naukowcem, wykładowcą, odkrywcą, wynalazcą. Czy nie tego chcesz? Jesteś najinteligentniejszą osobą, jaką znam. Możesz być, kim tylko zapragniesz.

Urwałem.

— Nie, Markosie — odparła Thalia poważnie. — Nie mogłabym.

Powiedziała to stanowczo i z przekonaniem, co ucinało wszelką dyskusję.

Wiele lat później, kiedy zacząłem specjalizować się w chirurgii plastycznej, zrozumiałem coś, czego nie mogłem pojąć tamtego dnia, gdy chciałem namówić Thalię na opuszczenie Tinos. Przekonałem się, że świat nie widzi twojego wnętrza, że nie obchodzą go nadzieje i marzenia, a także smutki kryjące się pod maską skóry i kości. To absurdalnie proste i równie okrutne. Moi pacjenci to wiedzieli. Zdawali sobie sprawę, że to, kim są, będą albo mogą być, zależy od symetrii ich struktury kostnej, odległości między oczami, długości szczęki, kształtu nosa, tego, czy mają idealny kąt nosowo-czołowy, czy nie.

Uroda to wielki, niezasłużony dar, rozdawany przypadkowo i nierozważnie.

Wybrałem więc moją specjalizację, żeby zwiększać szanse takich ludzi jak Thalia, żeby każdym ruchem skalpela naprawiać niesprawiedliwość, żeby walczyć, choćby na małą skalę, z porządkiem świata, który wydaje mi się haniebny, w którym ugryzienie psa może pozbawić dziewczynkę przyszłości, uczynić z niej wyrzutka, obiekt pogardy.

A w każdym razie tak sobie mówię. Są pewnie i inne powody, dla których wybrałem chirurgię plastyczną. Na przykład pieniądze, prestiż, pozycja społeczna. Byłoby zbyt proste, zbyt uładzone i zbyt wyważone, gdybym powiedział, że wybrałem ją ze względu na Thalię, choć brzmiałoby to pięknie. Jeśli nauczyłem się czegoś w Kabulu, to tego, że motywy ludzkich działań są powikłane i nieprzewidywalne. Ale znajduję w tym pociechę, w myśli, że moje życie układa się w pewien wzór, stanowi opowieść wyłaniającą się z mroku jak obraz w ciemni i głosi dobro, które zawsze chciałem w sobie widzieć. Ta opowieść podtrzymuje mnie na duchu.

Pierwszą połowę mojej praktyki spędziłem w Atenach, usuwając zmarszczki, podnosząc łuki brwiowe, wygładzając obwisłe policzki, poprawiając niewydarzone nosy. A w drugiej jej połowie robię to, co zawsze chciałem robić: latam po świecie — do Ameryki Środkowej, Afryki subsaharyjskiej,

Azji Południowej, na Daleki Wschód — i pracuję z dziećmi, operuję zajęcze wargi, rozszczepione podniebienia, usuwam guzy z twarzy i skutki ran. Praca w Atenach nie była tak wdzięczna, choć dobrze płatna, i dawała mi ten luksus, że mogłem poświęcać całe tygodnie i miesiące na pracę jako ochotnik.

Potem, na początku 2002 roku, odebrałem w moim gabinecie telefon od znajomej. Nazywa się Amra Ademovic. Była w Bośni pielęgniarką. Poznaliśmy się przed kilkoma laty na konferencji w Londynie i mieliśmy przelotny, bo trwający tylko przez weekend romans, który był dla nas bez znaczenia, choć pozostaliśmy w kontakcie i gdy nadarzała się okazja, od czasu do czasu spotykaliśmy się na gruncie towarzyskim. Powiedziała mi, że pracuje dla organizacji non-profit w Kabulu i że poszukują chirurga plastycznego, który operowałby dzieci — rozszczepy podniebienia, rany twarzy od szrapneli i pocisków, i tym podobne. Zgodziłem się do razu. Planowałem trzymiesięczny pobyt. Wyjechałem późną wiosną 2002 roku. I już zostałem.

Thalia wychodzi po mnie do portu, do którego przybija prom. Ma na sobie zielony wełniany szalik i gruby płaszcz w kolorze zgaszonego różu, a pod nim sweter i dżinsy. Włosy jej urosły, są rozdzielone przedziałkiem pośrodku głowy i opadają luźno na ramiona. Są siwe i to właśnie — a nie zniekształcona dolna część twarzy — rzuca mi się w oczy, gdy ją widzę. Ale nie jestem zdziwiony, bo Thalia zaczęła siwieć tuż po trzydziestce i dziesięć lat później była siwa jak gołąbek. Wiem, że ja też się zmieniłem, uparcie rośnie mi brzuch i tak samo konsekwentnie odsuwa się linia włosów, ale nasz własny proces starzenia postępuje równie niezauważalnie, co podstępnie. Widok siwowłosej Thalii jest szokującym świadectwem, że oboje zmierzamy powoli ku starości.

— Zmarzniesz — mówi, owijając szalikiem szyję. Jest styczeń, późny ranek, niebo zachmurzone i szare. Na zimnym wietrze szeleszczą suche liście na drzewach.

— Jeśli chcesz się przekonać, co to zimno, przyjedź do Kabulu — odpowiadam. Biorę swoją walizkę.

— Jak uważasz, panie doktorze. Autobus czy na piechotę? Ty wybierasz.

— Przejdźmy się — proponuję.

Ruszamy na północ i przechodzimy przez miasteczko Tinos. W wewnętrznej zatoczce cumują łodzie i jachty. W kioskach można kupić kartki pocztowe i koszulki. Ludzie piją kawę przy okrągłych stolikach stojących przed kawiarniami, czytają gazety, grają w szachy. Kelnerzy rozkładają sztućce przed lunchem. Za godzinę albo dwie z kuchni doleci zapach smażonych ryb.

Thalia zaczyna z pasją opowiadać o kompleksie nowych białych domków, który deweloperzy budują na południe od miasteczka, z widokiem na Mykonos i Morze Egejskie. Mają w nich zamieszkać albo turyści, albo zamożni rezydenci, którzy przyjeżdżają tu na lato od początku lat dziewięćdziesiątych. Mówi, że w ośrodku powstanie klub fitness i zostanie otwarty basen.

Od lat pisze do mnie e-maile, donosząc o zmianach, jakie zachodzą na Tinos. Nadmorskie hotele z antenami satelitarnymi i dostępem do internetu, nocne kluby, bary i tawerny, restauracje i sklepy dla turystów, taksówki, autobusy, zagraniczne turystki, które opalają się topless na plażach. Chłopi jeżdżą teraz pick-upami, zamiast na osłach — przynajmniej ci, którzy zostali. Bo większość dawno wyjechała, choć niektórzy wracają, by spędzić na wyspie emeryturę.

— Odie nie jest zadowolona — informuje Thalia, mająca na myśli ten rozwój. Pisała mi już o tym, że starsi mieszkańcy wyspy odnoszą się podejrzliwie do przyjezdnych i wprowadzanych przez nich zmian.

— Ale tobie to nie przeszkadza — zauważam.

— Nie ma co walczyć z nieuchronnym — odpowiada. A potem dodaje: — Odie mówi: „Ty nie masz na ten temat nic do powiedzenia. Nie urodziłaś się tutaj". — Śmieje się głośno. — Można by pomyśleć, że po czterdziestu latach przeżytych na tej wyspie człowiek ma jakieś prawa. Ale nie.

Thalia też się zmieniła. Mimo że jest w zimowym płaszczu, widzę, że przytyła w biodrach, stała się pulchniejsza — ale ciało ma jędrne, nie miękkie. Zyskała pewną twardość, świadczy o tym lekko drwiący ton, którym komentuje to, co robię, i co chyba wydaje jej się trochę głupie. Blask w oczach i ten nowy głośny śmiech, i rumieniec na policzkach. Ogólne wrażenie: żona rolnika. Typ kobiety twardo stąpającej po ziemi. Jej szorstka życzliwość świadczy o stanowczości i sile, których lepiej nie kwestionować.

— A jak interesy? — pytam. — Wciąż pracujesz?

— Tu i tam — odpowiada Thalia. — Wiesz, jakie są czasy. — Oboje kręcimy głowami. Śledziłem w Kabulu doniesienia o kolejnych oszczędnościach wprowadzanych przez rząd. Oglądałem w CNN zamaskowanych młodych Greków, którzy przed parlamentem obrzucili policję kamieniami, gliniarzy z wyposażeniem bojowym, rozpylających gaz łzawiący, machających pałkami.

Thalia nie prowadzi żadnej działalności biznesowej w pełnym tego słowa znaczeniu. Przed epoką cyfrową zasadniczo była złotą rączką. Chodziła po domach i lutowała tranzystory w telewizorach, wymieniała kondensatory w starych radiach. Wzywano ją do naprawy termostatów w lodówkach, cieknących rur. Ludzie płacili jej, ile mogli. A jeśli nie było ich stać na zapłatę, i tak brała robotę.

— Tak naprawdę nie potrzebuję pieniędzy — powiedziała kiedyś. — Robię to dla sportu. To wciąż mnie ekscytuje, gdy rozmontowuję jakieś urządzenie i widzę, jak działa.

W ostatnich czasach jest jak niezależny jednoosobowy wydział informatyki. Wszystko, co wie i umie, to efekt samokształcenia. Bierze grosze za rozwiązywanie problemów z pecetami, takich jak zmiana ustawień IP, wieszanie się plików, poprawa wydajności czy kłopoty z rozruchem. Nieraz dzwoniłem do niej z Kabulu, gdy zawiesił mi się IBM i rozpaczliwie potrzebowałem pomocy.

Przed domem matki zatrzymujemy się na chwilę pod starym drzewem oliwnym. Widzę ślady jej ostatniej gorączkowej aktywności: odmalowane ściany, niedokończony gołębnik, młotek i otwarte pudełko gwoździ leżące na desce.

— Jak ona się miewa? — pytam.

— Och, jest trudna, jak zwykle. Dlatego zainstalowałam to. — Wskazuje antenę satelitarną umieszczoną na dachu. — Oglądamy zagraniczne opery mydlane. Arabskie są najlepsze, albo najgorsze, na jedno wychodzi. Próbujemy zrozumieć wątki. Dzięki temu mniej się mnie czepia. — Otwiera drzwi. — Witaj w domu. Zrobię ci coś do jedzenia.

Dziwnie jest znowu znaleźć się w domu. Widzę kilka nowych rzeczy, jak szary skórzany fotel w salonie i biały wiklinowy stolik przy telewizorze. Ale wszystko inne pozostało niezmienione. Kuchenny stół, teraz z winylowym przykryciem w gruszki i oberżyny, bambusowe krzesła z prostymi oparciami, stara lampa naftowa z wiklinowym uchwytem, ząbkowany komin osmalony dymem, zdjęcie przedstawiające mnie i matkę — ja w białej koszuli, ona w odświętnej sukience — wciąż wiszące w salonie, matczyny porcelanowy serwis stojący na najwyższej półce kredensu.

Mimo to, gdy stawiam walizkę na podłodze, mam wrażenie, jakby w środku tego wszystkiego ziała dziura. Całe dziesięciolecia w życiu mojej matki i Thalii to dla mnie białe plamy. Nie było mnie tu. Opuściłem wszystkie posiłki, które jadły razem przy tym stole, wspólne śmiechy, kłótnie, okresy nudy, choroby, długie cykle rytuałów, z których składa się życie. Wejście do rodzinnego domu, w którym spędziłem dzieciństwo, powoduje lekką dezorientację, jak przeczytanie zakończenia książki, kiedyś zaczętej, a potem porzuconej.

— Masz ochotę na jajecznicę? — pyta Thalia, wkładając fartuch i lejąc oliwę na patelnię. Krząta się po kuchni pewnie, jak gospodyni.

— Chętnie. A gdzie mama?

— Śpi. Miała ciężką noc.

— Tylko na nią zerknę.

Thalia wyjmuje z szuflady trzepaczkę do jajek.

— Jeśli ją obudzisz, odpowiesz przede mną, panie doktorze.

Wchodzę na palcach po schodach. W pokoju panuje mrok. Przez zaciągnięte zasłony wpada długie, wąskie pasmo światła i oświetla łóżko matki. W powietrzu unosi się zapach choroby, właściwie to nie zapach, tylko jej fizyczna obecność. Zna to każdy lekarz. Choroba wnika do pomieszczeń jak duchota. Stoję przez chwilę w progu i czekam, aż mój wzrok przyzwyczai się do ciemności. Mrok rozprasza prostokąt barwnego światła na toalecie po mojej dawnej stronie łóżka, którą teraz zajmuje Thalia. To cyfrowa ramka na zdjęcia. Obrazy przechodzą jeden w drugi: pole ryżowe i drewniane domki z szarymi dachami, zatłoczony bazar z obdartymi ze skór kozami wiszącymi na hakach, ciemnoskóry mężczyzna kucający nad mętną rzeką i myjący palcem zęby.

Biorę krzesło i siadam przy matce. Gdy tak na nią patrzę, przyzwyczaiwszy wzrok do ciemności, czuję, że coś we mnie pęka. Jestem przerażony tym, jak bardzo się skurczyła. Już. Piżama w kwiatki jest luźna na ramionach, na płaskiej piersi. Nie obchodzi mnie, jak matka śpi, że ma otwarte usta, jakby śniło jej się coś nieprzyjemnego. Nie podoba mi się, że we śnie jej proteza się obsunęła. Powieki drgają. Siedzę przy niej przez chwilę. Zadaję sobie pytanie: a czego się spodziewałeś? I słucham tykania zegara na ścianie, cichego szurania łopatki na patelni, które dochodzi z dołu. Rejestruję banalne szczegóły życia matki w tym pokoju. Płaski telewizor na ścianie, komputer w kącie, niedokończone sudoku na nocnej szafce, strona w pisemku zaznaczona okularami do czytania, pilot do telewizora, buteleczka z kroplami do oczu, tubka kremu sterydowego, tubka kleju do protez, słoiczek z tabletkami, a na podłodze puszyste kapcie w perłowym kolorze. Nigdy wcześniej takich nie nosiła. Obok kapci otwarta paczka pieluch. Te rzeczy w moim wyobrażeniu nie pasują do matki. Nie chcę ich zaakceptować. Mam wrażenie, jakby należały do kogoś obcego. Kogoś niesprawnego, bezradnego. Kogoś, na kogo nie można się gniewać.

Po drugiej stronie łóżka obraz w cyfrowej ramce znowu się zmienia. Śledzę kilka następnych. A potem do mnie dociera, znam te zdjęcia. To ja je zrobiłem. Gdy byłem... Co? Chyba gdy wędrowałem po świecie. Zawsze zamawiałem drugi komplet odbitek i wysyłałem Thalii. Ona je zachowała. Przez te wszystkie lata. Thalia. Ogarnia mnie czułość słodka jak miód. Od początku była dla mnie jak siostra, mój Manaar.

Cicho woła mnie z dołu.

Wstaję szybko. Kiedy wychodzę z pokoju, coś przykuwa mój wzrok. Coś w ramce, na ścianie pod zegarem. Nie widzę dobrze w ciemności. Otwieram telefon komórkowy i patrzę na to w srebrnym blasku wyświetlacza. To artykuł Associated Press o organizacji humanitarnej, dla której pracuję w Kabulu. Napisał go miły dziennikarz, Amerykanin koreańskiego pochodzenia, który lekko się jąkał. Zjedliśmy na spółkę afgański pilaw z brązowym ryżem, rodzynkami i jagnięciną. Na środku jest zdjęcie: ja, kilkoro dzieci, Nabi z tyłu, stojący sztywno, z rękami za plecami, jednocześnie podejrzliwy, onieśmielony i pełen godności, jak często Afgańczycy na fotografiach. Jest także Amra ze swoją adoptowaną córką Roszi. Wszystkie dzieci się uśmiechają.

— Markosie!

Zamykam klapkę telefonu i schodzę po schodach.

Thalia stawia przede mną szklankę mleka i talerz jajecznicy z pomidorami.

— Nie martw się, posłodziłam mleko.

— Pamiętałaś.

Siada, nie zdejmując fartucha. Opiera łokcie na stole i patrzy, jak jem, od czasu do czasu ocierając chusteczką lewy policzek.

Pamiętam te wszystkie razy, kiedy próbowałem ją namówić, żeby oddała się w moje ręce i pozwoliła mi się zoperować. Mówiłem jej, że chirurgia plastyczna od lat sześćdziesiątych przeszła długą drogę i że z całą pewnością mogę, jeśli nie całkowicie, to przynajmniej w znacznym stopniu zrekonstruować jej twarz. Thalia jednak odmawiała, ku mojemu wielkiemu zdziwieniu.

— Jestem, jaka jestem — odpowiadała.

Beznadziejna, nieprzekonująca odpowiedź, myślałem wtedy. Co to w ogóle ma znaczyć? Nie rozumiałem. Do głowy przychodziły mi nieładne myśli: o więźniach odsiadujących dożywocie, którzy boją się wyjść na wolność, przerażeni perspektywą zwolnienia warunkowego, zmian, konieczności rozpoczęcia nowego życia poza drutem kolczastym i wieżami strażniczymi.

Propozycja, którą złożyłem Thalii, wciąż jest aktualna. Wiem, że z niej nie skorzysta. Ale teraz rozumiem dlaczego. Bo ma rację — jest, jaka jest. Nie udaję, że wiem, co się czuje, codziennie patrząc w lustrze na taką twarz, robiąc bilans jej upiornego zniszczenia, zbierając siły, żeby się z nią pogodzić. Ten cały morderczy wysiłek, trud, cierpliwość. Proces akceptacji postępował powoli, latami, ale Thalia stała się jak skały nad morzem rzeźbione przez fale. Psu wystarczył moment, żeby ukształtować tę twarz, a Thalii zajęło całe życie nadawanie jej tożsamości. Nie pozwoliłaby mi zniweczyć tego wszystkiego skalpelem. To byłoby jak zadanie nowej rany w miejscu starej.

Pochłaniam jajecznicę, bo wiem, że sprawię jej tym przyjemność, choć tak naprawdę nie jestem głodny.

— Pyszne, Thalio.

— To co? Jesteś podekscytowany?

— Czym?

Sięga za siebie i otwiera szufladę pod blatem. Wyjmuje z niej okulary przeciwsłoneczne z prostokątnymi szkłami. Przez chwilę nie rozumiem. A potem sobie przypominam: zaćmienie Słońca.

— A tak, oczywiście.

— Początkowo myślałam, że będziemy je oglądali przez dziurkę w kartce. Ale potem Odie powiedziała, że przyjeżdżasz, więc stwierdziłam: „A co tam, zróbmy to z klasą".

Przez chwilę rozmawiamy o zaćmieniu słońca, które ma nastąpić nazajutrz. Thalia mówi, że zacznie się rano, a zakończy koło południa, czy jakoś tak. Sprawdziła prognozę pogody i dowiedziała się z ulgą, że na wyspie nie będzie zachmurzenia. Pyta, czy chcę jeszcze jajecznicy, mówię, że tak, a wtedy ona opowiada mi o nowej kafejce internetowej, która powstała w dawnym sklepiku pana Russosa.

— Widziałem zdjęcia — zmieniam temat. — Na górze. I artykuł.

Zgarnia okruchy chleba ze stołu i wrzuca je przez ramię do zlewu, nawet nie patrząc.

— Och, to było proste. Skanowanie i zgrywanie do komputera. Najtrudniej było posortować je według krajów. Musiałam siedzieć i kombinować, bo nigdy nie przesyłałeś opisów, tylko same zdjęcia. A ona miała wymagania, chciała, żeby wszystko było poukładane. Uparła się i już.

— Kto?

Wzdycha.

— Jak to kto? A jak myślisz? Odie. A któżby inny?

— To był jej pomysł?

— Artykuł też. To ona znalazła go w internecie.

— Mama szukała o mnie informacji? — pytam.

— Po co ja ją tego nauczyłam. Teraz nie można jej oderwać od komputera. — Thalia parska śmiechem. — Codziennie tropi cię w sieci. Tak, tak, jesteś ofiarą cyberstalkingu, Markosie Varvarisie.

Mama schodzi na dół wczesnym popołudniem. Ma na sobie ciemnoniebieski szlafrok i puszyste kapcie, które już zdążyłem znienawidzić. Wygląda na to, że uczesała włosy. Z ulgą widzę, że porusza się normalnie, gdy tak idzie po schodach, wyciąga do mnie ręce i uśmiecha się sennie.

Siadamy przy stole, żeby napić się kawy.

— Gdzie Thalia? — pyta, dmuchając do kubka.

— Wyszła po jakieś smakołyki. Na jutro. Czy to twoje, mamo? — Wskazuję laskę opartą o ścianę za nowym fotelem. Nie zauważyłem jej wcześniej, gdy wszedłem do domu.

— Och, prawie jej nie używam. Tylko w gorsze dni. I na dłuższe spacery. A nawet wtedy tylko dla świętego spokoju. — Za bardzo mnie zbywa, więc orientuję się, że polega na lasce bardziej, niż chce przyznać. — Martwię się o ciebie.

Wiadomości z tego okropnego kraju... Thalia nie chce, żebym słuchała. Mówi, że tylko się zdenerwuję.

— Rzeczywiście zdarzają się różne incydenty — przyznaję — ale przeważnie ludzie żyją normalnie, każdym swoim życiem. Poza tym zawsze na siebie uważam, mamo. — Oczywiście nie mówię jej o strzelaninie w pensjonacie po drugiej stronie ulicy, o nowej fali ataków na pracowników zagranicznych organizacji humanitarnych ani o tym, że gdy jeżdżę po mieście, mam przy sobie pistolet kalibru dziewięć milimetrów, choć nie powinienem go mieć, i to właśnie znaczy, że na siebie uważam.

Mama upija łyk kawy i lekko się krzywi. Nie wypytuje mnie więcej. Nie bardzo wiem, czy to dobrze, czy źle. Nie wiem, czy odpływa, zamyka się w sobie, jak starsi ludzie mają w zwyczaju, czy to taktyka, żeby nie zmuszać mnie do kłamstw ani wyjawiania faktów, które tylko by ją zmartwiły.

— Brakowało nam ciebie w Boże Narodzenie — mówi.

— Nie mogłem przyjechać, mamo.

Kiwa głową.

— Ale już jesteś. To najważniejsze.

Popijam kawę. Pamiętam, że kiedy byłem mały, mama i ja codziennie przed wyjściem do szkoły w ciszy jedliśmy przy tym stole śniadanie. Niewiele rozmawialiśmy.

— Wiesz, mamo, ja też się o ciebie martwię.

— Niepotrzebnie. Całkiem dobrze sobie radzę. — Błysk dawnej dumy, jak światełko w mroku.

— Ale jak długo jeszcze?

— Tak długo, jak się da.

— A jak się nie da, to co wtedy? — Nie prowokuję jej. Pytam, bo nie wiem. Nie wiem, jaka będzie moja rola, ani nawet czy jakąś odegram.

Spokojnie patrzy mi w oczy. Potem wsypuje do kubka łyżeczkę cukru i powoli miesza kawę.

— To zabawne, Markosie, ale zwykle jest odwrotnie. Ludzie myślą, że żyją, jak chcą. A tymczasem przeważnie kieruje nimi strach. A tego nie chcą.

— Nie bardzo rozumiem, mamo.

— Hm, weźmy na przykład ciebie. Twój wyjazd. Życie, jakie wybrałeś. Bałeś się, że będziesz tu ograniczony. Przeze mnie. Bałeś, się, że nie będziesz miał swobody. Albo Thalia. Została tu, bo nie chciała, żeby na nią patrzono.

Patrzę, jak mama próbuję kawę i wsypuje do niej kolejną łyżeczkę cukru. Pamiętam, że jako chłopiec zawsze bałem się z nią dyskutować. Mówiła w sposób, który nie dawał możliwości odpowiedzi, miażdżyła mnie prawdą mówioną prosto w oczy, bez ogródek. Czułem się pokonany, zanim jeszcze zdążyłem wypowiedzieć słowo. Zawsze wydawało mi się to nie w porządku.

— A ty, mamo? Czego ty się boisz? Czego nie chcesz? — pytam.

— Być ciężarem.

— Nie będziesz.

— Och, tu masz rację, Markosie.

Na tę tajemniczą uwagę ogarnia mnie niepokój. Przypominam sobie list, który Nabi dał mi w Kabulu, jego pośmiertne wyznanie. Pakt, który zawarł z nim Solejman Wahdati. Mimowolnie zaczynam się zastanawiać, czy mama nie zawarła podobnego paktu z Thalią, jeśli wybrała ją na wspólniczkę, gdy przyjdzie pora. Wiem, że Thalia by to zrobiła. Jest już silna. Uratowałaby matkę.

Mama przygląda mi się uważnie.

— Masz swoje życie i pracę, Markosie — mówi łagodniej, zmieniając bieg rozmowy, jakby czytała mi w myślach, wiedziała, czym się niepokoję. Sztuczna szczęka, pieluchy, puchate kapcie, to mnie zmyliło, nie doceniłem jej. Wciąż ma przewagę. Zawsze będzie miała. — Nie chcę cię niczym obciążać.

Wreszcie kłamstwo — to, co powiedziała na końcu — ale dobrotliwe. To nie mnie by obciążyła. Wie to równie dobrze jak ja. Mnie nie ma, jestem tysiące kilometrów stąd. To, co nieprzyjemne, harówka, trud — to wszystko spadnie na Thalię. Ale mama włącza mnie w to, obiecuje mi coś, na co nie zasłużyłem, nawet nie próbowałem zasłużyć.

— To nie będzie tak — odpowiadam niepewnie.

Mama się uśmiecha.

— A skoro mowa o pracy, chyba wiesz, że nie aprobowałam twojej decyzji, żeby wyjechać do tamtego kraju.

— Owszem, tak podejrzewałem.

— Nie rozumiałam, po co chcesz tam jechać. Po co masz porzucić wszystko... praktykę, pieniądze, dom w Atenach... to, na co pracowałeś... żeby zaszyć się w tym niebezpiecznym miejscu.

— Miałem swoje powody.

— Wiem. — Podnosi kubek do ust, a potem opuszcza, nie upiwszy łyka. — Nie jestem w tym za dobra — podejmuje powoli, wręcz nieśmiało — ale chcę ci powiedzieć, że wyszedłeś na ludzi. Jestem z ciebie dumna, Markosie.

Opuszczam głowę i spoglądam na swoje ręce. Te słowa głęboko we mnie zapadają. Wystraszyła mnie. Zaskoczyła. Tym, co powiedziała. A może łagodnym błyskiem oczu, z którym to mówiła? Nie wiem, co odpowiedzieć.

— Dziękuję ci, mamo — mamroczę.

Nie jestem w stanie powiedzieć nic więcej, toteż siedzimy przez chwilę w milczeniu, w powietrzu wisi skrępowanie i świadomość całego tego straconego czasu, zmarnowanych szans.

— Chciałam cię o coś zapytać — odzywa się mama.

— O co?

— James Parkinson. George Huntington. Robert Graves. John Down. Lou Gehrig w moim przypadku. Jak to się stało, że mężczyźni zmonopolizowali także nazwy chorób?

Mrugam i moja matka robi to samo, a potem się śmieje, tak jak ja. Choć w środku rozpadam się na kawałki.

Następnego ranka leżymy na dworze na leżakach. Mama ma na sobie gruby szal i szarą kurtkę typu parka, nogi okryła wełnianym kocem. Pijemy kawę i pogryzamy pieczone pigwy posypane cynamonem, które Thalia kupiła na tę okazję. Wszyscy mamy na nosach okulary i patrzymy w niebo. Słońce jest już lekko nadgryzione od północnej strony, wygląda trochę jak logo na laptopie, który Thalia otwiera co jakiś czas, żeby napisać jakiś post na forum w internecie. Po obu stronach ulicy ludzie rozsiedli się na chodnikach i dachach, żeby oglądać spektakl na niebie. Niektórzy pojechali z rodzinami na drugi koniec wyspy, gdzie greckie towarzystwo astronomiczne ustawiło teleskopy.

— O której ma nastąpić kulminacja? — pytam.

— Około wpół do jedenastej — odpowiada Thalia. Podnosi okulary i spogląda na zegarek. — Czyli mniej więcej za godzinę. — Zaciera z podnieceniem ręce, wystukuje coś na klawiaturze.

Patrzę na nie obie: matkę w ciemnych okularach, z żylastymi dłońmi splecionymi na piersi, Thalię z siwymi włosami wymykającymi się spod wełnianej czapki, walącą w klawiaturę.

„Wyszedłeś na ludzi".

Poprzedniego wieczoru leżałem na kanapie, myślałem o tym, co powiedziała wcześniej mama, i przyszła mi na myśl Madaline. Przypomniałem sobie, że jako chłopiec miałem matce za złe to wszystko, czego nie robiła tak jak inne matki. Nie trzymała mnie za rękę, gdy szliśmy dokądś razem. Nie brała mnie na kolana, nie czytała mi przed snem, nie całowała na dobranoc. To prawda, tak było. Ale przez te wszystkie lata nie widziałem innej prawdy, która spoczywała ukryta pod tymi pretensjami i żalami. Prawdy, że matka nigdy by mnie nie opuściła. To był jej dar dla mnie, pewność, że nigdy nie zrobiłaby mi tego, co Madaline zrobiła Thalii. Była moją matką i nie zostawiłaby mnie. Nie podziękowałem jej za to, tak jak nie dziękowałem słońcu za to, że świeci.

— Spójrzcie! — zawołała Thalia.

Nagle wszędzie wokół nas — na ziemi, na murach, na naszych ubraniach — pojawiły się sierpy światła, a pomiędzy liśćmi naszego drzewa oliwnego zaświeciło słońce w kształcie półksiężyca. Widzę świetliste półksiężyce na kawie w kubku, na sznurowadłach.

— Pokaż ręce, Odie — mówi Thalia. — Szybko!

Mama wyciąga ręce i pokazuje wnętrze dłoni. Thalia wyjmuje z kieszeni kwadrat szkła. Trzyma je nad dłońmi matki. Nagle na pomarszczonej skórze zaczynają drgać małe półksiężycowe tęcze.

— Popatrz na to, Markosie! — mówi mama, uśmiechając

się z zachwytem jak uczennica. Nigdy nie widziałem jej uśmiechniętej tak beztrosko, radośnie.

Siedzimy we troje i patrzymy na drżące tęcze na rękach matki, a mnie nagle ogarnia smutek i dawny ból, jakby na moim gardle zacisnęła się jakaś ręka.

„Wyszedłeś na ludzi".

„Jestem z ciebie dumna, Markosie".

Mam pięćdziesiąt pięć lat. Przez całe życie czekałem, żeby usłyszeć te słowa. Czy już na to za późno? Dla nas obojga? Czy zmarnowaliśmy za dużo czasu, mama i ja? Coś mi mówi, że lepiej jest tak, jak jest i jak było, gdy zachowywaliśmy się, jakbyśmy nie mieli świadomości, jak bardzo jesteśmy nie-dopasowani. Tak było łatwiej, mniej boleśnie. To lepsze niż tamte spóźnione słowa. Kruchy, ulotny błysk tego, jak mogło między nami być. To tylko zrodzi żal, mówię sobie, a po co komu żal? Żal niczego nie wróci. Tego, co straciliśmy, nie da się odzyskać.

A jednak, kiedy matka mówi:

— Czy to nie piękne, Markosie?

Odpowiadam:

— Tak, mamo. Piękne.

I gdy coś zaczyna się we mnie rozwierać, biorę ją za rękę.

9

Zima 2010

K iedy byłam małą dziewczynką, ojciec i ja odprawialiśmy wieczorny rytuał. Gdy już wypowiedziałam dwadzieścia jeden razy *bismillah**, kładł mnie do łóżka, siadał obok i palcem wskazującym oraz kciukiem wyjmował mi z głowy złe sny. Przesuwał dłonią od mojego czoła do skroni, cierpliwie szukał za uszami, nad karkiem, i wydawał krótkie „bum!" — jak dźwięk towarzyszący wyciągnięciu korka — za każdym razem, gdy usunął jakiś koszmar z mojego mózgu. Pakował je kolejno, jeden po drugim, do niewidzialnego worka, który trzymał na kolanach, i mocno zawiązywał go sznurkiem. Później łapał w powietrzu szczęśliwe sny, żeby zastąpić koszmary, które wyplenił. Patrzyłam, jak zadziera lekko głowę i ściągając brwi, przesuwa wzrokiem z lewa na prawo, jakby wsłuchiwał się w odległą muzykę. Wstrzymywałam oddech, czekając na chwilę, kiedy ojciec się uśmiechnie, powie śpiewnie: „O, jest jeden!", i rozłoży dłonie, żeby

---

* *Bismillach* (arab.) — w imię Boga.

złapać sen jak płatek kwiatu powoli spadający z drzewa. Delikatnie, tak bardzo delikatnie — mówił, że wszystko, co w życiu dobre, jest kruche i łatwo to stracić — podnosił ręce do mojej twarzy, przesuwał nimi po czole i wkładał mi do głowy szczęście.

— Co mi się przyśni dziś w nocy, *babo*? — pytałam.

— Och, dziś... Dziś przyśni ci się coś wyjątkowego — odpowiadał zawsze, a potem mówił mi co. Wymyślał opowieść na poczekaniu. W jednym ze snów, które mi dał, stałam się najsławniejszą malarką na świecie. W innym byłam królową zaczarowanej wyspy i miałam latający tron. Dał mi nawet sen o moim ulubionym przysmaku, galaretce Jell-o. Miałam taką moc, że jednym ruchem ręki, gdybym chciała, mogłam zamienić w nią wszystko — szkolny autobus, Empire State Building, cały Pacyfik. Nie raz ratowałam planetę przed unicestwieniem, machając ręką w stronę nadlatującego meteorytu. *Baba*, który rzadko wspominał o swoim ojcu, mówił, że odziedziczył talent do opowiadania historii właśnie po nim. Kiedy był mały, ojciec czasami siadał przy nim — jeśli miał nastrój, a to nie zdarzało się często — i opowiadał baśnie, w których występowały dżiny, duszki i dewy.

W niektóre wieczory zamienialiśmy się rolami. To on zamykał oczy, a ja przesuwałam dłońmi po jego twarzy, zaczynając od czoła, przez kłujące zarostem policzki i szorstkie wąsy.

— To co mi się przyśni dzisiejszej nocy? — pytał szeptem, biorąc mnie za ręce. I na jego ustach pojawiał się uśmiech. Bo ojciec już wiedział, jaki sen mu ofiaruję. Zawsze ten sam. O nim i jego siostrzyczce, jak leżą pod kwitnącą jabłonią i zapadają w popołudniową drzemkę. Słońce ogrzewa im policzki, jego blask wydobywa z krajobrazu trawę, liście, szum wiatru nad nimi.

Byłam jedynaczką, więc często czułam się samotna. Gdy urodziłam się rodzicom, którzy poznali się jeszcze w Pakistanie, oboje mieli czterdzieści lat i postanowili nie kusić losu po raz drugi. Pamiętam, jak patrzyłam z zazdrością na wszystkie dzieci z sąsiedztwa albo w szkole, które miały brata lub siostrę. Byłam zdziwiona tym, jak się do nich odnosiły, nieświadome tego, jakie są szczęśliwe. Bracia i siostry zachowywali się wobec siebie jak dzikie psy. Szczypali się, bili, popychali, zdradzali na wszystkie sposoby, jakie tylko przychodziły im do głowy. I jeszcze się z tego śmiali. Nie odzywali się do siebie. Nie rozumiałam tego. Ja przez prawie całe dzieciństwo marzyłam o rodzeństwie. Najbardziej pragnęłam mieć bliźniaka albo bliźniaczkę, kogoś, kto by płakał razem ze mną w łóżeczku, spał przy mnie, jednocześnie pił mleko z piersi matki. Kogoś, kogo mogłabym kochać bezgranicznie i całkowicie i w czyjej twarzy zawsze odnajdowałabym siebie.

I dlatego moją potajemną towarzyszką, niewidzialną dla wszystkim innych poza mną, stała się siostrzyczka *baby*, Pari. Była moją siostrą, taką, którą zawsze chciałam dostać od rodziców. Widziałam ją w łazienkowym lustrze, gdy myłyśmy rano zęby. Ubierałyśmy się razem. Szła ze mną do szkoły i siadała blisko mnie w klasie — kiedy patrzyłam na tablicę, zawsze kątem oka widziałam jej czarne włosy i jasny profil. Podczas przerwy zabierałam ją na podwórko i czułam jej obecność, gdy bujałam się na huśtawce, przeskakiwałam z jednej poprzeczki na drugą. Po szkole, kiedy siadałam przy kuchennym stole i rysowałam, ona bazgrała coś obok albo wyglądała przez okno, dopóki nie skończyłam, a wtedy wybiegałyśmy na dwór, żeby poskakać na skakance, a nasz podwójny cień wznosił się i opadał na betonie.

Nikt nie wiedział, że bawię się z Pari. Nawet ojciec. To była moja tajemnica.

Czasami, gdy w pobliżu nie było nikogo, jadłyśmy winogrona i rozmawiałyśmy bez końca — o zabawkach, najsmaczniejszych płatkach zbożowych, ulubionych kreskówkach, koleżankach i kolegach ze szkoły, których nie lubiłyśmy, najwredniejszych nauczycielach. Miałyśmy ten sam ulubiony kolor — żółty; ulubione lody — wiśniowe; serial telewizyjny — *Alf*; i obie, kiedy dorośniemy, chciałyśmy zostać malarkami. Oczywiście wyobrażałam sobie, że jesteśmy do siebie podobne jak dwie krople wody, bo przecież byłyśmy bliźniaczkami. Czasami niemal ją widziałam — naprawdę widziałam — na obrzeżach pola widzenia. Próbowałam ją narysować i za każdym razem obdarzałam ją takimi samymi oczami jak moje, trochę niejednolicie zielonymi, takimi samymi ciemnymi kręconymi włosami, długimi ukośnymi brwiami, które niemal się stykały. Jeśli ktoś pytał, kogo rysuję, odpowiadałam, że siebie.

Historię tego, jak ojciec stracił siostrę, znałam równie dobrze jak opowieści o Proroku, które snuła matka i które poznałam później, gdy rodzice zapisali mnie do szkółki niedzielnej przy meczecie w Haywardzie. Mimo to co wieczór prosiłam ojca, żeby mi o tym opowiedział, bo ta historia mnie fascynowała. Może po prostu dlatego, że Pari i ja miałyśmy tak samo na imię. A może czułam między nami jakąś więź, mroczną, sekretną, ale całkiem realną. Lecz było w tym coś więcej. Miałam wrażenie, że czymś mnie naznaczyła, jakby i mnie dotknęło to, co spotkało ją. Czułam, że jesteśmy ze sobą nierozerwalnie związane, połączone niewidzialną więzią, w sposób, którego nie rozumiałam, i to wykraczało poza wspólne imię, rodzinne pokrewieństwo, jakbyśmy razem stanowiły puzzle.

Byłam przekonana, że gdybym wsłuchała się dobrze w jej historię, dowiedziałabym się także czegoś o sobie.

— Myślisz, że twojemu ojcu było smutno? Bo ją sprzedał?

— Niektórzy ludzie potrafią dobrze ukrywać smutek, Pari. On do nich należał. Patrząc na niego, trudno było powiedzieć. Był twardym człowiekiem. Ale tak, sądzę, że w środku było mu bardzo smutno.

— A tobie?

Ojciec się uśmiechał.

— Dlaczego miałbym się smucić, skoro mam ciebie? — odpowiadał, ale nawet wtedy wiedziałam, że nie mówi prawdy. Miał to wypisane na twarzy, ten smutek był jak znamię.

Gdy tak rozmawialiśmy, snułam w głowie fantazje. Zaoszczędzę pieniądze, nie wydając ani dolara na cukierki ani naklejki, i kiedy moja świnka skarbonka będzie pełna — choć tak naprawdę to nie była świnka, tylko syrenka siedząca na skale — rozbiję ją, schowam do kieszeni jej zawartość i wyruszę na poszukiwania siostrzyczki ojca. I odnajdę ją, gdziekolwiek jest, a potem wykupię i sprowadzę do domu, do *baby*. Uszczęśliwię go tym. Niczego bardziej nie pragnęłam, niż wyleczyć go z tego smutku.

— Więc co mi się przyśni dziś w nocy? — pytał *baba*.

— Przecież wiesz.

Znowu uśmiech.

— Tak, wiem.

— *Babo?*

— Mhm?

— Była dobrą siostrą?

— Wspaniałą.

Całował mnie w policzek i podciągał koc pod brodę. Przy drzwiach, po wyłączeniu światła, zatrzymywał się i mówił:

— Była wspaniała. Tak jak ty.

Zawsze czekałam, aż zamknął drzwi, a potem wstawałam z łóżka, brałam drugą poduszkę i kładłam ją obok swojej. Co wieczór zasypiałam, czując w piersi bicie drugiego, bliźniaczego serca.

Zerkam na zegarek i wjazdem Old Oakland dostaję się na autostradę. Już dwunasta trzydzieści. Żeby dojechać do lotniska w San Francisco, potrzebuję jeszcze co najmniej czterdziestu minut, o ile nie zdarzy się żaden wypadek ani roboty drogowe na stojedynce. Na szczęście to lot międzynarodowy, więc będzie musiała jeszcze przejść przez odprawę celną, a to może zająć trochę czasu. Zjeżdżam na lewy pas i wciskam gaz, jadąc lexusem sto trzydzieści kilometrów na godzinę.

Przypominam sobie cudowną rozmowę, którą odbywałam z *babą* z miesiąc wcześniej. Była to zwykła wymiana zdań, bąbelek normalności, jak pęcherz powietrza w głębi ciemnego, zimnego oceanu. Przyniosłam mu z opóźnieniem lunch, a on odwrócił głowę i zauważył, z łagodną przyganą, że mam genetycznie wdrukowaną niepunktualność.

— Jak twoja matka, niech Bóg ma w opiece jej duszę. Ale przecież — dodał z uśmiechem, jakby chciał mnie uspokoić — człowiek musi mieć jakąś wadę.

— Więc to jedyna symboliczna wada, jaką obdarzył mnie Bóg? — zapytałam, stawiając mu na kolanach talerz z ryżem i fasolą. — Notoryczna niepunktualność?

— Mógłbym dodać, że zrobił to z wielką niechęcią. — *Baba* wziął mnie za ręce. — Bo byłabyś prawie idealna.

— Hm, jeśli chcesz, możesz dorzucić jeszcze kilka wad.

— Masz je ukryte, co?

— Och, mnóstwo. Niedługo się ujawnią. Gdy będziesz stary i niedołężny.

— Już jestem stary i niedołężny.

— Chcesz, żebym się nad tobą litowała.

Manipuluję przy radiu, przerzucając się od rozmowy, do country, potem jazzu i znowu na rozmowę. W końcu je wyłączam. Jestem niespokojna i podenerwowana. Biorę telefon komórkowy z siedzenia pasażera. Dzwonię do domu i kładę komórkę na kolanach.

— Halo?

— *Salam, babo*, to ja.

— Pari?

— Tak, *babo*. Wszystko w domu dobrze u ciebie i Hectora?

— Tak. To wspaniały młody człowiek. Usmażył nam jajecznicę. Zjedliśmy ją z tostami. Gdzie jesteś?

— W drodze — odpowiadam.

— Do restauracji? Chyba dziś nie twoja zmiana?

— Nie, jadę na lotnisko, *babo*. Żeby kogoś odebrać.

— Dobrze. Poproszę twoją matkę, żeby przygotowała nam lunch — mówi. — Mogłaby przynieść coś z restauracji.

— Dobrze, *babo*.

Ku mojej uldze, nie wspomina o niej więcej. Ale czasami nie może przestać.

— Dlaczego nie chcesz mi powiedzieć, gdzie ona jest, Pari? Ma operację? Nie okłamuj mnie! Dlaczego wszyscy mnie okłamują? Odeszła? Jest w Afganistanie? To ja też tam jadę! Jadę do Kabulu, nie powstrzymasz mnie.

Ciągle prowadzimy takie rozmowy, *baba* krąży z roztargnieniem po pokoju, ja opowiadam mu kłamstwa, a potem próbuję skupić jego uwagę na katalogach wnętrzarskich, które zbiera, albo na czymś w telewizji. Czasami to działa, ale często *baba* nie daje się zwieść. Martwi się, aż do oczu napływają mu łzy i wpada w histerię. Bije się w czoło i kiwa w fotelu, szlocha, zaczyna się trząść i muszę podawać mu coś na uspokojenie. Czekam, aż wzrok mu się zamgli, a wtedy padam na kanapę wyczerpana, bez tchu, sama bliska łez. Tęsknie spoglądam na drzwi, widzę w wyobraźni rozciągającą się za nimi przestrzeń i pragnę wyjść na dwór, a potem po prostu iść przed siebie. A wtedy *baba* jęczy we śnie i przepełniona poczuciem winy, wracam do rzeczywistości.

— Mogę porozmawiać z Hectorem, *baba*?

Słyszę, że słuchawka przechodzi z rąk do rąk. W tle pomruk widowni teleturnieju, potem oklaski.

— Hej, dziewczyno.

Hector Juarez mieszka po drugiej stronie ulicy. Jesteśmy sąsiadami od wielu lat i ostatnio się zaprzyjaźniliśmy. Przychodzi parę razy w tygodniu, jemy razem jakieś świństwo z fast foodu i oglądamy do późnego wieczora głupoty w telewizji, przeważnie reality show. Pochłaniamy zimną pizzę i kręcimy głowami z niezdrową fascynacją, przypatrując się błazenadom i napadom wściekłości na ekranie. Hector był kiedyś żołnierzem piechoty morskiej, stacjonował na południu Afganistanu. Przed paroma laty został paskudnie ranny na skutek wybuchu miny. Kiedy wreszcie wrócił do domu, przywitali go wszyscy sąsiedzi. Jego rodzice wywiesili na podwórku transparent: „Witaj w domu, Hectorze!", razem z balonami i mnóstwem kwiatów. Kiedy rodzice zajechali z nim pod dom, rozległy się oklaski. Kilku sąsiadów upiekło ciasta. Dziękowali mu za służbę. Mówili: „Bądź silny, Hectorze, niech Bóg cię błogosławi". Jego ojciec, Cesar, przyszedł do nas kilka dni później i razem zainstalowaliśmy taki sam podjazd dla wózków, jaki zamontował przed własnymi drzwiami, zwieńczonymi amerykańską flagą. Pamiętam, że gdy pracowaliśmy razem, poczułam potrzebę, żeby przeprosić Cesara za to, co zdarzyło się Hectorowi w ojczyźnie mojego ojca.

— Cześć — mówię. — Pomyślałam, że sprawdzę, co u was.

— Wszystko w porządku — odpowiada Hector. — Zjedliśmy lunch. Obejrzeliśmy *Dobrą cenę*. Teraz zalegliśmy przed telewizorem przy *Kole fortuny*. Potem będzie serial.

— Ojej, przepraszam.

— Za co? Doskonale się bawimy. No nie, Abe?

— Dzięki, że usmażyłeś mu jajecznicę — rzucam.

Hector lekko ścisza głos.

— Naleśniki. I wiesz co? Bardzo mu smakowały. Zjadł cały stos.

— Naprawdę jestem ci wdzięczna.

— Hej, podoba mi się ten twój nowy obraz, mała. Ten z dzieciakiem w śmiesznym kapeluszu. Abe mi go pokazał. Był bardzo dumny. Tak jak ja, do cholery! Ty też powinnaś być dumna, mała.

Uśmiechając się, zmieniam pas, żeby puścić faceta, który siedzi mi na ogonie.

— Może już wiem, co podaruję ci na Boże Narodzenie.

— Przypomnij mi, dlaczego nie możemy się pobrać? — mówi Hector i słyszę protesty *baby* w tle, a potem śmiech Hectora. — Żartuję, Abe. Odczep się ode mnie. Przecież jestem kaleką. — A potem zwraca się do mnie: — Chyba w twoim ojcu obudził się Pasztun.

Przypominam mu, żeby dał ojcu tabletki w południe, i kończę rozmowę.

To jak zobaczyć zdjęcie osoby znanej z radia — nigdy nie wygląda tak, jak sobie człowiek wyobrażał, słuchając jej głosu w samochodzie. Po pierwsze, jest stara. Albo starsza. Oczywiście byłam tego świadoma. Dokonałam obliczeń i wyszło mi, że musi być po sześćdziesiątce. Tyle że trudno pogodzić obraz szczupłej siwowłosej kobiety z wizją dziewczynki, którą zawsze miałam w głowie, trzylatki z ciemnymi kręconymi włosami i długimi brwiami, które niemal się stykają, jak moje. I jest wyższa, niż się spodziewałam. Widzę to, mimo że siedzi na ławce przy budce z kanapkami, rozglądając się z przestrachem, jakby się zgubiła. Ma wąskie ramiona i delikatną budowę, miłą twarz, włosy ściągnięte do tyłu i szydełkową opaskę. W uszach nosi kolczyki z nefrytu, jest w spranych dżinsach, długim swetrze w kolorze łososiowym i żółtej apaszce zawiązanej wokół szyi z typowo europejską elegancją. W ostatnim e-mailu pisała mi, że będzie miała na sobie tę apaszkę, żebym mogła ją rozpoznać.

Jeszcze mnie nie dostrzegła, więc zatrzymuję się na chwilę wśród podróżnych pchających wózki z bagażami i taksówkarzy z nazwiskami klientów na tekturowych tabliczkach. Serce mi wali. Myślę: To ona. To ona. To naprawdę ona.

Potem nasze spojrzenia się spotykają i jej twarz się rozjaśnia. Poznała mnie i macha.

Spotykamy się przy ławce. Uśmiecha się i uginają się pode mną kolana. Ma uśmiech *baby* — z wyjątkiem szpary między przednimi górnymi zębami, wielkości ziarnka ryżu. Jak on unosi nieco lewy kącik ust, marszczy twarz i prawie zamyka oczy, przechylając lekko głowę. Wstaje i zauważam jej ręce, zniekształcone palce, guzki na nadgarstku wielkości ciecierzycy. Ściska mnie w żołądku na myśl, jakie to musi być bolesne.

Obejmujemy się, ona całuje mnie w policzki. Skórę ma miękką jak filc. Kiedy odsuwamy się od siebie, trzyma mnie przez chwilę za ramiona i patrzy mi w twarz, jakby spoglądała na obraz. W oczach ma łzy. Ale i radość.

— Przepraszam za spóźnienie — mówię.

— Och, nie ma za co. Nareszcie jestem z wami! Tak się cieszę... — Jej francuski akcent na żywo jest wyraźniejszy niż przez telefon.

— Ja też się cieszę. A jak lot?

— Wzięłam tabletkę na sen, bo wiedziałam, że inaczej nie zasnę. Czuwałabym przez cały czas. Bo jestem zbyt szczęśliwa i podekscytowana. — Wciąż patrzy na mnie rozpromieniona, jakby się bała, że czar pryśnie, jeśli oderwie wzrok. Aż przez głośniki przypominają, że należy zgłaszać informacje o wszelkim bagażu pozostawionym bez opieki. Wtedy jej twarz zmienia wyraz.

— Czy Abdullah wie, że przyleciałam? — pyta.

— Powiedziałam mu, że przywiozę do domu gościa.

Gdy wsiadamy do samochodu, przyglądam jej się ukradkiem. W Pari Wahdati, siedzącej w moim samochodzie, zaledwie kilka centymetrów ode mnie, jest coś dziwnie nierzeczywistego. W jednej chwili widzę ją bardzo wyraźnie — żółta apaszka na szyi, krótkie włosy, przerzedzone na czole, pieprzyk w kolorze kawy pod lewym uchem — a w następnej jej rysy spowija mgła, jakbym patrzyła na nią przez brudne okulary. Czuję coś w rodzaju zawrotu głowy.

— Dobrze się czujesz? — pyta, zerkając na mnie podczas zapinania pasów.

— Wciąż mi się wydaje, że zaraz znikniesz.

— Słucham?

— To po prostu... trochę niewiarygodne — odpowiadam, śmiejąc się nerwowo. — Że naprawdę istniejesz. I że tu jesteś.

Kiwa z uśmiechem głową.

— Tak, ja też tak się czuję. Dla mnie także jest to dziwne. Wiesz, przez całe życie nie spotkałam nikogo, kto miałby na imię Pari.

— Ja też nie. — Przekręcam kluczyk w stacyjce. — Opowiedz mi o swoich dzieciach.

Gdy wyjeżdżamy z parkingu, opowiada mi o nich wszystko, używając ich imion, jakbym znała każde z nich przez całe życie, jakbyśmy, oni i ja, razem dorastali, jeździli na rodzinne pikniki i obozy, spędzali razem wakacje nad morzem, robili naszyjniki z muszelek i zakopywali się nawzajem w piasku.

Szkoda, że tak nie było.

Mówi mi, że jej synowi Alainowi — „twojemu kuzynowi", dodaje — i jego żonie Anie urodziło się piąte dziecko, dziewczynka, i właśnie przenieśli się do Walencji, gdzie kupili dom.

— *Finalement*, wyprowadzili się z tego okropnego mieszkania w Madrycie!

Jej pierworodna, Isabelle, która pisze muzykę dla telewizji, dostała zamówienie na skomponowanie tła muzycznego do filmu. A jej mąż, Albert, został szefem kuchni renomowanej restauracji w Paryżu.

— Ty też masz restaurację, prawda? — pyta. — Chyba pisałaś mi o tym w e-mailu.

— Właściwie należała do rodziców. Ojciec zawsze marzył, żeby mieć własną restaurację. Ale kilka lat temu musiałam ją sprzedać. Gdy mama zmarła, a *baba*... nie dawał rady.

— Och, bardzo mi przykro.

— Niepotrzebnie. Nie byłam stworzona do tej pracy.

— No myślę. Jesteś malarką.

Podczas naszej pierwszej rozmowy, kiedy spytała, czym się zajmuję, powiedziałam jej, że chciałabym pójść kiedyś na studia malarskie, że to moje marzenie.

— Tak naprawdę jestem transkrypcjonistką, czyli maszynistką komputerową.

Słucha uważnie, kiedy jej wyjaśniam, że współpracuję z firmą, która przetwarza dane dla wielkich przedsiębiorstw z listy Fortune 500.

— Wypełniam formularze. Przepisuję prospekty, pokwitowania, listy klientów, e-maile, i tym podobne. I dobrze za to płacą. Najważniejsze to umieć pisać na komputerze.

— Rozumiem — mówi. Zastanawia się, a potem pyta: — Czy lubisz to robić? Interesuje cię ta praca?

Mijamy Redwood City, jadąc na południe. Wyciągam rękę nad jej kolanami i wskazuję za okno po stronie pasażera.

— Widzisz ten budynek? Ten wysoki z niebieskim znakiem?

— Tak.

— Tam się urodziłam.

— *Ah, bon?* — Odwraca głowę, patrząc za siebie. — Masz szczęście.

— Dlaczego?

— Bo wiesz, skąd pochodzisz.

— Chyba nigdy się nad tym nie zastanawiałam.

— *Bah*, oczywiście, że nie. Ale to ważne, znać swoje korzenie. Wiedzieć, skąd się wzięłaś. Jeśli tego nie wiesz, twoje życie wydaje ci się nierealne. Jest jak puzzle. *Vous comprenez?* Jakbyś przeoczyła początek historii, włączyła się w nią pośrodku i próbowała się połapać, o co chodzi.

Wyobrażam sobie, że *baba* tak się ostatnio czuje. Jego życie jest pełne dziur. Każdy dzień to tajemnicza opowieść, łamigłówka, którą trudno rozwiązać.

Przez parę kilometrów jedziemy w milczeniu.

— Czy moja praca wydaje mi się ciekawa? — podejmuję. — Któregoś dnia wróciłam do domu i zobaczyłam, że w kuchni z kranu leje się woda. Na podłodze leżało rozbite szkło, a na kuchence płonął gaz. Wtedy zrozumiałam, że nie mogę zostawiać ojca samego. A ponieważ nie stać mnie było na zatrudnienie opiekunki, wzięłam pracę, którą mogę wykonywać w domu. Określenie „ciekawa" nie pasuje do tego równania.

— A studia malarskie mogą poczekać?

— Muszą.

Obawiam się, że powie, jakie to *babę* spotkało szczęście, że ma taką córkę, ale ku mojej uldze i wdzięczności tylko kiwa głową, przesuwając wzrokiem po mijanych oznaczeniach na autostradzie. Inni — zwłaszcza Afgańczycy — zawsze uważają, że jestem dla *baby* błogosławieństwem. Mówią o mnie z podziwem. Robią ze mnie świętą — córka, która heroicznie zrezygnowała ze światowego, wygodnego życia, żeby opiekować się ojcem.

„A wcześniej matką — dodają, a w ich głosach słyszę współczucie. — Zajmowała się nią przez te wszystkie lata. To dopiero było. A teraz ojciec. Nigdy nie była piękna, jasne, ale miała starającego się. Amerykanina, był naukowcem, zajmował się energią słoneczną. Mogła za niego wyjść, ale nie wyszła. Przez nich. Tak dużo dla nich poświęciła. Och, każdy rodzic chciałby mieć taką córkę".

Chwalą mnie za pogodę ducha. Nie mogą się nadziwić mojej odwadze i szlachetności, jak w przypadku ludzi, którzy pokonali fizyczne kalectwo albo może wadę wymowy.

Ale ja nie odnajduję siebie w tej wersji historii. Na przykład w niektóre ranki widzę *babę* siedzącego na brzegu łóżka i patrzącego na mnie tym swoim przymglonym wzrokiem — czeka, żebym włożyła mu skarpetki na suche stopy ze starczymi plamami, mruczy moje imię i robi miny jak dziecko. Marszczy nos i wygląda jak mokry, przestraszony gryzoń; wtedy czuję do niego niechęć. Niechęć za to, że taki jest. Że mnie ogranicza, że przez niego uciekają mi najlepsze lata. Są takie dni, gdy niczego bardziej nie pragnę, jak uwolnić się od niego, jego humorów i bezradności. Nie jestem święta, daleko mi do tego.

Zjeżdżam z autostrady na Trzynastą Ulicę. Kilka kilometrów dalej, na Bearver Creek Court, skręcam w nasz podjazd i wyłączam silnik.

Pari spogląda przez szybę na nasz parterowy dom, bramę garażu z łuszczącą się farbą, oliwkowe ramy okienne, tandetną parę kamiennych lwów po obu stronach drzwi — nie

394

miałam serca się ich pozbyć, bo *baba* je uwielbia, choć gdyby znikneły, pewnie by tego nie zauważył. Mieszkamy tu od 1989 roku, miałam wtedy siedem lat. Najpierw wynajmowaliśmy dom, a potem, w 1993, *baba* go odkupił. Tu zmarła matka, w słoneczny bożonarodzeniowy poranek, na szpitalnym łóżku, które ustawiłam w salonie i w którym spędziła trzy ostatnie miesiące życia. Prosiła, żebym przeniosła ją do tego pokoju ze względu na widok. Leżała w łóżku, ze spuchniętymi szarymi nogami, i przez całe dnie patrzyła przez okno na ślepy zaułek, podwórko od frontu otoczone japońskimi klonami, które zasadziła przed laty, rabatkę w kształcie gwiazdy, trawnik przecięty wąską ścieżką wyłożoną kamykami, odległe góry, które w pełnym słońcu przybierały barwę głębokiego złota.

— Bardzo się denerwuję — wyznaje cicho Pari.

— To całkiem zrozumiałe — odpowiadam. — Minęło pięćdziesiąt osiem lat.

Patrzy na swoje dłonie, które położyła na kolanach.

— Prawie go nie pamiętam. Jeśli coś sobie przypominam, to nie jego twarz ani głos. Tylko to, że przez całe życie czegoś mi brakowało. Czegoś dobrego. Czegoś... Ach, nie wiem, co powiedzieć. To wszystko.

Kiwam głową. Zastanawiam się, czy powiedzieć jej, jak dobrze ją rozumiem. Mam ochotę zapytać, czy kiedykolwiek przeczuwała, że istnieję.

Bawi się postrzępionym brzegiem apaszki.

— Czy to możliwe, że mnie pamięta?

— Chcesz znać prawdę?

Spogląda mi uważnie w twarz.

— Oczywiście, że tak.

— Prawdopodobnie nie pamięta. I może to dobrze. —
Myślę o tym, co powiedział doktor Baszhiri, wieloletni lekarz
rodziców. Mówił, że *babie* potrzeba spokoju i rutyny. Jak
najmniej niespodzianek. „Musi mieć poczucie przewidywalności".

Otwieram drzwi samochodu.

— Mogłabyś poczekać tu chwilę? Odeślę kolegę do domu.
Potem spotkasz się z *babą*.

Przykłada rękę do oczu. Nie czekam, żeby zobaczyć, czy
się rozpłacze.

Kiedy miałam jedenaście lat, szóste klasy z mojej
podstawówki pojechały na wycieczkę z noclegiem
do oceanarium Monterey Bay. Przez cały tydzień przed piątkowym wyjazdem wszyscy moi koledzy i koleżanki z klasy
rozmawiali — w bibliotece, na przerwie, podczas gry w kwadraty — jak to będzie fajnie biegać w piżamach po zamkniętym
już oceanarium, między rybami młotami, płaszczkami, pławikonikami australijskimi, kałamarnicami. Nasza nauczycielka, pani Gillespie, powiedziała, że wśród akwariów zostanie
ustawiony bufet i uczniowie będą mogli raczyć się kanapkami, hamburgerami i serami. „Na deser będą brownies albo
lody waniliowe", mówiła. Uczniowie wieczorem położą się
do śpiworów i będą słuchali opowieści czytanych przez nauczycieli, a potem zasną wśród koników morskich, sardynek
i rekinów lamparcich pływających między wysokimi krasnorostami morskimi. W czwartek napięcie sięgało zenitu. Nawet
zwykłe rozrabiaki zachowywały się grzecznie z obawy, że
jakiś wybryk mógłby ich kosztować wykluczenie z wycieczki.

Dla mnie było to jak oglądanie ekscytującego filmu bez dźwięku. Miałam wrażenie, że jestem wyłączona z całej tej radości, nie czułam świątecznego nastroju — tak jak w każde Boże Narodzenie, kiedy moi koledzy wracali do domów, żeby zastać w nich choinki, skarpety wiszące na kominkach i stosy prezentów. Powiedziałam pani Gillespie, że nie pojadę. Kiedy spytała o powód, odparłam, że wycieczka wypada w muzułmańskie święto. Nie jestem pewna, czy mi uwierzyła.

W piątkowy wieczór zostałam w domu z rodzicami i oglądałam z nimi *Napisała: morderstwo*. Próbowałam skupić się na serialu i nie myśleć o wycieczce do oceanarium, ale nie mogłam. Wyobrażałam sobie kolegów w piżamach, którzy w tej chwili z latarkami w rękach przytykali czoła do wielkiego akwarium z węgorzami. Czułam ściskanie w piersi i wierciłam się na kanapie. *Baba*, siedzący na drugiej sofie, podjadał prażone orzeszki ziemne i śmiał się z czegoś, co powiedziała Angela Lansbury. Zauważyłam, że matka, która zajmowała miejsce obok niego, spogląda na mnie z zamyśloną, poważną miną, ale gdy nasze spojrzenia się spotykały, wyraz jej twarzy się zmieniał i uśmiechała się — ukradkowym porozumiewawczym uśmiechem — a wtedy ja przywoływałam się do porządku i odpowiadałam tym samym. Tamtej nocy śniło mi się, że jestem na plaży, stoję po pas w oceanie, w wodzie o tysiącach odcieni zieleni i błękitu, nefrytowym, szafirowym, szmaragdowym, turkusowym, obmywającej mi biodra. Wokół moich nóg przepływały legiony ryb, jakby ocean był moim prywatnym akwarium. Ocierały się o moje palce, łaskotały mnie w łydki, niezliczone barwne błyski na białym piasku.

W niedzielę *baba* zrobił mi niespodziankę. Zamknął na cały dzień restaurację — czego prawie nigdy nie robił — i zabrał mnie i mamę do oceanarium w Monterey. Przez całą drogę opowiadał z podnieceniem, jaka to będzie zabawa. Jak już nie może się doczekać, kiedy zobaczy rekiny. Co zjemy na lunch. Gdy tak mówił, przypomniałam sobie, jak kiedyś, gdy byłam dziewczynką, zabierał mnie do małego zoo w Kelley Park i japońskich ogrodów tuż obok, żebym mogła zobaczyć karpie koi. Nadawaliśmy wtedy imiona wszystkim rybom, a ja trzymałam go za rękę i myślałam sobie, że do końca życia nie będę potrzebowała nikogo poza nim.

W oceanarium dzielnie wędrowałam wokół akwariów i starałam się odpowiadać na pytania *baby* o różne ryby, które udało mi się rozpoznać. Ale było tam zbyt jasno i głośno, a wokół najciekawszych stworzeń zbyt tłoczno. To miejsce wyglądało zupełnie inaczej niż w moich wyobrażeniach o wycieczce. Miotałam się. Byłam zmęczona, bo udawałam, że dobrze się bawię. Czułam, że zaczyna boleć mnie brzuch, więc po godzinie wyszliśmy. Podczas jazdy do domu *baba* stale zerkał na mnie z urazą, jakby chciał coś powiedzieć. Czułam na sobie jego wzrok. Udawałam, że śpię.

W następnym roku, już w szkole średniej, dziewczyny w moim wieku zaczęły się malować, używały cieni do powiek i błyszczyku. Chodziły na koncerty Boyz II Men, na szkolne potańcówki i podwójne randki do parku Great America, gdzie piszczały i wrzeszczały na rollercoasterze. Koleżanki z klasy próbowały swoich sił w koszykówce i zostawały cheerleaderkami. Dziewczyna o jasnej cerze i z piegami, która siedziała za mną na lekcjach hiszpańskiego, należała do drużyny pływackiej i pewnego dnia, gdy po dzwonku zbierałyśmy swoje rzeczy z ławki, zaproponowała od niechcenia, żebym poszła z nią na trening. Nie rozumiała. Moi rodzice umarliby ze wstydu, gdybym pokazała się publicznie w kostiumie kąpielowym. Ja też tego nie chciałam. Wstydziłam się swojego ciała. Byłam szczupła od pasa w górę, ale poniżej — nieproporcjonalnie i zaskakująco gruba, jakby pod wpływem grawitacji cały mój ciężar przesunął się w dół. Wyglądałam jak złożona w całość przez dziecko podczas jednej z tych gier, w których dobiera się i łączy części ciała albo — jeszcze lepiej — miesza je, żeby rozśmieszyć innych. Matka mówiła, że jestem grubokoścista. Że moja babka miała taką samą budowę. W końcu przestała to powtarzać, bo chyba się domyśliła, że żadna dziewczynka nie chce być nazywana grubokościstą.

Męczyłam *babę*, żeby pozwolił mi zapisać się na próbę do drużyny siatkówki, ale on ujął w dłonie moją twarz.

— Kto będzie cię woził na treningi? — zapytał. — Albo na mecze? Żałuję, że nie stać nas na taki luksus, Pari, jak rodziców twoich koleżanek, ale musimy zarabiać na życie, twoja matka i ja. Nie dopuszczę, żebyśmy wrócili na zasiłek. Na pewno to rozumiesz, kochanie. Wiem, że tak.

Ale mimo że musiał zarabiać na życie, *baba* znajdował czas, żeby wozić mnie na lekcje farsi aż do Campbell. We wtorki po południu, po zajęciach w szkole, jak ryba płynąca pod prąd w górę strumienia, próbowałam wodzić piórem, wbrew własnej naturze, od prawej strony do lewej. Błagałam *babę*, żeby darował mi te lekcje, ale odmawiał. Mówił, że później docenię dar, jaki mi ofiarował. I że jeśli kultura jest domem, to język stanowi klucz do frontowych drzwi i do wszystkich pomieszczeń znajdujących się w środku. Bez niego, dowodził, zbaczasz na manowce, nie masz korzeni, tożsamości.

Były też niedziele. Zakładałam wtedy biały bawełniany szal, a on podwoził mnie do meczetu w Haywardzie na naukę Koranu. Klasa, w której się uczyłyśmy — kilkanaście młodych Afganek i ja — była mała i duszna, bo pozbawiona klimatyzacji, poza tym zalatywało w niej niepraną bielizną. Miała wąskie okna, umieszczone wysoko jak w celach więziennych na filmach. Funkcję nauczycielki pełniła żona sklepikarza z Fremont. Najbardziej lubiłam, gdy opowiadała nam historie o Proroku — jak spędził dzieciństwo na pustyni, jak w grocie ukazał mu się archanioł Gabriel i polecił recytować święte wersy, jak wszystkich, którzy się z nim stykali, ujmował swoją dobrą, pogodną twarzą. Ale ona omawiała przeważnie długą listę rzeczy, których jako młode cnotliwe muzułmanki powinnyśmy za wszelką cenę unikać, bo inaczej ulegniemy zepsuciu przez kulturę amerykańską, czyli: przede wszystkim, oczywiście, chłopców, ale także rapu, Madonny, *Melrose Place*, szortów, tańców, pływania w miejscach publicznych, występów w roli cheerleaderek, alkoholu, bekonu, pepperoni, burgerów niebędących halal i mnóstwa innych. Siedziałam na podłodze, pocąc się w upale, z drętwiejącymi stopami, marząc o zdjęciu z głowy szala, co, oczywiście, w meczecie było niedozwolone. Spoglądałam w okna, ale widać było przez nie tylko wąskie pasemka nieba. Nie mogłam doczekać się chwili, gdy wyjdę z meczetu, twarz owieje mi świeże powietrze, a ucisk w piersi zelżeje, jakby rozwiązał się jakiś bolesny węzeł.

Ale do tego momentu jedynym wyjściem było puścić wodze wyobraźni. Od czas do czasu pozwalałam sobie myśleć o Jeremym Warwicku z lekcji matematyki. Jeremy miał niebieskie oczy i afro w wydaniu białego chłopaka. Był skryty i poważny. Grał na gitarze w zespole garażowym — na dorocznym koncercie młodych talentów zaprezentowali wrzaskliwą wersję *House of the Rising Sun*. W klasie siedziałam cztery ławki za nim, na lewo. Wyobrażałam sobie, jak się całujemy: on kładzie mi rękę na karku i przysuwa twarz do mojej tak blisko, że przesłania mi cały świat. Ogarnia mnie wtedy takie uczucie, jakby ktoś wodził ciepłym piórem po moim brzuchu, rękach i nogach, całym ciele. Oczywiście to była nierealna wizja. Między mną a Jeremym nie mogło do niczego dojść. Jeśli nawet wiedział o moim istnieniu, nigdy nie dawał tego po sobie poznać. Udawałam więc sama przed sobą, że nie możemy być razem, bo mu się nie podobam, a nie z żadnego innego powodu.

Podczas wakacji pracowałam w restauracji rodziców. Kiedy byłam młodsza, uwielbiałam wycierać stoły, pomagać w rozkładaniu talerzy i sztućców, składać serwetki, wkładać czerwone gerbery do okrągłych wazonów stojących pośrodku każdego stołu. Udawałam, że jestem niezastąpiona w rodzinnym interesie, że restauracja by upadła, gdybym nie sprawdziła, czy solniczki i pieprzniczki są pełne.

Jednak w czasach, gdy chodziłam do szkoły średniej, upalne dni w Abe's Kabob House ciągnęły się niemiłosiernie. Blask, który w dzieciństwie miały tam dla mnie różne rzeczy, zgasł. Dystrybutor wody sodowej w kącie, stoliki nakryte ceratowymi obrusami, kolorowe plastikowe kubki, kiczowate nazwy na laminowanych kartach dań — kebab Karawana, pilaw Przełęcz Khyber, kurczak Jedwabny Szlak — tandetnie oprawiony plakat przedstawiający młodą Afgankę z „National Geographic", tę z oczami — jakby wydano rozporządzenie, że w każdej afgańskiej restauracji musiały na człowieka spoglądać ze ściany jej oczy. Obok *baba* powiesił olejny obraz, który namalowałam w siódmej klasie, ukazujący minarety w Heracie. Pamiętam dumę i radość, które czułam, widząc, jak nasi klienci jedzą jagnięcinę pod moim dziełem.

W porze lunchu, kiedy matka i ja kursowałyśmy między zadymioną kuchnią a stolikami, przy których siedzieli pracownicy biurowi, urzędnicy i policjanci, *baba* stał przy kasie — w poplamionej tłuszczem białej koszuli, z siwymi kędziorami wystającymi spod niezapiętej na ostatni guzik koszuli i grubymi owłosionymi ramionami. Rozpromieniony, machał radośnie do każdego wchodzącego klienta: „Dzień dobry panu! Dzień dobry pani! Witamy w Abe's Kabob House. Ja jestem Abe. Mogę przyjąć zamówienie?". Skręcało mnie wtedy ze wstydu, bo nie zdawał sobie sprawy, że zachowuje się jak głupawy Arab ze Środkowego Wschodu z kiepskich komedii sytuacyjnych. Potem, za każdym razem, gdy podawałam zamówiony posiłek, *baba* urządzał następne przedstawienie: bił w stary miedziany dzwonek. Na początku był to chyba żart z tym dzwonkiem, który *baba* powiesił na ścianie za kasą. Potem jednak za każdym razem, gdy goście byli obsługiwani, rozlegało się głośne dzwonienie. Stali klienci przyzwyczaili się do tego, przestali słyszeć ten dźwięk, a nowi uważali to za dziwaczny urok restauracji, ale od czasu do czasu zdarzały się skargi.

— Nie chcesz już bić w dzwonek — powiedział *baba* któregoś wieczoru. Było to w wiosennym semestrze ostatniego roku mojej nauki w szkole średniej. Siedzieliśmy w samochodzie przed restauracją, już po zamknięciu, i czekaliśmy na matkę, która zapomniała pigułek na żołądek i po nie wróciła. *Baba* miał śmiertelnie poważną minę. Przez cały dzień był w ponurym nastroju. Na pasy dla pieszych padała lekka mżawka. Zrobiło się późno, parking był pusty z wyjątkiem kilku samochodów stojących przed KFC dla zmotoryzowanych i pick-upem przed pralnią chemiczną, w którym siedzieli dwaj faceci, wydmuchując dym papierosowy za okno.

— Zabawniej było, kiedy nie musiałam tego robić — odparłam.

— To tak jak ze wszystkim. — Westchnął ciężko.

Przypomniałam sobie, jakie to było dla mnie ekscytujące, kiedy *baba* brał mnie pod pachy i podnosił, żebym uderzyła w dzwonek. Gdy stawiał mnie na podłodze, cała promieniałam.

Baba włączył ogrzewanie w samochodzie i skrzyżował ręce na piersi.

— Daleko to Baltimore.

— Możesz do mnie przylecieć, gdy tylko zechcesz — rzuciłam wesoło.

— Gdy tylko zechcesz — powtórzył z lekką drwiną. — Muszę serwować kebaby, żebyśmy mieli na życie, Pari.

— No to ja do was przylecę.

Baba przewrócił oczami i długo na mnie patrzył. Jego melancholia była jak mrok napierający na szyby samochodu.

Od miesiąca codziennie rano, z mocno bijącym sercem i z nadzieją zaglądałam do skrzynki pocztowej, gdy przy krawężniku zatrzymywała się półciężarówka poczty. Przynosiłam korespondencję do domu i zamykałam oczy, myśląc: To może być to. Otwierałam i przerzucałam szybko rachunki, kupony i zakłady pieniężne. Wreszcie we wtorek poprzedniego tygodnia rozerwałam kopertę i znalazłam wiadomość, na którą czekałam: *Miło nam zawiadomić...*

Podskoczyłam, a nawet krzyknęłam z radości — właściwie wydałam triumfalny ryk, od którego zwilgotniały mi oczy. Od razu zobaczyłam w wyobraźni scenę: otwarcie wernisażu w galerii, ja, ubrana w coś prostego, czarnego i eleganckiego, w otoczeniu mecenasów i krytyków sztuki o zmarszczonych czołach, odpowiadam na pytania, podczas gdy grupki wielbicieli przystają przed moimi obrazami, a kelnerzy w białych rękawiczkach krążą między gośćmi, nalewając im wino i podsuwając małe kanapeczki z łososiem przybranym koperkiem albo szparagi w cieście. Doznałam jednego z tych nagłych napadów euforii, kiedy to ma się ochotę uściskać nieznajomych i tańczyć z nimi, zataczając wielkie kręgi.

— Martwię się raczej o twoją matkę — rzekł *baba*.

— Będę dzwoniła do niej co wieczór. Obiecuję. Wiesz, że tak będzie.

Pokiwał głową. Powiał wiatr i z rosnącego przy wjeździe na parking dębu spadły liście.

— Zastanawiałaś się nad tym, o czym rozmawialiśmy? — spytał.

— Chodzi ci o szkołę pomaturalną?

— Tylko na początek, przez rok albo dwa. Żeby miała czas oswoić się z tą myślą. Potem mogłabyś znów złożyć podanie.

Wzdrygnęłam się gniewnie.

— *Babo*, ci ludzie przeanalizowali wyniki moich testów i wykaz ocen, przejrzeli portfolio i na tyle docenili moje zdolności, że nie tylko przyjęli mnie na studia, ale także przyznali mi stypendium. To jedna z najlepszych uczelni artystycznych w kraju. Takim się nie odmawia. Druga szansa może się nie trafić.

— To prawda — przyznał, prostując się na fotelu. Złożył dłonie i w nie chuchnął. — Oczywiście, rozumiem. I bardzo się cieszę ze względu na ciebie. — Widziałam po jego minie, że toczy wewnętrzną walkę. I że się boi. Nie tylko o mnie i o to, co może mi się przydarzyć dwa tysiące kilometrów od domu. Ale także boi się, że może mnie stracić. I że przez swoją nieobecność unieszczęśliwię go, że jeśli zechcę, sponiewieram jego otwarte, bezbronne serce, jak doberman poniewierający kociaka.

Pomyślałam o jego siostrze. Wtedy mój duchowy związek z Pari — którą kiedyś nosiłam w sobie głęboko — już dawno osłabł. Rzadko o niej myślałam. Z biegiem lat wyrosłam z niej, tak jak wyrosłam z ulubionej piżamy i wypchanych zwierzątek, do których byłam tak bardzo przywiązana. Ale teraz znowu mi się przypomniała, ona i nasza dawna więź. Jeśli to, co jej zrobiono, było jak fala rozbijająca się o daleki brzeg, to teraz dotarła ona do mnie, zalewając mi kostki, a potem się cofając.

Baba odchrząknął, spojrzał przez szybę na ciemne niebo, zasłonięty chmurami księżyc, i nagle się rozczulił.

— Wszystko będzie mi cię przypominać.

W jego głosie, gdy to mówił, była pełna czułości panika i wiedziałam, że mój ojciec został zraniony, że jego miłość do mnie jest prawdziwa, wielka i niezmienna jak niebo i że to zawsze będzie mi ciążyć. Był to ten rodzaj miłości, który prędzej czy później zmusza cię do wyboru: albo się wyrwiesz, albo zostaniesz i poddasz się jej rygorowi, nawet gdyby miałoby cię to ograniczyć.

Wyciągnęłam rękę z pogrążonego w ciemności tylnego siedzenia i pogłaskałam go po twarzy, a on oparł policzek o moją dłoń.

— Dlaczego tak długo jej nie ma? — mruknął.

— Zamyka wszystko na klucz — odparłam. Byłam wyczerpana. Patrzyłam, jak matka szybko idzie do samochodu. Mżawka przeszła w ulewę.

Miesiąc później, dwa tygodnie przed moim planowanym wyjazdem do kampusu, matka poszła do doktora Basziriego, żeby mu powiedzieć, że tabletki na żołądek jej nie pomagają i wciąż czuje ból. Skierował ją na ultrasonografię. Okazało się, że na lewym jajniku ma guza wielkości orzecha włoskiego.

— *Babo*?

Siedzi nieruchomo na fotelu, pochylony do przodu. Ma na sobie spodnie od dresu, a na nich wełniany szal. A także brązowy rozpinany sweter, który kupiłam mu przed rokiem, i flanelową koszulę, zapiętą pod szyję. Tak je teraz nosi, zapięte na ostatni guzik, przez co wygląda zarazem chłopięco i krucho, pogodzony ze starością. Dziś ma trochę obrzmiałą twarz i na czoło opadają mu niezaczesane pasma siwych włosów. Ogląda *Milionerów* z poważną, zdziwioną miną. Choć go wołam, nie odrywa wzroku od ekranu, jakby mnie nie słyszał, a potem patrzy na mnie niechętnie. Trzeba go ogolić. Na dolnej powiece lewego oka zrobił mu się mały jęczmień.

— *Babo*, mogę na chwilę przyciszyć telewizor?

— Oglądam — odpowiada.

— Wiem. Ale masz gościa. — Mówiłam mu o wizycie Pari Wahdati dzień wcześniej i jeszcze tego ranka. Nie pytam jednak, czy pamięta. Nauczyłam się tego dość wcześnie — żeby nie doprowadzać do takich konfrontacji, bo to wprawia go w zakłopotanie i wtedy broni się, przybierając agresywny ton.

Biorę pilota z poręczy fotela i wyłączam dźwięk, przygotowując się na awanturę. Gdy urządził mi ją pierwszy raz, byłam przekonana, że się wygłupia, że udaje. Ale ku mojej uldze, teraz *baba* nie protestuje, tylko wzdycha przeciągle.

Przywołuję gestem Pari, która czeka w holu przy drzwiach do salonu. Podchodzi do nas powoli, a ja w tym czasie przysuwam jej krzesło do fotela *baby*. Jest podenerwowana i podekscytowana, widzę to. Siada na brzegu krzesła, sztywna i blada, lekko pochylona, ze złączonymi kolanami i splecionymi dłońmi. Uśmiecha się, zaciskając usta tak, że aż bieleją. Wbija wzrok w *babę*, jakby miała być z nim tylko przez chwilę i chciała zapamiętać jego twarz.

— *Babo*, to przyjaciółka, o której ci mówiłam.

Ojciec spogląda na siwowłosą kobietę siedzącą obok. Ma denerwujący zwyczaj gapienia się na ludzi z nieprzeniknioną miną. Wydaje się nieobecny, zamknięty w sobie, jakby tak naprawdę patrzył gdzieś indziej i tylko przez przypadek spojrzał na daną osobę.

Pari odchrząkuje. Mimo to, gdy się odzywa, jej głos drży:

— Witaj, Abdullahu. Nazywam się Pari. Bardzo się cieszę, że cię widzę.

Baba kiwa powoli głową. Widzę niepewność i dezorientację na jego twarzy, przebiegający przez nią skurcz. Przenosi wzrok ze mnie na Pari. Otwiera usta w wymuszonym półuśmiechu jak wtedy, gdy myśli, że ktoś robi mu kawał.

— Masz dziwny akcent — mówi w końcu.

— Bo mieszka we Francji — wyjaśniam. — I *babo*, musisz mówić po angielsku. Ona nie zna farsi.

Ojciec kiwa głową.

— Więc mieszkasz w Londynie? — odzywa się do Pari.

— *Babo*!

— Co? — Patrzy na mnie ostro. Potem orientuje się, o co chodzi, śmieje się zmieszany i przechodzi na angielski. — Mieszkasz w Londynie? — powtarza.

— W Paryżu — odpowiada Pari. — W małym paryskim mieszkaniu. — Wciąż nie odrywa od niego wzroku.

— Zawsze chciałem zabrać żonę do Paryża. Soltanę... tak się nazywała, niech Bóg ma ją w opiece. Zawsze mówiła: „Abdullahu, zabierz mnie do Paryża. Kiedy mnie tam zabierzesz?".

Tak naprawdę matka nie lubiła podróżować. Nie rozumiała, po co ma rezygnować z wygód domowego zacisza, w którym wszystko jest znajome i swojskie, żeby męczyć się podczas lotu i taszczyć walizki. Nie pociągały jej też eksperymenty kulinarne związane z podróżami — egzotycznym jedzeniem był dla niej kurczak z pomarańczami w chińskiej knajpce z daniami na wynos przy Taylor Street. To zadziwiające, jak dobrze *baba* czasami ją pamięta — na przykład, że wysypywała sól na dłoń i dopiero potem doprawiała nią jedzenie na talerzu albo że przerywała ludziom podczas rozmowy telefonicznej, czego nie robiła, gdy rozmawiała z nimi twarzą w twarz — a czasami wszystko przekręca. Wyobrażam sobie, że matka się od niego oddala, jej twarz niknie w mroku, pamięć o niej blednie z każdym dniem, przesypuje się jak piasek przez zaciśnięte palce. Jej postać staje się tylko zarysem, pustą skorupą, którą musi wypełnić wymyślonymi szczegółami, cechami charakteru, jakby fikcyjne wspomnienia były lepsze niż żadne.

— Hm, to piękne miasto — mówi Pari.

— Może ją tam zabiorę. Teraz ma raka. Sprawy kobiece... jak to się mówi... na...

— Na jajniku — podsuwam.

Pari kiwa głową, patrząc raz na *babę*, raz na mnie.

— Najbardziej chciałaby wjechać na wieżę Eiffla. Widziałaś ją? — pyta ojciec.

— Wieżę Eiffla? — Pari Wahdati się śmieje. — O tak. Widuję ją codziennie. Trudno jej nie zobaczyć.

— A wjechałaś na nią? Aż na samą górę?

— Tak, musiałam. Na szczycie jest pięknie. Ale mam lęk wysokości, więc nie zawsze dobrze się tam czuję. Jednak w słoneczny dzień rozciąga się stamtąd widok na ponad sześćdziesiąt kilometrów. Oczywiście w Paryżu nie zawsze jest ładna pogoda.

Baba mruczy coś i Pari, zachęcona, opowiada dalej o wieży, jak długo ją budowano, że miała zostać rozebrana po Wystawie Światowej w 1889 roku. Jednak nie zna tak dobrze jak ja wyrazu oczu *baby*. Jego twarz stała się jak maska. Pari nie zdaje sobie sprawy, że przestał jej słuchać, że jego myśli zmieniły bieg jak liście niesione podmuchem wiatru, i przysuwa się do niego z krzesłem.

— Wiesz, Abdullahu, że muszą ją malować co siedem lat? — mówi.

— Jak się nazywasz, bo nie pamiętam? — pyta *baba*.

— Pari.

— Tak ma na imię moja córka.

— Wiem.

— Masz takie samo imię? — dziwi się *baba*. — Obie nazywacie się tak samo. No, no. — Pokasłuje, z roztargnieniem skubiąc małe rozdarcie na oparciu fotela.

— Abdullahu, mogę ci zadać pytanie?

Ojciec wzrusza ramionami.

Pari patrzy na mnie, jakby pytała o pozwolenie. Kiwam zachęcająco głową. Ona pochyla się na krześle.

— Dlaczego dałeś córce takie imię?

Baba przenosi wzrok na okno, wciąż drapiąc paznokciami rozdarcie.

— Pamiętasz, Abdullahu? Dlaczego wybrałeś akurat to imię?

Baba kręci głową. Chwyta brzeg swetra pod szyją i ściska go w pięści. Ledwie poruszając ustami, zaczyna nucić pod nosem to rytmiczne mruczando, do którego zawsze się odwołuje, gdy ogarnia go niepokój, nie może znaleźć odpowiedzi, ma zamęt w głowie i gubi się w natłoku myśli, czekając, aż mrok się rozproszy.

— Abdullahu? Co to jest? — pyta Pari.

— Nic — mamrocze *baba*.

— Nie, ta piosenka, którą nucisz... co to jest?

Ojciec odwraca się do mnie bezradnie. Nie wie.

— To coś jak dziecięca rymowanka — odpowiadam. — Pamiętasz, *babo*? Mówiłeś, że nauczyłeś się jej w dzieciństwie. Od matki.

— Mhm.

— Możesz zaśpiewać ją dla mnie? — prosi Pari, zacinając się. — Proszę, Abdullahu, zaśpiewasz ją?

On opuszcza głowę i kręci nią powoli.

— No, dalej, *babo* — mówię łagodnie. Kładę rękę na jego kościstym ramieniu. — Wszystko w porządku.

Z wahaniem, wysokim drżącym głosem, nie podnosząc głowy, *baba* śpiewa te same dwie linijki kilka razy:

Znalazłam smutną małą wróżkę
W cieniu papirusa...

— Kiedyś mówił, że były jeszcze dwie linijki — zwracam się do Pari — ale chyba je zapomniał.

Pari Wahdati nagle się śmieje, co przypomina głęboki gardłowy okrzyk, więc zasłania usta.

— *Ah, mon Dieu* — szepcze. Podnosi rękę i śpiewa w farsi:

Znam smutną małą wróżkę,
Którą pewnej nocy uniósł wiatr.

Na czole *baby* pojawia się zmarszczka. W jednej przelotnej chwili mam wrażenie, że widzę w jego oczach małą szczelinę, przez którą wydobywa się światło. Ale potem *baba* mruga i jego twarz nieruchomieje. Kręci głową.

— Nie. Nie wydaje mi się, że to tak idzie.

— Och, Abdullahu... — wzdycha Pari.

Uśmiechając się, ze łzami w oczach, Pari ujmuje ręce *baby* w obie dłonie. Całuje każdą z nich i przyciska je do policzka. *Baba* się uśmiecha i też się roztkliwia. Pari spogląda na mnie, mruga, żeby powstrzymać łzy szczęścia; myśli, że przebiła

411

się do niego i że tą magiczną piosenką jak wróżka z bajki przywołała utraconego brata. Wydaje jej się, że on już wie, kogo ma przed sobą. Zaraz zrozumie, że ojciec tylko reaguje, odpowiada na jej serdeczny dotyk i wyraz czułości. To tylko zwierzęcy instynkt, nic więcej. Wiem to boleśnie dobrze.

Kilka miesięcy przed tym, jak doktor Basziri dał mi numer telefonu do hospicjum, matka i ja wybrałyśmy się na weekend do Santa Cruz Mountains, gdzie zatrzymałyśmy się w hotelu. Matka nie lubiła długich podróży, ale od czasu do czasu jeździłyśmy gdzieś na krótko, tylko we dwie, zanim jej stan się pogorszył. *Baba* wynajmował kogoś na zastępstwo w restauracji i zawoził nas do Bodega Bay, Sausalito albo San Francisco, do hotelu przy Union Square. Instalowałyśmy się w pokoju, zamawiałyśmy jedzenie i oglądałyśmy filmy. Później szłyśmy na przystań — matka dawała się nabierać na wszelkie atrakcje dla turystów — i kupowałyśmy gelato, oglądałyśmy lwy morskie wypływające raz po raz na powierzchnię wody przy molo. Rzucałyśmy ulicznym muzykom monety do otwartych futerałów na instrumenty, a mimom do plecaków. Zawsze odwiedzałyśmy Muzeum Sztuki Nowoczesnej i obejmując matkę ramieniem, pokazywałam jej dzieła Rivery, Kahlo, Matisse'a, Pollocka. Albo chodziłyśmy na popołudniówki, które uwielbiała, i oglądałyśmy dwa, trzy filmy, a potem wychodziłyśmy w mrok z zaczerwienionymi oczami, dzwonieniem w uszach i palcami pachnącymi popcornem.

Z matką było łatwiej — zawsze — wszystko stawało się mniej skomplikowane, mniej zdradliwe. Nie musiałam się tak bardzo pilnować. Nie musiałam uważać na to, co mówię, ze strachu, żeby nie powiedzieć czegoś przykrego. Te weekendowe wyjazdy z nią były jak zaszycie się w miękkiej chmurze i przez dwa dni wszystko, co mnie gnębiło, znikało bez śladu tysiące kilometrów w dole.

Świętowałyśmy zakończenie kolejnej chemioterapii — jak się okazało ostatniej. Hotel był piękny i ustronny. Mieli tam spa, ośrodek fitness, świetlicę z wielkim telewizorem i stołem bilardowym. Mieszkałyśmy w chacie z drewnianym gankiem, rozciągał się stamtąd widok na basen, restaurację i sekwoje, które wznosiły się prosto w chmury. Niektóre drzewa rosły tak blisko, że widać było odcienie futra wiewiórki, która wdrapywała się po pniu.

Obwoziłam ją na wózku po ogrodzie.

— Ależ ja wyglądam — mówiła matka.

Zatrzymywałam wózek przy fontannie i siadałam na ławce obok. Na twarze padało nam słońce i patrzyłyśmy na kolibry latające od kwiatu do kwiatu, aż matka zasnęła, a wtedy zawoziłam ją do chaty.

W niedzielne popołudnie zamówiłyśmy herbatę i croissanty na tarasie przed restauracją, wielką salą o sklepieniu jak w katedrze, z regałami na książki, łapaczem snów na ścianie i prawdziwym kamiennym kominkiem. Na niższym poziomie mężczyzna o twarzy derwisza i dziewczyna o gładkich jasnych włosach grali leniwie w ping-ponga.

— Musimy coś zrobić z tymi brwiami — odezwała się matka.

Miała na sobie zimowy płaszcz, sweter i rudą wełnianą czapkę, którą sama wydziergała półtora roku wcześniej, kiedy, jak mówiła, zaczęła się cała zabawa.

— Namaluję ci je — odpowiedziałam.

— Ale żeby były wyraziste.

— Jak u Elizabeth Taylor w *Kleopatrze?*

Uśmiechnęła się słabo.

— Dlaczego nie? — Upiła łyczek herbaty. Uśmiech uwydatniał nowe bruzdy na jej twarzy. — Kiedy poznałam Abdullaha, sprzedawałam ubrania w bocznej uliczce w Peszawarze. Powiedział wtedy, że mam piękne brwi.

Para grająca w ping-ponga porzuciła rakietki. Oboje stali teraz przy drewnianej barierce, palili na spółkę papierosa i patrzyli w niebo, jasne i czyste, tylko z kilkoma postrzępionymi obłokami. Dziewczyna miała długie kościste ręce.

— Czytałam, że w Capitoli jest dziś jarmark rękodzieła i sztuki — powiedziałam. — Jeśli masz ochotę, zawiozę cię tam, rozejrzałybyśmy się. Mogłybyśmy tam zjeść kolację.

— Pari?

— Tak?

— Chcę ci coś powiedzieć.

— Dobrze.

— Abdullah ma w Pakistanie brata — powiedziała matka. — Przyrodniego.

Odwróciłam się do niej gwałtownie.

— Nazywa się Ighbal. Ma synów. Mieszka w obozie dla uchodźców pod Peszawarem.

Odstawiłam filiżankę i chciałam coś powiedzieć, ale mi przerwała.

— Mówię ci to teraz. Tylko to się liczy. Twój ojciec ma swoje powody. Na pewno po jakimś czasie je zrozumiesz. Najważniejsze, że ma przyrodniego brata i wysyła pieniądze, żeby mu pomóc.

Opowiedziała mi, że *baba* od lat chodzi co trzy miesiące

do Western Union i nadaje tysiąc dolarów do banku w Peszawarze dla tego Ighbala — mojego stryja, jak uświadomiłam sobie, wzdrygając się wewnętrznie.

— Dlaczego mówisz mi o tym teraz? — zapytałam.

— Bo uważam, że powinnaś wiedzieć, nawet jeśli on jest innego zdania. Niebawem będziesz musiała przejąć sprawy finansowe, więc i tak byś się dowiedziała.

Odwróciłam głowę i popatrzyłam na kota, który z wyprostowanym ogonem podchodził do pary przy barierce. Dziewczyna wyciągnęła rękę, żeby go pogłaskać, ale on stężał. Po chwili jednak zwinął się w kłębek na barierce i pozwolił jej pogładzić się po uszach, a potem po grzbiecie. W głowie mi się zakręciło. Miałam rodzinę poza Stanami.

— Będziesz zajmowała się rachunkami jeszcze przez długi czas, mamo — odpowiedziałam. Starałam się ukryć drżenie głosu.

Zapadła ciężka cisza. Po chwili matka znowu się odezwała, ale mówiła już ciszej i wolniej, jak wtedy, gdy byłam mała i poszłyśmy do meczetu na pogrzeb. Przykucnęła wtedy przy mnie i cierpliwie wyjaśniła mi, że mam przy wejściu zdjąć buty, zachowywać się cicho podczas modłów i nie wiercić się, nie marudzić, a jeśli chcę pójść do łazienki to teraz, bo później nie będę mogła.

— Nie, to nieprawda. I ty też to wiesz. Przyszła na mnie pora i musisz być przygotowana.

Wypuściła powietrze, poczułam dławienie w gardle. Gdzieś rozległ się dźwięk piły łańcuchowej, coraz wyższy i bardziej przenikliwy, kłócący się z ciszą panującą w lesie.

— Twój ojciec jest jak dziecko. Boi się, że zostanie sam. Zagubi się bez ciebie, Pari, i nigdy nie odnajdzie.

Zmusiłam się, żeby spojrzeć na drzewa, słońce padające na pierzaste liście, szorstką korę pni. Wsunęłam język między przednie zęby i go przygryzłam. W oczach stanęły mi łzy, a w ustach rozlał się miedziany smak krwi.

— Brat — powiedziałam.

— Tak.

— Mam dużo pytań.

— Zadasz mi je wieczorem. Gdy nie będę taka zmęczona jak teraz. Powiem ci wszystko, co wiem.

Skinęłam głową. Dopiłam herbatę, która wystygła. Siedząca przy sąsiednim stoliku para w średnim wieku czytała gazetę i przekazywała sobie jej strony. Kobieta, rudowłosa, o szczerej twarzy, spokojnie przyglądała nam się znad swojej płachty, przenosząc wzrok ze mnie na moją matkę o szarej twarzy, jej włóczkową czapkę, posiniaczone dłonie, zapadnięte oczy, upiorny uśmiech. Kiedy napotkałam jej spojrzenie, uśmiechnęła się do mnie nieznacznie, jakby istniało między nami sekretne porozumienie, i zrozumiałam, że przechodziła przez to samo co ja.

— To co myślisz, mamo? O tym jarmarku... chciałabyś tam pojechać?

Matka popatrzyła na mnie. Jej oczy wydawały się nieproporcjonalnie duże w stosunku do twarzy, a głowa w stosunku do ramion.

— Mogłabym założyć nowy kapelusz — powiedziała.

Rzuciłam serwetkę na stół, odsunęłam krzesło i podeszłam do niej. Zwolniłam hamulec i pociągnęłam wózek od stolika.

— Pari? — odezwała się matka.

— Tak?

Odwróciła głowę, żeby na mnie spojrzeć. Słońce przebiło

się przez liście drzewa i oświetliło jej twarz, rzucając na nią świetliste cętki.

— Czy zdajesz sobie sprawę, jak silną uczynił cię Bóg? Jak silną i dobrą?

Nie wiadomo, jak pracuje umysł. Na przykład w tamtej chwili. Z dziesiątków tysięcy chwil, które matka i ja spędziłyśmy razem, ta jest najjaśniejsza, dźwięczy najgłośniej z tyłu mojej głowy: matka patrząca na mnie przez ramię, ze zwróconą do góry twarzą, z cętkami światła, i pytająca, czy wiem, jaką silną i dobrą uczynił mnie Bóg.

Gdy ojciec zasypia na fotelu, Pari delikatnie zasuwa zamek przy jego swetrze i podciąga wyżej szal. Zakłada *babie* pasmo włosów za ucho, wstaje i przez chwilę na niego patrzy. Ja też lubię na niego patrzeć, gdy śpi, bo wtedy nie widać, że coś jest z nim nie tak. Z zamkniętymi oczami, bez tego otępiałego, nieobecnego wyrazu twarzy, wydaje się taki jak dawniej. Wtedy sprawia wrażenie bardziej świadomego i przytomnego, jakby wrócił do siebie. Jestem ciekawa, czy Pari, patrząc tak na niego wspartego na poduszce, potrafi sobie wyobrazić, jaki był kiedyś, jak się śmiał.

Przechodzimy z salonu do kuchni. Wyjmuję z szafki dzbanek i nalewam do niego wodę z kranu.

— Chcę ci coś pokazać — mówi Pari, jest podniecona. Siedzi przy stole, szybko przerzucając strony albumu ze zdjęciami, który wcześniej wyjęła z walizki.

— Obawiam się, że kawa nie będzie taka dobra jak w Paryżu — rzucam przez ramię, przelewając wodę z dzbanka do ekspresu.

— Nie jestem kawową snobką, zapewniam cię. — Zdejmuje jedwabną apaszkę i zakłada okulary do czytania.

Kiedy kawa zaczyna bulgotać, siadam przy stole obok Pari. — *Ah oui*. O tu — mówi. Obraca album w moją stronę i mi podsuwa. Stuka palcem w fotografię. — To ono. Miejsce, gdzie się urodziliśmy, twój ojciec i ja. I nasz brat Ighbal.

Kiedy pierwszy raz zadzwoniła do mnie z Paryża, wspomniała o Ighbalu — być może na dowód, że nie kłamie i jest tym, za kogo się podaje. Ale ja już wiedziałam, że mówi prawdę. Wiedziałam od chwili, kiedy podniosłam słuchawkę, a ona wypowiedziała nazwisko mojego ojca i zapytała, czy to jego numer telefonu. Powiedziałam, że tak, a wtedy przedstawiła się jako jego siostra. Serce zabiło mi gwałtownie. Po omacku przyciągnęłam sobie krzesło i opadłam na nie, a wokół zapadła martwa cisza. To był dla mnie szok, owszem, coś w rodzaju rozwiązania w trzecim akcie sztuki, które rzadko zdarza się w prawdziwym życiu. Ale gdzieś w głębi duszy — tam, gdzie nie ma miejsca na racjonalne myślenie, wszystko jest mniej uchwytne i może w jednej chwili zniknąć, gdy się to zwerbalizuje — nie byłam zdziwiona jej telefonem. Zupełnie jakbym się go spodziewała przez całe życie, że jakimś dziwnym zrządzeniem losu, zbiegiem okoliczności albo z czyjejś woli, jakkolwiek to nazwać, w końcu się odnajdziemy, ona i ja.

Wyszłam ze słuchawką za dom i usiadłam na fotelu przy ogródku warzywnym, gdzie hodowałam paprykę o wydłużonych strąkach i wielkie kabaczki, które posadziła matka. Słońce grzało mi szyję, kiedy drżącymi rękami zapalałam papierosa.

— Wiem, kim pani jest — odpowiedziałam. — Wiedziałam przez całe życie.

Po drugiej stronie zapadła cisza i odniosłam wrażenie, że ona płacze cicho, odsunąwszy słuchawkę od ucha.

Rozmawiałyśmy prawie godzinę. Powiedziałam, że wiem, co się z nią stało, że kiedyś, przed zaśnięciem, opowiadałam ojcu jej historię. Pari wyznała, że sama nie znała tej części swojego życia i pewnie by umarła, nie wiedząc o niej, gdyby nie list, który zostawił brat jej macochy z Kabulu. Opowiedział w nim między innymi o wydarzeniach jej dzieciństwa. List ten Nabi powierzył niejakiemu Markosowi Varvarisowi, chirurgowi pracującemu w Kabulu, który odszukał Pari we Francji. W lecie poleciała do Kabulu i spotkała się z Markosem Varvarisem, który zawiózł ją do Szadbagh.

Pod koniec rozmowy wyczułam, że zbiera się na odwagę. Wreszcie wyrzuciła z siebie:

— Hm, chyba jestem już gotowa. Mogę z nim teraz porozmawiać?

Wtedy musiałam jej powiedzieć.

Przysuwam album bliżej i patrzę na zdjęcie, które wskazuje Pari. Widzę rezydencję za wysokim białym murem z drutem kolczastym. Czy raczej czyjeś poronione wyobrażenie o rezydencji; to dwupiętrowy, różowo-zielono-żółto-biały dom z balustradami, wieżyczkami, mozaikami i lustrzanymi szybami jak w drapaczach chmur. Pomnik kiczu, a i to żałośnie nieudany.

— Mój Boże! — wykrzykuję.

— *C'est affreux, non?* — komentuje Pari. — Koszmar. Afgańczycy mówią na to „pałace narko". Ten należy do znanego zbrodniarza wojennego.

— Więc to wszystko, co pozostało z Szadbagh?

— Ze starej wioski, tak. Ten dom i akry drzew owocowych, to znaczy... jak to się mówi... *des vergeres.*

— Sadów.

— Właśnie. — Przesuwa palcem po zdjęciu przedstawiającym posiadłość. — Szkoda, że nie wiem, gdzie dokładnie stał nasz stary dom. To znaczy w stosunku do tego pałacu. Bardzo bym chciała znać dokładną lokalizację.

Opowiada mi o nowym Szadbagh — miasteczku ze szkołami, szpitalem, sklepami przy głównej ulicy, nawet małym hotelem — które powstało trzy kilometry od miejsca, gdzie znajdowała się stara wieś. Szukała tam z tłumaczem swojego przyrodniego brata. Dowiedziałam się tego wszystkiego już podczas tamtej pierwszej długiej rozmowy telefonicznej z Pari: że nikt w miasteczku nie znał Ighbala, aż wreszcie trafiła na starszego człowieka, jego przyjaciela z dzieciństwa, który widział go, jak mieszkał wraz ze swoją rodziną na polu niedaleko starego wiatraka. Ighbal opowiedział mu, że kiedy przebywał w Pakistanie, dostawał pieniądze od starszego brata, który mieszkał w północnej Kalifornii.

— Zapytałam go — relacjonowała Pari przez telefon — czy Ighbal wspomniał, jak ten brat ma na imię, a on odpowiedział: „Tak, Abdullah". A reszta, *alors*, to już nie było takie trudne. To znaczy odnalezienie ciebie i twojego ojca. Zapytałam też tego starego człowieka, gdzie jest teraz Ighbal. Co się z nim stało. Ale on nie wiedział. Wydawał się jednak bardzo zdenerwowany i nie patrzył mi w oczy, gdy to mówił. Więc obawiam się, Pari, że Ighbalowi stało się coś złego.

Przerzucam strony albumu, a ona pokazuje mi zdjęcia swoich dzieci: Alaina, Isabelle i Thierry'ego, oraz wnuków, na przyjęciach urodzinowych, pozujących w kostiumach kąpielowych nad basenem. Swoje mieszkanie w Paryżu, z jasnoniebieskimi ścianami, białymi zasłonami do parapetów, regałami na książki. A także ciasny gabinet na uniwersytecie, gdzie wykładała matematykę, zanim gościec zmusił ją do przejścia na emeryturę.

Oglądam zdjęcia, a ona je komentuje: jej dawna przyjaciółka Collette, mąż Isabelle Albert, jej własny mąż Eric, który był dramatopisarzem i umarł na atak serca w 1997 roku. Zatrzymuję się przy fotografii ich dwojga, bardzo młodych, siedzących obok siebie na pomarańczowych poduszkach w jakiejś restauracji: ona jest w białej bluzce, on w bawełnianej koszulce, ma długie proste włosy związane w kucyk.

— Tego dnia się poznaliśmy — wyjaśnia Pari. — To było ukartowane.

— Miał miłą twarz.

Pari kiwa głową.

— Tak. Kiedy braliśmy ślub, myślałam: och, mamy przed sobą długie lata. Trzydzieści, może czterdzieści. Pięćdziesiąt, jeśli dopisze nam szczęście. Dlaczego nie? — Patrzy na zdjęcie, przez chwilę nieobecna, a potem uśmiecha się lekko. — Ale z czasem jest jak z wdziękiem. Nigdy nie masz go za dużo. — Odsuwa od siebie album i upija łyk kawy. — A ty? Nie wyszłaś za mąż?

Wzruszam ramionami i przewracam kartkę.

— Kiedyś mało brakowało.

— Mało brakowało? Czego? Nie rozumiem.

— To znaczy, że byłam bliska wyjścia za mąż. Ale nie dotrwaliśmy nawet do zaręczyn.

To nieprawda. Sprawa była bolesna i skomplikowana. Nawet teraz na samo wspomnienie czuję ból pod żebrami.

Opuszcza głowę.

— Przepraszam. Zachowałam się nietaktownie.

— Nie. W porządku. Poznał kogoś atrakcyjniejszego i mniej... obarczonego obowiązkami. A skoro mowa o urodzie, kto to jest?

Wskazuję uderzająco piękną kobietę z długimi ciemnymi włosami i wielkimi oczami. Trzyma papierosa, jakby była bardzo znudzona — z łokciem przy boku i lekko przechyloną głową — ale jej spojrzenie jest przenikliwe, wyzywające.

— To *maman*. Moja matka, Nila Wahdadi. To znaczy przybrana matka. Rozumiesz.

— Jest przepiękna.

— Była. Popełniła samobójstwo. W siedemdziesiątym czwartym roku.

— Przykro mi.

— *Non, non*. Wszystko w porządku. — Pari przesuwa kciukiem po fotografii. — *Maman* była elegancka i utalentowana. Czytała dużo książek, miała wyrobione zdanie na różne kwestie i nigdy się z tym nie kryła. Ale też nosiła w sobie wielki smutek. Przez całe życie jakby podawała mi łopatę i mówiła: „Zasyp te wszystkie dziury we mnie, Pari".

Kiwam głową. Chyba rozumiem, co ma na myśli.

— Ale ja nie potrafiłam. A później nie chciałam. Postępowałam lekkomyślnie. Niefrasobliwie. — Prostuje się na krześle i kładzie blade dłonie na kolanach. Zastanawia się przez chwilę, a potem mówi: — *J'aurias dû être plus gentille...* Mogłam być delikatniejsza. Człowiek nigdy czegoś takiego nie żałuje. Kiedy jesteś stara, nie mówisz sobie: „Szkoda, że nie byłam lepsza dla tej osoby". Nigdy tak nie myślisz. — Przez chwilę ma zbolałą minę. Wygląda jak bezradna dziewczynka. — To nie byłoby takie trudne — podejmuje ze zmęczeniem. — Mogłam być lepsza. Bardziej taka jak ty.

Wzdycha ciężko i zamyka album. Po chwili mówi weselej:

— *Ah bon*. Teraz chciałabym cię o coś poprosić.

— Ależ oczywiście.

— Pokażesz mi swoje obrazy?

Uśmiechamy się do siebie.

Pari zostaje u nas przez miesiąc. Rano jemy razem śniadanie w kuchni. Czarna kawa i tost dla Pari, jogurt dla mnie i jajecznica z chlebem dla ojca, coś, co upodobał sobie w ostatnim roku. Bałam się, że jedzenie tylu jajek podniesie mu poziom cholesterolu, i zapytałam o to doktora Basziriego podczas jednej z kontroli lekarskich *baby*. Doktor Basziri uśmiechnął się do mnie, jak to on, z zaciśniętymi ustami, i powiedział: „Och, nie martwiłbym się o to". I trochę się uspokoiłam — przynajmniej do chwili, gdy jakiś czas później pomagałam *babie* zapiąć pas w samochodzie i przyszło mi do głowy, że doktor Basziri tak naprawdę chciał powiedzieć: „To już nieistotne".

Po śniadaniu idę do gabinetu — znanego również jako moja sypialnia — i gdy pracuję, Pari siedzi przy ojcu. Na jej prośbę zrobiłam listę programów telewizyjnych, które *baba* lubi oglądać, jego lekarstw i godzin, w których należy mu je podawać, a także ulubionych przekąsek. To był jej pomysł.

— Mogłabyś po prostu wejść do mnie i zapytać — powiedziałam.

— Po co mam ci przeszkadzać? — odparła. — Poza tym chcę wiedzieć. Chcę go poznać.

Nie mówię jej, że nigdy go nie pozna, nie tak, jak by pragnęła. Zdradzam jej jednak kilka sztuczek. Na przykład gdy *baba* zaczyna się denerwować, czasami udaje mi się go uspokoić — choć nie wiem dlaczego — szybko podając mu bezpłatny katalog dostawczy czy gazetkę reklamową sklepu meblowego. Zbieram je stale na wszelki wypadek.

— Jeśli chcesz, żeby zasnął, włącz kanał meteorologiczny albo rozgrywki golfowe. I za nic nie pozwalaj mu oglądać programów kulinarnych.

— Dlaczego?

— Z jakiegoś powodu działają mu na nerwy.

Po lunchu idziemy we trójkę na spacer, ale krótki, ze względu na nich oboje — *baba* się szybko męczy, a Pari ma gościec. *Baba* patrzy nieufnie, idąc chwiejnie po chodniku między Pari a mną, w starej czapce gazeciarza, rozpinanym swetrze i mokasynach obszytych wełną. Za rogiem jest szkoła średnia ze źle utrzymanym boiskiem do piłki nożnej, a za nią mały plac zabaw i często tam właśnie prowadzę *babę*. Zawsze spotykamy jakąś młodą matkę albo dwie, z wózkiem przy ławce i dzieckiem raczkującym w piaskownicy, od czasu do czasu widujemy pary nastolatków na wagarach, machających nogami i palących na spółkę papierosa. Ci rzadko patrzą na *babę* — nastolatkowie — a jeśli już, to z zimną obojętnością, a nawet lekką pogardą, jakby mój ojciec powinien być mądrzejszy i nie pozwolić, żeby dopadła go starość i inwalidztwo.

Pewnego dnia przerywam pisanie, idę do kuchni, żeby dolać sobie kawy, i zastaję ich oboje oglądających w salonie film. *Baba* siedzi na fotelu, spod szala wystają mu mokasyny, ma pochyloną głowę lekko otwarte usta, brwi ściągnięte w wyrazie skupienia albo dezorientacji. A Pari siedzi obok niego, z dłońmi złożonymi na kolanach i nogami skrzyżowanymi w kostkach.

— A to? Kto to jest? — pyta *baba*.

— To Latika.

— Kto?

— Latika, dziewczynka ze slumsów. Ta, która nie wskoczyła do pociągu.

— Nie wygląda jak ona.

— Rzeczywiście, bo minęło wiele lat — wyjaśnia Pari. — Jest starsza.

Pewnego dnia tydzień wcześniej siedzieliśmy we troje na ławce na placu zabaw i Pari zapytała:

— Abdullahu, pamiętasz, jak byłeś chłopcem i miałeś młodszą siostrę?

Gdy tylko zadała to pytanie, *baba* zaczął płakać. Pari przytuliła go, powtarzając w panice:

— Przepraszam, przepraszam. — Ocierała mu policzki, ale on wciąż szlochał, i to tak gwałtownie, że zaczął się dławić.

— A wiesz, kto to jest, Abdullahu? — pyta teraz.

Baba coś zamruczał.

— To Dżamal. Ten chłopiec z teleturnieju — wyjaśnia Pari.

— Nie, to nie on — odpowiada *baba* zrzędliwie.

— Sądzisz, że nie?

— On podaje herbatę!

— Tak, ale to było... jak wy to mówicie... w przeszłości. Dawniej. Bo to...

— Retrospekcja — mówię bezgłośnie nad kubkiem kawy.

— Teleturniej rozgrywa się teraz, Abdullahu. A herbatę podawał wcześniej.

Baba mruga. Dżamal i Salim na ekranie telewizora siedzą ze spuszczonymi nogami na otwartym piętrze wieżowca w Bombaju.

Pari przygląda się *babie*, jakby czekała na chwilę, kiedy jego wzrok się przejaśni.

— Mogę cię o coś zapytać, Abdullahu? — pyta. — Gdybyś wygrał milion dolarów, to co byś z nimi zrobił?

Baba się krzywi, wierci na fotelu, a potem jeszcze bardziej pochyla.

— Bo ja wiem, co bym zrobiła — podejmuje Pari.

Baba patrzy na nią bez wyrazu.

— Gdybym wygrała milion dolarów, kupiłabym dom przy tej ulicy. Dzięki temu zostalibyśmy sąsiadami, ty i ja. Przychodziłabym do ciebie codziennie i razem oglądalibyśmy telewizję.

Baba się uśmiecha.

Kilka minut później, gdy siedzę już w swoim pokoju ze słuchawkami na uszach i przepisuję, słyszę głośny brzęk i krzyki *baby* w farsi. Ściągam słuchawki i biegnę do kuchni. Pari stoi pod ścianą, gdzie znajduje się mikrofalówka, i obronnym gestem wyciąga przed ręce siebie, a *baba* z dzikim wzrokiem dźga ją w ramię laską. U ich stóp leżą kawałki rozbitej szklanki.

— Zabierz ją stąd! — krzyczy *baba*. — Nie chcę widzieć tej kobiety w moim domu!

— *Baba*!

Pari blednie. Z jej oczu płyną łzy.

— Odłóż tę laskę, *babo*, na miłość boską! I nie ruszaj się! Pokaleczysz sobie stopy.

Wyrywam mu laskę z ręki, ale nie bez trudności, bo nie chce jej oddać.

— Niech ta kobieta sobie pójdzie! To złodziejka!

— Co on mówi? — pyta Pari żałośnie.

— Ukradła mi pigułki!

— To są jej tabletki, *babo* — mówię. Kładę mu rękę na ramieniu i wyprowadzam z kuchni. Drży pod moją dłonią. Gdy mijamy Pari, znowu prawie rzuca się na nią i muszę go powstrzymać.

— Już dobrze, *babo*, wystarczy tego. To jej tabletki, nie twoje. Zażywa je, bo ma chore ręce. — W drodze do fotela biorę ze stolika do kawy katalog wysyłkowy.

— Nie ufam tej kobiecie — mówi *baba*, padając na fotel. — Ty nie wiesz. Ale ja wiem. Potrafię rozpoznać złodzieja! — Dysząc, bierze ode mnie katalog i zaczyna kartkować. A potem odkłada go na kolana i patrzy na mnie ze ściągniętymi brwiami. — I kłamcę też. Wiesz, co mi powiedziała... ta kobieta? Wiesz, co powiedziała? Że jest moją siostrą! Moją siostrą! Poczekaj, aż dowie się o tym Soltana.

— Dobrze, *babo*. Powiemy jej razem.

— Wariatka.

— Powiem mamie, a potem we troje pośmiejemy się z tej kobiety. A teraz się uspokój, *baba*. Wszystko będzie dobrze. No już.

Włączam kanał meteorologiczny i siadam przy ojcu, gładząc go po ramieniu, aż przestaje drżeć i zaczyna równo oddychać. W ciągu niespełna pięciu minut zasypia.

Pari siedzi w kuchni z opuszczonymi ramionami, oparta o zmywarkę. Wygląda na wstrząśniętą. Ociera oczy papierową serwetką.

— Bardzo przepraszam — mówi. — To było głupie z mojej strony.

— Nic takiego się nie stało — odpowiadam. Sięgam pod zlew po zmiotkę i szufelkę. Na podłodze wśród szkła leżą rozsypane różowe i pomarańczowe tabletki. Zbieram je jedną po drugiej i zmiatam szkło.

— *Je suis une imbécile*. Za dużo chciałam mu powiedzieć. Myślałam, że jeśli powiem prawdę... Już sama nie wiem, co sobie myślałam.

Wrzucam kawałki szkła do kubła na śmieci. Przyklękam, odchylam kołnierzyk jej bluzki i oglądam ramię tam, gdzie *baba* ją dźgnął.

— Będziesz miała siniaka. Znam się na tym. — Siadam na podłodze obok niej.

Rozkłada dłoń, a ja wysypuję na nią pigułki.

— Często taki bywa?

— Są dni, gdy jest trudny.

— Może powinnaś załatwić mu profesjonalną pomoc, nie sądzisz?

Wzdycham, kiwając głową. Ostatnio często myślę, że nadejdzie dzień, kiedy obudzę się w pustym domu, podczas gdy *baba* będzie leżał skulony na jakimś nieznanym mu łóżku, patrząc na tacę ze śniadaniem przyniesioną przez obcego człowieka. Albo siedział zgarbiony za stołem w jakiejś świetlicy i przysypiał.

— Wiem — odpowiadam. — Ale jeszcze nie teraz. Chcę się nim zajmować, dopóki dam radę.

Pari uśmiecha się i wydmuchuje nos.

— Rozumiem.

Nie jestem tego pewna. Nie zdradzam jej, że jest jeszcze inny powód. Nie mam odwagi przyznać się do tego nawet przed sobą. Otóż boję się zostać sama, mimo że często niczego innego nie pragnę. Boję się, co się ze mną stanie, co ze sobą zrobię, gdy *baby* nie będzie. Przez całe życie byłam jak ryba w bezpiecznym akwarium, za przezroczystą, ale nieprzeniknioną szybą. Mogłam obserwować toczące się na zewnątrz życie i jeśli naszła mnie ochota, wyobrażać sobie siebie w nim. Ale zawsze żyłam w zamknięciu, jak w niewoli, w granicach wyznaczonej mi przez *babę* egzystencji, najpierw świadomie, gdy byłam młodsza, a teraz bezwiednie, kiedy ojciec niknie z dnia na dzień. Chyba już przyzwyczaiłam się do tego szkła i przerażona myślę, że może się rozbić i zostanę sama. Wypłynę wraz z wodą w nieznaną przestrzeń i będę się miotała, bezradna, zagubiona, z trudem łapiąc powietrze.

Prawda, do której rzadko się przyznaję, jest taka, że zawsze potrzebowałam ciężaru na plecach.

Bo dlaczego tak łatwo porzuciłam marzenia o studiach malarskich, prawie nie stawiając oporu, kiedy *baba* poprosił, żebym nie wyjeżdżała do Baltimore? Dlaczego odeszłam od Neala, mężczyzny, z którym byłam zaręczona przed kilku laty? Prowadził małą firmę montującą panele słoneczne. Miał kanciastą twarz, która spodobała mi się już w chwili, gdy zobaczyłam go w Abe's Kabob House, gdy spytałam, czego sobie życzy, a on podniósł wzrok znad karty i uśmiechnął się do mnie. Był cierpliwy, sympatyczny i zrównoważony. To nieprawda, co powiedziałam o nim Pari. Neal nie porzucił mnie dla bardziej atrakcyjnej kobiety. Podpuszczałam go. Chociaż obiecał przejść na islam, brać lekcje farsi, wynajdowałam inne trudności, wymyślałam przeszkody. W końcu wpadłam w panikę i biegiem wróciłam do ciemnych zakamarków domu, z jego ograniczeniami.

Pari próbuje wstać. Patrzę, jak wygładza spódnicę i znowu uderza mnie myśl, jaki to cud, że tutaj jest, stoi kilka centymetrów ode mnie.

— Chcę ci coś pokazać — mówię.

Podnoszę się i idę do mojego pokoju. Jeśli człowiek nie wyprowadza się z rodzinnego domu, nikt nie wynosi jego rzeczy z pokoju, nie sprzedaje zabawek na wyprzedaży garażowej, nie oddaje ubrań, z których wyrósł. Wiem, że jak na kobietę zbliżającą się do trzydziestki, mam za dużo pamiątek z dzieciństwa, przeważnie w wielkiej skrzyni stojącej w nogach łóżka. Teraz ją otwieram. W środku są stare lalki, różowy kucyk z grzywą dającą się czesać, książeczki z obrazkami, wszystkie kartki urodzinowe i walentynkowe robione dla rodziców w podstawówce z fasolek, brokatu i małych błyszczących gwiazdek. Gdy rozmawiałam z Nealem po raz ostatni, wtedy, kiedy z nim zerwałam, powiedział: „Nie mogę na ciebie czekać, Pari. Nie mogę czekać, aż dorośniesz".

Zamykam wieko skrzyni i wracam do salonu, gdzie Pari usadowiła się na kanapie naprzeciwko *baby*. Siadam obok niej.

— Proszę. — Podaję jej stos pocztówek.

Sięga po okulary do czytania leżące na małym stoliku, i zdejmuje gumkę z pocztówek. Patrzy na pierwszą z nich, marszcząc czoło. Przedstawia Las Vegas, Ceasars Palace w nocy, cały rozświetlony. Odwraca ją i czyta głośno:

21 lipca 1992 roku

Droga Pari!

Nie uwierzyłabyś, jak tu gorąco. Dziś baba oparzył sobie rękę, gdy położył ją na dachu naszego wynajętego samochodu! Mama musiała mu zrobić okład z pasty do zębów. W Ceasars Palace mają rzymskich legionistów z mieczami, w hełmach i czerwonych pelerynach. Baba namawia mamę, żeby zrobiła sobie z nimi zdjęcie, ale ona nie chce. A ja się sfotografowałam! Pokażę Ci po powrocie do domu. To na razie tyle. Brak mi Ciebie. Szkoda, że Cię tu nie ma.

Pari

PS Pisząc to, jem niesamowity deser lodowy.

Bierze następną pocztówkę. Hearst Castle. Tym razem czyta tekst pod nosem.

Przy zamku jest zoo! Czy to nie fantastycznie? Kangury, zebry, antylopy, wielbłądy baktriany — to te z dwoma garbami!

Potem pocztówka z Disneylandu, machająca Myszka Miki w kapeluszu czarownicy.

Mama aż krzyknęła, gdy spod sufitu spadł powieszony facet! Szkoda, że jej nie słyszałaś!

La Jolla Cove. Big Sur. 17 Mile Drive. Muir Woods. Jezioro Tahoe,

Tęsknię za Tobą. Na pewno by Ci się tu spodobało. Szkoda, że Cię tu nie ma. Szkoda, że Cię tu nie ma. Szkoda, że Cię tu nie ma.

Pari zdejmuje okulary.
— Pisałaś kartki do siebie?

Kręcę głową.

— Do ciebie. — Parskam śmiechem. — To żenujące.

Pari odkłada pocztówki na stolik i przesuwa je w moją stronę.

— Opowiedz mi o tym.

Spoglądam na swoje ręce i obracam zegarek na nadgarstku.

— Wyobrażałam sobie, że jesteśmy bliźniaczkami, ty i ja. Oprócz mnie nikt cię nie widział. Wszystko ci mówiłam. Zdradzałam swoje sekrety. Byłaś dla mnie realna, zawsze na wyciągnięcie ręki. Dzięki tobie nie czułam się taka samotna. Byłyśmy *Doppelgangers*. Wiesz, co znaczy to słowo?

W jej oczach pojawia się uśmiech.

— Tak.

— Wyobrażałam nas sobie jako dwa liście, które wiatr zaniósł w różne strony, a jednak pochodzące z jednego drzewa o splecionych korzeniach.

— W moim przypadku było odwrotnie — odpowiada Pari. — Mówisz, że zawsze czułaś obecność kogoś bliskiego, a ja czułam nieobecność. Dziwny ból niewiadomego pochodzenia. Byłam jak pacjent, który nie umie wytłumaczyć lekarzowi, gdzie go boli, tylko mówi, że boli. — Kładzie rękę na mojej dłoni i przez minutę żadna z nas się nie odzywa.

Baba na fotelu porusza się i stęka.

— Naprawdę bardzo mi przykro — mówię.

— Z jakiego powodu?

— Że odnaleźliście się tak późno.

— Ale w końcu się odnaleźliśmy, prawda? — odpowiada głosem łamiącym się z emocji. — Taki teraz jest. I trudno. Jestem szczęśliwa. Znalazłam część siebie, której mi brakowało. — Ściska moją rękę. — I znalazłam ciebie, Pari.

Jej słowa przywołują moje dziecinne tęsknoty. Przypominam sobie, że kiedy czułam się samotna, szeptałam jej imię — nasze imię — i wstrzymywałam oddech, czekając na echo, pewna, że któregoś dnia je usłyszę. Gdy teraz Pari mówi ostatnie zdanie, w tym salonie, mam wrażenie, jakby te wszystkie lata, gdy byłyśmy rozdzielone, szybko nakładały się na siebie, a czas skurczył się do rozmiarów fotografii, pocztówki, sprowadzając mi najbardziej wytęsknioną osobę z dzieciństwa, która teraz siedzi obok mnie, bierze mnie za rękę, wypowiada moje imię. Nasze imię. Wydaje mi się, że coś wskakuje na swoje miejsce. Coś wyrwanego dawno temu zostaje przyklejone. A ja czuję w piersi lekki wstrząs, stłumiony głuchy odgłos, jakby obok mojego zaczęło bić jakieś nowe serce.

Baba na fotelu wspiera się na łokciach. Przeciera oczy i patrzy na nas.

— Co wy tam, dziewczyny, knujecie?

Uśmiecha się szeroko.

 Kolejna rymowanka. Tym razem o moście w Avignonie.

Pari nuci mi ją, a potem recytuje słowa:

Sur le pont d'Avignon
L'on y danse, l'on y danse
Sur le pont d'Avignon
L'on y danse tous en rond.

— Mama śpiewała mi ją, kiedy byłam mała — wyjaśnia, otulając się szalem, bo wieje zimny wiatr. Dzień jest chłodny, ale niebo błękitne, a słońce świeci jasno. Jego promienie padają na metalicznie szarą powierzchnię Rodanu i rozświetlają mnóstwem jasnych punktów. — Wszystkie dzieci we Francji znają tę piosenkę.

Siedzimy na drewnianej ławce w parku nad wodą. Gdy tłumaczy dla mnie słowa piosenki, patrzę z podziwem na miasto po drugiej stronie rzeki. Niedawno odkryłam własną historię, a teraz, ku mojemu zdumieniu, znalazłam się w miejscu, w którym napotyka się ją na każdym kroku, udokumentowaną, zachowaną. To cudowne. Wszystko w tym mieście jest cudowne. Zachwyca mnie czyste powietrze, wiatr wiejący nad rzeką, która obmywa kamienne brzegi. A także wspaniałe światło rozchodzące się jakby we wszystkich kierunkach. Z ławki w parku widzę obwarowania otaczające stare miasto z plątaniną krętych uliczek, zachodnią wieżę katedry, pozłacaną figurę Najświętszej Marii Panny.

Pari opowiada mi historię mostu — w XII wieku młody pasterz twierdził, że kazały mu go zbudować anioły. Na dowód podniósł wielki kamień i wrzucił go do wody. Opowiada o przewoźnikach, którzy weszli na most, żeby uczcić swojego patrona, świętego Mikołaja. I o tych wszystkich powodziach przez wieki naruszających wsporniki mostu, tak że w końcu go zerwały. Wypowiada te słowa z tym samym nerwowym pełnym energii pośpiechem jak wcześniej, kiedy oprowadzała mnie po gotyckim pałacu papieskim. Zdejmuje słuchawki audio-guide'a i wskazuje mi jakiś fresk, pociąga mnie za łokieć, żeby zwrócić moją uwagę na ciekawą rzeźbę, witraż, przecinające się żebra stropu.

Przed pałacem mówiła niemal przez godzinę; z jej ust wydobywały się imiona tych wszystkich świętych, papieży i kardynałów, gdy spacerowałyśmy po placu katedralnym wśród gołębi, turystów, handlarzy z Afryki w jaskrawych tunikach, którzy sprzedają bransoletki i podrabiane zegarki, wokół młodego muzyka w okularach, siedzącego na skrzynce po jabłkach i grającego na gitarze akustycznej *Bohemian Rhapsody*. Nie przypominam sobie, żeby była taka gadatliwa podczas swojej wizyty w Stanach, i mam wrażenie, że gra na zwłokę, jakbyśmy krążyły wokół tematu, który naprawdę chce poruszyć — i który poruszy — i te wszystkie słowa były niczym most.

— Ale wkrótce zobaczysz prawdziwy most — mówi. — Kiedy już wszyscy się zjawią. Pójdziemy razem na Pont du Gard. Znasz go? Nie? *Oh là là. C'est vraiment merveilleux.* Rzymianie zbudowali go na początku pierwszego wieku, żeby transportować wodę do obecnego Nîmes. Pięćdziesiąt kilometrów! To cud inżynierii, Pari.

Jestem we Francji od czterech dni, w Awinionie od dwóch. Pari i ja wsiadłyśmy w zachmurzonym zimnym Paryżu do TGV i wysiadłyśmy tu, pod czystym niebem, w ciepłym wietrze i przy graniu cykad siedzących na każdym drzewie. Na dworcu szaleńczy pośpiech, żeby wytaszczyć z wagonu mój bagaż — ledwie zdążyłam z nim wysiąść, tuż za moimi plecami zablokowały się drzwi. Muszę powiedzieć *babie*, że jeszcze trzy sekundy i wylądowałabym w Marsylii.

— Jak on się ma? — zapytała Pari w Paryżu, podczas jazdy taksówką z lotniska de Gaulle'a do jej mieszkania.

— Zmierza w wiadomym kierunku — odpowiedziałam.

Baba przebywa teraz w domu opieki. Kiedy wybrałam się tam pierwszy raz i dyrektorka ośrodka, Penny — wysoka smukła kobieta z kręconymi rudymi włosami — oprowadziła mnie po nim, pomyślałam: „Nie jest tak źle".

A potem to powiedziałam:

— Nie jest tak źle.

Było czysto, okna wychodziły na ogród, w którym, jak mówiła Penny, w środy o wpół do piątej urządzają przyjęcie z herbatą. W holu pachniało cynamonem i sosną. Pracownicy, których większość znałam już z imienia, wydawali się uprzejmi, cierpliwi i kompetentni. Wcześniej wyobrażałam sobie starsze kobiety o zniszczonych twarzach, włosach na brodzie, z cieknącą z ust śliną, mówiące do siebie i tkwiące przed telewizorem. Ale większość pensjonariuszy, których widziałam, nie była wcale taka stara. Wielu nie poruszało się nawet na wózkach inwalidzkich.

— Chyba spodziewałam się czegoś gorszego — wyznałam.

— Naprawdę? — zapytała Penny z miłym, profesjonalnym śmiechem.

— Przepraszam, to było obraźliwe.

— Ależ skąd. Mamy świadomość, jak ludzie wyobrażają sobie takie miejsca. — Oczywiście — dodała ostrożnie, oglądając się przez ramię — w tej części mieszkają pacjenci, którzy nie wymagają stałej opieki. Sądząc z tego, co mówiła mi pani o swoim ojcu, nie jestem pewna, czy dałby tu sobie radę. Przypuszczam, że bardziej odpowiedni byłby dla niego specjalistyczny oddział, gdzie zajmujemy się osobami mającymi kłopoty z pamięcią.

Otworzyła drzwi kluczem elektronicznym. Na oddziale zamkniętym już nie pachniało cynamonem ani sosną. Skręciły mi się wnętrzności i w pierwszej chwili miałam ochotę odwrócić się i wyjść. Penny objęła mnie ramieniem i uścisnęła.

Spojrzała na mnie z czułością. Przez resztę wizyty walczyłam z ogromnym poczuciem winy.

Dzień przed wyjazdem do Europy pojechałam odwiedzić *babę*. Przeszłam przez hol w części ograniczonej opieki i pomachałam do Carmen, która pochodzi z Gwatemali i odbiera telefony. Minęłam salę, gdzie grupa seniorów słuchała kwartetu smyczkowego uczniów szkoły średniej w eleganckich strojach, potem świetlicę z komputerami, książkami na półkach i zestawami do gry w domino, tablicę z informacjami, radami i ogłoszeniami: „Czy wiesz, że soja zbija zły cholesterol?", „Nie zapomnij o puzzlach i godzinie refleksji — w najbliższy wtorek o 11.00!".

Weszłam na oddział zamknięty. Po tej stronie drzwi nie ma popołudniowych herbatek ani bingo. Nikt nie zaczyna poranka od tai chi. Zajrzałam do pokoju *baby*, ale go tam nie zastałam. Jego łóżko było pościelone, telewizor wyłączony, na szafce przy łóżku stała szklanka z wodą. Trochę mi ulżyło. Źle znoszę widok *baby* na szpitalnym łóżku, leżącego na boku, z ręką pod poduszką i zapadniętymi oczami, patrzącego na mnie pustym wzrokiem.

Znalazłam go w pokoju rekreacyjnym, siedzącego z opuszczonymi ramionami na wózku inwalidzkim, przy oknie wychodzącym na ogród. Miał na sobie flanelową piżamę i swoją czapkę gazeciarza. Na jego kolanach leżał, jak mówi Penny, „fartuch wiercipięty", ze sznurkami, które można zaplatać, i guzikami do zapinania i odpinania. Penny twierdzi, że taki fartuch pomaga mu zająć ręce.

Pocałowałam ojca w policzek i przysunęłam sobie krzesło. Ktoś go ogolił, zwilżył mu włosy i uczesał. Jego twarz pachniała mydłem.

— Jutro wielki dzień — powiedziałam. — Lecę do Paryża, do Francji. Mówiłam ci, pamiętasz?

Zamrugał. Zaczął zamykać się w sobie jeszcze przed wylewem, zapadając w długie okresy milczenia, podczas których wyglądał na przybitego. Po wylewie jego twarz stała się jak maska, na ustach ma zastygły, krzywy, uprzejmy uśmiech, którego nigdy nie widać w oczach. Od tamtego czasu nie powiedział ani słowa. Czasami otwiera usta i wydaje chrapliwe przeciągłe: „Aaaach!" — ze wznoszącą się intonacją, co brzmi, jakby się zdziwił albo jakby to, co powiedziałam, wyrwało go na chwilę z otępienia.

— Spotkamy się w Paryżu, a potem pojedziemy pociągiem do Awinionu. To miasto na południu Francji. W czternastym wieku mieszkali w nim papieże. Więc będzie sporo do zwiedzania. Ale najważniejsze, że Pari powiedziała o moim przyjeździe swoim dzieciom i spotkamy się tam z nimi.

Baba wciąż się uśmiechał, tak jak wtedy, gdy Hector tydzień wcześniej przyjechał go odwiedzić i kiedy pokazałam mu podanie o przyjęcie do College of Arts and Humanities w San Francisco.

— Twoja siostrzenica Isabelle i jej mąż Albert mają letni dom w Prowansji, niedaleko miasteczka Les Baux. Obejrzałam je w internecie, *baba*. Jest niesamowite. Powstało na jednym ze szczytów Allpilles. Można zwiedzać ruiny średniowiecznego zamku, oglądać widoki na równiny i sady. Będę robiła zdjęcia i po powrocie ci je pokażę.

Niedaleko kobieta w szlafroku z zadowoleniem przesuwała elementy układanki. Przy następnym stoliku inna, z puszystymi siwymi włosami, próbowała ułożyć widelce, łyżki i noże do masła w szufladzie na sztućce. Na dużym ekranie telewizora w rogu Ricky i Lucy kłócili się, skuci razem kajdankami.

Baba powiedział:

— Aaach!

— Przyjedzie Alain, twój siostrzeniec, z żoną Aną i pięciorgiem dzieci. Nie znam imion ich wszystkich, ale się nauczę. Ma też przyjechać Thierry... twój drugi siostrzeniec, najmłodszy syn Pari... która z tego cieszy się najbardziej. Nie rozmawiali z sobą od lat. Thierry bierze urlop... bo pracuje w Afryce... i przylatuje. Więc to będzie prawdziwy zlot rodzinny.

Przed wyjściem pocałowałam go w policzek. Zatrzymałam się z twarzą przy jego twarzy, przypominając sobie, jak odbierał mnie kiedyś z przedszkola i jechał ze mną do Denny's, żeby odebrać mamę z pracy. Siadaliśmy przy stoliku i gdy na nią czekaliśmy, jadłam lody, które zawsze podawał mi menedżer, i pokazywałam *babie* moje rysunki. Oglądał je wszystkie cierpliwie i promieniał, kiwając głową.

Baba wciąż uśmiechał się tym swoim uśmiechem.

— Och, byłabym zapomniała.

Pochyliłam się i odprawiłam nasz pożegnalny rytuał. Przeciągnęłam palcami od jego policzków do pomarszczonego czoła i skroni, wsunęłam mu palce w siwe, coraz rzadsze włosy, aż po strupki na szorstkiej skórze za uszami, wyjmując po drodze wszystkie złe sny z jego głowy. Otworzyłam niewidzialny worek i wrzuciłam je do niego, a potem mocno zawiązałam.

— Już.

Baba wydał gardłowy pomruk.

— Kolorowych snów, *babo*. Zobaczymy się za dwa tygodnie. — Uświadomiłam sobie, że nigdy nie rozstaliśmy się na tak długo.

Gdy wychodziłam, miałam uczucie, że *baba* mnie obserwuje. Kiedy się jednak odwróciłam, siedział z pochyloną głową i bawił się guzikiem fartucha.

Pari mówi o domu Isabelle i Alberta. Pokazywała mi jego zdjęcia. To piękny, odremontowany prowansalski dom, stojący na wzgórzach Luberonu, z drzewami owocowymi i altaną przed wejściem, terakotą i odsłoniętymi belkami stropowymi w środku.

— Może tego nie widać na zdjęciach, które ci pokazywałam, ale rozciąga się z niego fantastyczny widok na masyw Vaucluse.

— Pomieścimy się tam wszyscy? Przyjedzie dużo ludzi, jak na wiejski dom.

— *Plus on est de fous, plus on rit* — odpowiada. — Jak to jest po angielsku? Im więcej, tym radośniej?

— Tym weselej.

— *Ah voilà. C'est ça.*

— A dzieci? Gdzie one...

— Pari?

Spoglądam na nią.

— Tak?

Wypuszcza z płuc powietrze.

— Możesz zdać się na mnie.

Kiwam głową. Sięgam do torebki, którą trzymam między stopami.

Chyba powinnam była to zrozumieć kilka miesięcy temu, gdy umieściłam *babę* w domu opieki. Pakując jego rzeczy, wyjęłam z szafy w holu walizkę, tę z góry, pierwszą z trzech — zmieściły się w niej wszystkie jego ubrania. W końcu zebrałam się na odwagę, żeby zrobić porządki w sypialni rodziców. Zerwałam starą tapetę, odmalowałam ściany. Wyniosłam ich wielkie łóżko, toaletkę mamy z owalnym lustrem, wyjęłam z szafy garnitury ojca, bluzki i sukienki matki w plastikowych pokrowcach. Wszystko złożyłam w garażu, żeby zawieźć — na raz albo dwa — do organizacji dobroczynnej. Przeniosłam swoje biurko do ich pokoju, który teraz, gdy jesienią zacznę studia, będzie mi służył za gabinet i pracownię. Opróżniłam też skrzynię w nogach mojego łóżka. Wrzuciłam do worka na śmieci wszystkie stare zabawki, sukienki z dzieciństwa, sandałki i tenisówki, z których wyrosłam. Nie mogłabym patrzeć na kartki z okazji urodzin, Dnia Ojca i Dnia Matki, które zrobiłam dla rodziców. Nie mogłabym spać w nocy, wiedząc, że są obok. To byłoby zbyt bolesne.

Gdy porządkowałam szafę w holu i wyjmowałam dwie pozostałe walizki, żeby schować je w garażu, poczułam, że w jednej z nich coś się przesunęło. Otworzyłam ją i znalazłam w środku paczuszkę owiniętą w gruby brązowy papier. Była do niej przyklejona koperta, na której napisano po angielsku: „Dla mojej siostry, Pari". Od razu rozpoznałam pismo *baby* — znałam je dobrze z czasów, gdy pracowałam w Abe's Kabob House i odbierałam zamówienia, a on nabijał je na kasę.

Teraz wręczam tę paczuszkę Pari, nieotwartą.

Ona kładzie ją na kolanach i patrzy na nią, przesuwając dłońmi po słowach napisanych na kopercie. Po drugiej stronie rzeki zaczynają bić kościelne dzwony. Na kamieniu wystającym z wody tuż przy brzegu ptak rozrywa wnętrzności martwej ryby.

Pari grzebie w torebce.

— *J'ai oublié mes lunettes* — mówi. — Zapomniałam okularów.

— Przeczytać ci?

Próbuje oderwać kopertę, ale to nie jest dobry dzień dla jej gośćca, więc w końcu, po chwili zmagań, przekazuje mi paczuszkę. Odklejam kopertę i ją otwieram. Rozkładam znajdującą się w niej kartkę.

— Napisał to w farsi.

— Ale potrafisz to przeczytać? — pyta Pari, ściągając z niepokojem brwi. — Przetłumaczysz mi?

— Tak. — Uśmiecham się w środku, wdzięczna, choć może poniewczasie, za te wszystkie lekcje farsi, na które we wtorkowe popołudnia *baba* zawoził mnie do Campbell. Myślę o nim teraz, obdartym i zagubionym, wlokącym się przez pustynię, i o ciągnącej się za nim ścieżce tych wszystkich, drobnych, lśniących kawałeczków, które odebrały mu życie.

Trzymam mocno kartkę, bo wieje wiatr. Czytam Pari trzy naskrobane zdania:

— *Mówią mi, że wejdę do wody, w której niebawem utonę. Zanim jednak do niej wstąpię, zostawiam Ci to na brzegu. Modlę się, Siostro, żebyś to znalazła i dowiedziała się, co nosiłem w sercu, zanim poszedłem pod wodę.*

Jest tam też data: sierpień 2007 roku.

— Sierpień dwa tysiące siódmego — mówię. — Wtedy zdiagnozowano jego chorobę. — Trzy lata przed tym, jak Pari się ze mną skontaktowała.

Pari kiwa głową, ocierając oczy nasadą dłoni. Dwoje młodych ludzi przejeżdża obok na tandemie, z przodu dziewczyna — blondynka o różowej twarzy, szczupła — a z nią chłopak z dredami, o kawowej skórze. Na trawie kilka metrów dalej siedzi nastolatka w czarnej skórzanej spódniczce i rozmawia przez telefon komórkowy, trzymając na smyczy małego grafitowego teriera.

Pari podaje mi paczuszkę, rozrywam papier. W środku jest stara blaszana puszka na herbatę, na jej wieczku widnieje wyblakły brodaty Hindus w długiej czerwonej tunice. Trzyma filiżankę parującej herbaty, jakby ją komuś wręczał. Para nad filiżanką już prawie zniknęła, a czerwień tuniki zamieniła się w róż. Zdejmuję wieczko. W środku są pióra wszelkich barw i kształtów. Krótkie, gęste, zielone; długie rude z czarną dutką; brzoskwiniowe, pewnie krzyżówki, z purpurowym odcieniem; brązowe z ciemnymi plamkami po wewnętrznej stronie chorągiewki; zielone pawie z wielkim okiem na końcu.

Odwracam się do Pari.

— Wiesz, co to znaczy?

Pari, z drżącą brodą, kręci powoli głową. Bierze ode mnie puszkę i zagląda do niej.

— Nie — odpowiada — Wiem tylko, że kiedy straciliśmy siebie nawzajem, Abdullah cierpiał bardziej niż ja. Ja miałam szczęście, bo byłam młodsza. *Je pouvais oublier.* Miałam ten luksus, że mogłam zapomnieć. On nie. — Bierze jedno z piór, muska nim nadgarstek i patrzy na nie, jakby miała nadzieję, że ożyje i uleci. — Nie wiem, co to pióro oznacza, nie znam jego historii, ale wiem, że Abdullah o mnie myślał. Przez te wszystkie lata. Pamiętał o mnie.

Obejmuję ją, gdy szlocha cicho. Patrzę na zalane słońcem drzewa, rzekę płynącą obok nas i dalej pod mostem — mostem Saint-Bénezet — tym, o którym mówi dziecięca piosenka. To właściwie połowa mostu, bo pozostały z niego tylko cztery pierwotne łuki. Urywa się pośrodku rzeki. Jakby sięgał do drugiego brzegu, próbował się z nim połączyć, ale mu się nie udało.

Tego wieczoru w hotelu leżę w łóżku i przyglądam się chmurom, które suną po wielkim księżycu za oknem. Na ulicy stukają na bruku obcasy. Słuchać śmiechy i rozmowy. Przejeżdża motorower. Z restauracji po drugiej stronie ulicy dochodzi pobrzękiwanie szkła na tacach. Przez okno napływają dźwięki pianina.

Odwracam się i widzę Pari śpiącą obok. Ma w tym świetle bladą twarz. Dostrzegam w niej *babę* — młodego, pełnego nadziei, radosnego, takiego, jakim był kiedyś — i wiem, że zawsze będę go w Pari widziała. Jesteśmy z tej samej krwi. A wkrótce poznam jej dzieci i ich dzieci, w ich żyłach też płynie ta sama krew, co we mnie. Nie jestem sama. Niespodziewanie ogarnia mnie szczęście. Przepełnia mnie całą i do oczu napływają mi łzy wdzięczności i nadziei.

Gdy patrzę na śpiącą Pari, przypominam sobie moją zabawę z *babą* na dobranoc. Wyjmowanie z głowy złych snów i wkładanie na ich miejsce dobrych. Przypominam sobie sen, który mu dawałam. Delikatnie, żeby nie obudzić Pari, kładę jej dłoń na czole. Zamykam oczy.

Jest słoneczne popołudnie. Znowu są dziećmi: brat i siostra, młodzi, silni, o jasnym wzroku. Leżą w wysokiej trawie pod kwitnącą jabłonią. Pod plecami mają ciepłą ziemię, a na twarzy promienie słońca, które przeświecają przez kwiaty nad nimi. Leżą senni, zadowoleni, ramię przy ramieniu, z głowami na wystających grubych korzeniach, ona jeszcze na złożonym płaszczu, który jej podłożył. Przez półprzymknięte powieki siostra obserwuje kosa siedzącego na gałęzi. Przez liście dochodzą powiewy chłodnego powietrza.

Odwraca głowę i patrzy na niego, swojego starszego brata, sprzymierzeńca we wszystkich sprawach, ale jego twarz jest zbyt blisko, więc nie widzi jej całej. Tylko jego czoło, linię nosa, łuk rzęs. Ale to jej nie przeszkadza. Jest szczęśliwa, że ma go przy sobie, jest z nim — ze swoim bratem — i w miarę, jak morzy ją sen, czuje coraz większy, nieskończony spokój. Zamyka oczy. Zasypia beztroska, pełna nadziei i promienna.

Podziękowania

Zanim złożę podziękowania, kilka spraw technicznych. Szadbagh jest miejscem fikcyjnym, choć niewykluczone, że gdzieś w Afganistanie istnieje wioska o takiej nazwie. Jeśli tak, nigdy tam nie byłem. Piosenka Abdullaha i Pari, zwłaszcza odniesienie do „małej smutnej wróżki", to wynik inspiracji wierszem nieżyjącej już wielkiej perskiej poetki Forugh Farrochzad. Wreszcie tytuł tej książki pochodzi od uroczego wiersza Williama Blake'a *Nurse's Song.*

Chciałbym wyrazić podziękowania dla Boba Barnetta i Deneen Howell za to, że byli tak wspaniałymi przewodnikami i rzecznikami tej powieści. Dziękuję Helen Heller, Davidowi Grossmanowi, Jody Hotchkiss. Podziękowania dla Chandler Crawford za zapał, cierpliwość i rady. Wielkie dzięki dla mnóstwa przyjaciół z Riverhead Books: Jynne Martin, Kate Stark, Sarah Stein, Leslie Schwartz, Craiga D. Burke'a, Helen Yentus i wielu innych, których nie wymieniam, ale którym jestem głęboko wdzięczny za pomoc w przekazaniu tej książki Czytelnikom.

Dziękuję mojemu wspaniałemu redaktorowi, Tony'emu Davisowi, który wykracza daleko poza swoje obowiązki.

Szczególne wyrazy wdzięczności składam mojemu wydawcy, ogromnie utalentowanej Sarah McGrath, za jej wnikliwość i wizję, delikatne wskazówki i pomoc w kształtowaniu tej powieści pod różnymi względami. Nigdy praca redakcyjna nie sprawiała mi takiej przyjemności.

Wreszcie dziękuję Susan Petersen Kennedy i Geoffreyowi Kloske za zaufanie i niezachwianą wiarę we mnie i moje pisarstwo.

Dzięki oraz *taszakor* wszystkim moim przyjaciołom i członkom rodziny za to, że zawsze stali przy mnie i cierpliwie, dzielnie, z wyrozumiałością mnie znosili. Jak zwykle dziękuję mojej pięknej żonie Roji, nie tylko za to, że czytała i poprawiała kolejne wersje tej książki, ale zajmowała się naszym codziennym życiem — i to bez cienia protestu — żebym mógł pisać. Bez Ciebie, Roju, ta powieść dokonałaby żywota już w pierwszym akapicie na pierwszej stronie. Kocham cię.

Polecamy powieści Khaleda Hosseiniego

CHŁOPIEC Z LATAWCEM

Afganistan, lata 70. Dwunastoletni Amir, syn zamożnego Pasztuna z Kabulu, wychowuje się w domu bez kobiet. By zyskać uznanie w oczach ojca, wygrywa zawody latawcowe. Pomaga mu w tym starszy o rok Hasan, służący i towarzysz zabaw. Amir jest świadkiem, kiedy na Hasana napada banda miejscowych chłopaków pod wodzą psychopatycznego Asefa, który gwałci chłopca. Z tchórzostwa i wyrachowania nie staje w jego obronie, a nawet doprowadza do sytuacji, w której Hasan musi opuścić ich dom. Ćwierć wieku poźniej dorosły Amir mieszka w USA, gdzie po wkroczeniu radzieckich wojsk do Afganistanu wyemigrował wraz z ojcem. Ożenił się, jest szczęśliwy, wiedzie dostatnie życie. Został pisarzem. Mimo to nie odstępuje go poczucie winy, świadomość własnej zdrady. I los daje mu szansę, by dokonać zadośćuczynienia. Od ciężko chorego wspólnika swojego zmarłego ojca dowiaduje się, że Hasan nie żyje. Zamordowali go talibowie. To nie jedyna szokująca wiadomość: dawny towarzysz zabaw był w rzeczywistości jego przyrodnim bratem. Amir zdaje sobie sprawę, że musi zdobyć się na odwagę i powrócić do rządzonego przez talibów Kabulu. Chcąc ocalić siebie, musi uratować Sohraba – osieroconego przez Hasana syna...

TYSIĄC WSPANIAŁYCH SŁOŃC

Kronika trzydziestu lat historii Afganistanu i głęboko poruszająca opowieść o rodzinie, przyjaźni, nadziei i ocaleniu dzięki miłości. Bez wątpienia najwyżej oceniana, najgłośniejsza, najchętniej czytana powieść 2007 roku. Niekwestionowany bestseller # 1 w kilkudziesięciu krajach świata, sprzedany w imponującej ilości ponad 10 milionów egzemplarzy.

Osią fabuły rozgrywającej się w Afganistanie w ciągu ćwierć wieku są losy dwóch kobiet, które zrządzeniem losu poślubią tego samego mężczyznę, despotycznego Pasztuna Raszida. Mariam ma zaledwie 15 lat, kiedy ojciec zmusza ją do małżeństwa z wziętym szewcem z Kabulu, człowiekiem starszym od niej o trzydzieści lat. Druga bohaterka, Lajla, urodzona krótko przed rosyjską inwazją, marzy o podróżach i zdobyciu wykształcenia. Kiedy w wyniku wybuchu bomby traci całą rodzinę, zostaje przygarnięta do domu Raszida i Mariam. Tam dochodzi do siebie po traumatycznych przejściach. Wbrew Mariam Raszid poślubia ją w nadziei, że młodsza żona da mu upragnione dziecko. Pomimo początkowej wrogości, między kobietami rodzi się trudna przyjaźń. Rządy talibów wystawiają ją na ciężką próbę...